JOAN OF ARC

From the statue by M. Fremie'

Schillers
Jungfrau von Orleans

Edited
With Introduction, Notes, and Vocabulary

BY

PHILIP SCHUYLER ALLEN

Associate Professor of German Literature
in the University of Chicago

AND

STEVEN TRACY BYINGTON

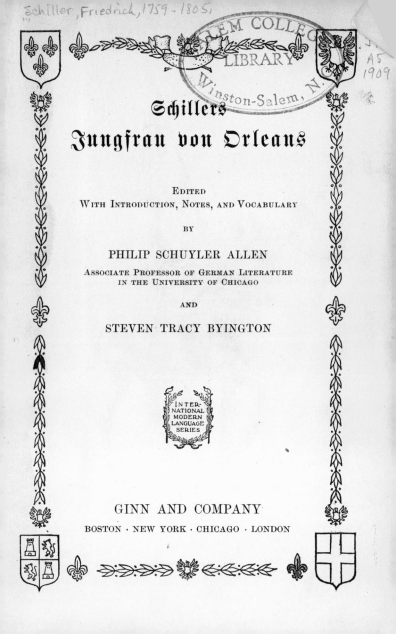

INTER-
NATIONAL
MODERN
LANGUAGE
SERIES

GINN AND COMPANY
BOSTON · NEW YORK · CHICAGO · LONDON

The Athenæum Press

GINN AND COMPANY · PRO-
PRIETORS · BOSTON · U.S.A.

PREFACE

Schiller's *Jungfrau von Orleans* will doubtless long remain favorite reading for all younger students of German literature; for Schiller has created in his Maid one of the purest tragic figures on the modern stage, and his play is conspicuous for the warmth of its diction and the elevation of its theme. As a German classic in the American high school, this romantic drama has never had but two serious rivals — *Wilhelm Tell* and *Hermann und Dorothea*. There are several editions of these two masterpieces, so provided with helpful apparatus as to render their study profitable to the less informed reader, but the same can not be said of the *Jungfrau von Orleans*.

Such being the case, it has seemed desirable to both the present editors to keep in mind a double aim: First, to interpret Schiller's meaning fully, and therefore to study at length his sources as well as the many analogues of the episodes in the *Jungfrau*. It is hoped that this has been done without protracted analysis of petty details. Second, to interpret Schiller himself so simply and clearly that the student should be stimulated to read Schiller more, should be tempted to know him better at first hand. If these aims are attained, then will this book indeed not fail of its purpose.

The Introduction has been deliberately kept well within bounds, in the hope that the student will actually read it all and remember most of it. The Vocabulary is unusually full for an edition of this kind, because it is designed to offer at any time just the shade of meaning that matches

5470

Schiller's thought. The German Questions so often included in annotated editions of German plays have been omitted, because it was felt that the unusual length of the play itself and the many problems which its study demanded would scarcely leave the pupil opportunity for careful consideration of extraneous topics.

Bellermann's essay on the *Jungfrau* has been used directly and indirectly a dozen times in the book. Except for the historical part of the Introduction, gained largely from Duruy's *History of France*, the pages prefacing the play are mostly Bellermann's. His analysis of the action of the play likewise appears in the Summaries appended to the individual acts, marked [B], and at intervals throughout the Notes. So large a borrowing from one source seems desirable for a single reason : up to the present time no one has written so pleasantly and convincingly on Schiller's *Jungfrau* as this German critic has. As his words are calculated to carry conviction to the heart of American youth, they are transmitted without subterfuge — and without water. No other help received in making this edition needs special chronicle, except the aid gained in a number of grammatical statements from the sane book of Professor Calvin Thomas — *A Practical German Grammar*.

THE EDITORS

CONTENTS

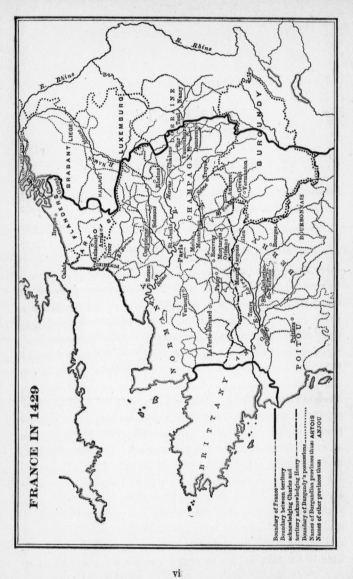

FRANCE IN 1429

Boundary of France ————
Boundary between territory
  acknowledging Charles and
  territory acknowledging Henry ————
Boundary of Burgundy's possessions ·········
Names of Burgundian provinces thus: ARTOIS
Names of other provinces thus: ANJOU

INTRODUCTION

GENESIS OF THE PLAY

The very month which saw the completion of *Maria Stuart* found Schiller at work upon the idea of a poetic presentation of the story of Joan of Arc. Two days after the first performance of the former drama, June 16, 1800, he writes Körner that he is never happier than when his interest is quickening for some new work, and so he is making a fresh start. But during all the nine weary months and more of labor which the poet devoted to the *Jungfrau von Orleans* he was forced to struggle with depression and moodiness; many difficulties came to confront him — those which inhered in the transformation of his material from history to drama, together with some of a more external character.

Towards the end of July we read in a letter of Schiller to Goethe: "I envy you, for you can see things really growing beneath your hand. I am not yet in such happy case, since, strive as I will, I may not hit upon the true form for my tragedy, and there are still many obstacles to be cleared from my path. True it is that we must pass through such an epoch when producing any new work; but none the less, when evening comes and there is naught to show for all our toil, there is the painful feeling that nothing has been accomplished." And six weeks after this complaint the poet again tells Goethe that the drama is creeping forward at snail's pace; for, what with his poverty of intuitive vision and his lack of living experience, he must ever devote much time to his task before he may visualize his material. The theme of his new tragedy, sighs Schiller, is none of the easiest to handle, and it lies far off from him.

A happier note is sounded in his words to Körner just after the new year: "I have ended the old century hard at work, and though my tragedy is progressing but slowly it is rounding into shape. The matter of it warms me; my whole heart is wrapped up in it, and it flows straight from my heart more than did the other pieces in which reason had to subdue the material." But vexatious interruptions of every sort came as of old to harass the poet: sickness in his family, the distraction and noise which pursued him in Weimar, a return of the pains which every sudden change of temperature caused him, a long spell of enervating heat, the fear that he would not be ready with his play at the time agreed upon with his publisher — these conditions brought him to a pass where work was quite impossible. In March of the year 1801 he pictures for Goethe his despondent mood: "As to my personal affairs I have little that is good to relate. The difficulties of my present task strain my poor wit to bursting; and there is also the fear that I shall not be ready at the appointed time. I fret and worry and can make no advance. If I am not soon rid of these pathological influences I am afraid I shall lose my courage."

The last touches were given the *Jungfrau von Orleans* April 16, 1801. The industry, the almost ineffable pains which the play cost Schiller would seem to prove the truth of Disraeli's maxim, "Patience is a necessary ingredient of genius." The weary stretch of time during which Schiller was at work upon his tragedy and Goethe upon his *Faust* clearly evidence that poetic creation was to them no mere play of the imagination but a serious business.

Now in *Wallenstein* our poet has evinced but a spasmodic personal interest for his hero and heroine, and in *Maria*

Stuart he attains classic purity of mold by the use of an objective manner, but in the *Jungfrau* he returns to a theme for which he glows. In a letter to Körner he confesses his old penchant for holding to such poetic material as is of interest to the heart rather than to the reason; his new piece, he adds, will not fail to prove effective in the sympathetic appeal of its theme. And early in the year 1802 he says to his publisher Göschen: "This play sprung from my heart, and it should therefore go straight to the heart." In this connection we recall involuntarily the verse from Schiller's poem *Das Mädchen von Orleans*, which runs Dich schuf das Herz, du wirst unsterblich leben. In his tragedy the poet celebrates his return to the idealistic tendencies of earlier years.

In the person of his heroine, compared with whom the other characters of the drama pale in interest, Schiller has created a protagonist to take our fancy captive. All through the piece we are conscious of the poet's deep devotion to Johanna — and this arises largely from his conscious endeavor to vindicate the reputation of the Maid, which had been lately trailed in the dust; he wished to remove the brand-mark of infamy which Voltaire had put upon her. This knightly combat for a damsel in distress should win for Schiller our entire approval, for he knew that Voltaire had done his uttermost to block the way for any dramatic successor.

How hard the poet's task in the rehabilitation of Joan was, we can not know unless we turn for a moment to consider how she had been previously dealt with in story and in drama. For at first blush history seems to have created in the figure of the Maid of Orleans all that the dramatic poet could wish for, and more particularly an especial mouthpiece for Schiller's idealism. But as a matter of fact it is doubtful if any other than a German poet, any other than

Schiller himself, could have made this strange figure poetically credible and real. It is not the least of his laurels that
his conception of Johanna, although in direct antithesis to
the frivolous prejudices and the tradition of his time, took
full account of her spiritual greatness, and that history,
based upon more thorough investigations than were current
or possible in Schiller's day, has decided in favor of his
contention. No such work as that of Quicherat[1] was access-
ible to the poet, not to speak of the numerous modern investigations of Joan's life and character in the varying
aspects it presents to the historian and the churchman, the
advocate and the physician. He had to be content with a
scanty historical report written down at third hand[2] and
fill in the gaps at his own discretion. For this last procedure he had no guide other than his instinctive belief in
the possibility and truth of so unique, so ideal a phenome-
non as Joan; and never before had this faith proved such
a trustworthy guide. For religious motives did not sway
him. Schiller was a determined free-thinker and without
mystic leanings; but his soul was attuned to that secret
strength which transcends the material aspect of things
and conquers the opposition of the callous world, and it
revealed to him fully the wondrous nature of Joan.

And, little as L'Averdy's book was calculated to be service-
able to him, it was yet less confusing than the poetic presentation which had hitherto been accorded Joan. Shakespeare's
Pucelle[3] proves conclusively that the greatest English

[1] *Procès de condamnation et de rehabilitation de Jeanne d'Arc;*
5 vols. An encyclopedic collection of all the documented evidence
regarding Joan until her death in the marketplace at Rouen.

[2] Viz., L'Averdy, *Notices et Extraits des manuscrits de la biblio-
thèque du roi,* Paris 1790.

[3] It is interesting to note the way in which Schiller makes his play
a deliberate and quite detailed reply to Shakespeare's, by directly
reproducing passages where they suit his purpose, and (this is the

dramatist did not always possess the gift of historical
presentment which blind worshipers accord him. He be-
trays small trace of appreciation for the Middle Ages, as
whose last great representative the Maid appears to us; and
certain critics may be right in believing the beldam carica-
ture that Shakespeare makes of her at once unpoetic and
without historical foundation, contradictory and rough, a
repellent distortion of the truth. To remove this blot from
the escutcheon of English dramatic history was the work of
Robert Southey, who published in 1796 the epic *Joan of Arc*,
breathing all the enthusiastic homage of which his young
heart was capable.

Grosser ill, however, had been done the memory of Joan
by her countryman Voltaire. He might have easily exam-
ined the documentary material which lay ready to his hand;
but his insolent mockery ran away with his conscience, and
her figure was for him a welcome target for all the shots
which he wanted to aim at royalty, religion, and the mold-
ering administration of state affairs. He carried through his
programme with all possible wit and strove hard to gain
justification for his procedure; had he directed toward some
worthy goal the same disregard for consequences, the same
obstinacy which shrinks at nothing, he would have succeeded
in creating an enduring monument — but he was guilty of
grievous error when, to gain a pretext for his assaults, he
chose Joan. His Maid is a wench of dubious origin, a stable-
maid of Vaucouleurs, a common baggage who is chosen by
St. Dionysius to rescue holy France. No matter how Voltaire's wit may sparkle, we are insulted at every step in his
epic, the *Pucelle d'Orleans*, by the sheer heartlessness of it,
by its exhibition of moral bankruptcy of the emotions.

peculiar characteristic of the piece in its relation to Shakespeare) by
reproducing in an inverted form such passages of Shakespeare as are
partisan against Joan.

Nevertheless Schiller must combat this Gallic tirade, because its influence in his time was large. Courtier and citizen alike found pleasure in it; the scholars of the parlor and the dabblers in realms philosophic took joy of its frivolity, its sarcasm, and its reactionary tendencies. They laughed at the *Pucelle*, but they turned from the *Jungfrau* of the German poet with an incredulous smile. Schiller had worked at his material with a sincere faith in the effectiveness of his ideal, and had counted upon an audience in sympathy with his art — he found himself deceived. Then the poet became enraged at the obduracy and pusillanimous behavior of his people, and directed at the false idol of Voltaire's parody the flaming lines,

> Das edle Bild der Menschheit zu verhöhnen,
> Im tiefsten Staube wälzte dich der Spott.
> Krieg führt der Witz auf ewig mit dem Schönen,
> Er glaubt nicht an den Engel und den Gott:
> Dem Herzen will er seine Schätze rauben,
> Den Wahn bekriegt er und verletzt den Glauben.
>
> Doch wie du selbst aus kindlichem Geschlechte,
> Selbst eine fromme Schäferin wie du,
> Reicht dir die Dichtkunst ihre Götterrechte,
> Schwingt sich mit dir den ew'gen Sternen zu.
> Mit einer Glorie hat sie dich umgeben;
> Dich schuf das Herz, du wirst unsterblich leben.
>
> Es liebt die Welt, das Strahlende zu schwärzen
> Und das Erhabne in den Staub zu ziehn;
> Doch fürchte nicht! Es gibt noch schöne Herzen,
> Die für das Hohe, Herrliche erglühn.
> Den lauten Markt mag Momus unterhalten;
> Ein edler Sinn liebt edlere Gestalten.

The first performance of the play in Weimar was delayed because of the reasons just given, and particularly because the duke found it but little to his liking. It thus came about that Leipzig had the first sight of it, and there the

poet received the remarkable act of homage which was
ample compensation for the fault-finding attitude of his
fellow-townsmen. At the end of the first act Schiller was
called before the curtain amid thunderous applause; at the
close of the play the audience formed a long lane outside
the theater and stood silent and with bared heads as the
poet came forth. This happened in September 1801, but it
was almost two years afterwards that the tragedy was given
at the Court Theater in Weimar. Its success at this time
was marked enough, although, as we might expect, not
lasting.

HISTORICAL BACKGROUND OF THE PLAY

Before we proceed to a study of the characters and the
motivation of Schiller's *Jungfrau*, it will perhaps be best to
review succinctly the real Joan and her historical environment, that we may the more fully appreciate the poet's art.
The period under consideration is that epoch in the history
of France when she fought for almost a hundred years
with England to secure national autonomy and a right to
separate existence.

On the death of Charles VI, his ten-months-old grandson had been proclaimed "Henry, King of France." This
English boy had been recognized as sovereign by the first
prince of the blood (Philip the Good, duke of Burgundy)
and by Queen Isabella. Paris, almost all the countries north
of the Loire, and Guienne obeyed him. But at the same time
a few knights in Berry set up the standard of Charles the
Seventh. This was the sole surviving son of Charles VI;
a young man of nineteen, of engaging manners, but weak
in body, pale in countenance, and deficient in courage. For
the moment and for long years afterwards he showed an
eager interest in pleasures only, and a certain dullness in

the presence of business and of danger. His authority was recognized in the southern provinces excepting Guienne.

Two defeats, at Crevant and at Verneuil, began the reign of Charles VII and completed the ruin of his hopes in the north of France. He seemed indifferent to this, readily submitted to hearing himself called the king of Bourges, and wandered about with his little court from one castle to another. One great advantage he had, however: he was the French prince, while Henry was the king of the foreigners. The longer one lived with the English, the more one felt ashamed of the ignominious treason which had delivered France up to their harsh rule. The marriage of Charles with Marie of Anjou won for his cause that powerful family and the great house of Lorraine, whose princes were ever French at heart. The count of Foix, governor of Languedoc, declared that his conscience obliged him to recognize Charles VII as lawful king; the duke of Brittany was gained by a high honor bestowed upon his brother, and placed at the service of the king his warlike province, that nursery of good soldiers and of skillful captains. Castile sent ships, and five or six thousand men came as auxiliaries from Scotland. So, even in the hands of the indolent Charles, did the royal power constitute itself anew and attach itself to whatever was French in the country and whatever was hostile to England abroad.

It was the alliance of the English with the duke of Burgundy that had brought them Paris and the treaty of Troyes. The duke of Bedford, who administered France for his nephew the English king, readily perceived the necessity of keeping on good terms with Burgundy, and acted accordingly. But the other regent and uncle, the duke of Gloucester, refused to observe such diplomacy. He married Jacqueline of Hainault, a union which was sure to bring about a private war between him and the duke.

Meanwhile the towns resisted the sway of the foreigner. La Ferté-Bernard sustained a siege of four months in 1422, and submitted to Salisbury only when reduced to the last extremity. In 1427 the English besieged Montargis for three months — the city had but a small garrison, yet it held out with the efficient aid of the inhabitants. Finally Dunois and La Hire set out with sixteen hundred men and forced the English to raise the siege. In the following year the English appeared before Orleans.

Orleans was the gate of Berry, of the Bourbonnais, and of Poitou. If it was taken the king of Bourges would be ruler only of Languedoc and Dauphiny. And so the English began to raise around this place redoubts which were intrusted to the bravest captains in their army — the earl of Suffolk, Lord Talbot, William Glasdale, and others. The earl of Salisbury, who some months before had landed at Calais with six thousand troops, was commander-in-chief.

The people of Orleans had fortified their town in expectation of the siege, burning its suburbs with their own hands. The garrison numbered only five hundred men, but they were all old soldiers. Moreover, the citizens were determined not to spare themselves, and they formed thirty-four companies to defend the towers along the walls. Artillery was beginning to play an important rôle in battles and sieges; that of the English was ill served, but that of the city was managed with great skill. Salisbury was killed by a chance cannon-shot, and the next day the bastard of Orleans, the handsome and brave Dunois, entered the place with the best knights of the time and six or seven hundred soldiers; others soon followed, until there came to be seven thousand soldiers in Orleans.

But the enemy tenaciously continued to strengthen their circumvallations; they proposed to reduce the town by famine. Four months had already passed, and provisions began to be scarce. It was known that the duke of Bedford was sending from Paris under command of Sir John Fastolf twenty-five hundred soldiers and three hundred wagons of ammunition and provisions, especially of herrings for the Lenten fast. The count of Clermont assembled a body of five thousand men, including the flower of French nobility, and met the English convoy near Rouvray. The ensuing Battle of the Herrings was lost by the attacking party, and the situation of Orleans became more serious than ever. Charles VII was beset by his prevailing indolence, some of the nobility disgracefully abandoned the city, and the besieged began to despair. They attempted negotiations, but with no success.

What the great nobles failed to do, the lesser people did. In the presence of the foreigner the sentiment of nationality awoke within them. Hitherto a man had been a citizen of his town and nothing more, but when confronted by the English he felt himself a Frenchman. A century before, none had interested himself in Calais when it was besieged by Edward III; all France now grew disturbed about Orleans. The terrible miseries through which the nation was passing, instead of destroying this feeling, made it more active. As a matter of fact these miseries rose from various causes, but the people recognized only one — the English: all the sufferings they had endured they attributed to this foreign race. To drive out the English became their constant thought, and since men gave no aid they turned their minds to God. The opinion gradually became established from one end of France to the other that the kingdom was to be saved by a virgin, a daughter of the people: this peasant girl was Joan of Arc.

Jehanne d'Arc, third daughter of the peasant Jacques d'Arc, was born in 1412 in the village of Domremy, on the borders of Champagne and Lorraine. Life upon this frontier was constantly disturbed. War was perpetual there —

now the English, now the Burgundians — it was necessary to be ready at any moment to fight, or, when the enemy had disappeared, to return and repair his ravages. Two leagues from their village the men of Domremy had the Burgundian town of Maxey; men and even children of the two places never met without a struggle.

War, combats, wounds, devastation, were the first sight to meet the eyes of Joan. By the hearth-fire she heard stories of war along with the pious legends dealing with St. Michael the archangel of battles, St. Margaret, and St. Catharine. These were they for whom the young peasant girl devoutly wove wreaths and garlands, whom she was wont to regard as her especial saints, and of whom she used to dream in the neighboring oak forest. In all these day-visions was mingled the image of Charles VII, the poor young king who was denied by his mother and robbed of his inheritance by the English.

Joan grew up in the midst of all these excitements with robust health; a good girl, amiable and timid, so her companions said, delighting in the church and in holy places, confessing often and increasing by bodily austerities the imaginative exaltation of her soul. One day in 1423, at noon, the eleven-year-old girl was in the garden by the church, when she suddenly saw a great light, and from the light there came a voice bidding her to be a good girl and go often to church. Yet again she saw in this light splendid figures, one of whom had wings and said to her: "Joan, go and deliver the king of France and restore him his kingdom." She trembled greatly thereat and replied: "My lord, I am but a poor girl; I should not know how to lead men-at-arms." Whereupon the voice replied: "Sts. Catharine and Margaret will aid you." She saw again the archangel and the two saints, heard her *voices*, as she called them; at intervals during four years they continued to speak to her, and finally she felt in duty bound to obey.

But how should she follow their dictates? Her father declared that sooner than see her go off with the soldiers, he would drown her. At Vaucouleurs, however, her uncle believed in her mission and led her before the captain of the garrison. At first she met with a rude rebuff, but did not waver. "Before mid-Lent," she announced, "I must be with the king, even though to reach him I wear off my legs to the knees." At last she succeeded; the people made up a purse to equip her and to buy her a horse. She cut off her long hair, put on male garments, and set out from Vaucouleurs under escort of six soldiers in February 1429.

It was a terrible journey at such a time. Joan was in danger alike from her coarse protectors, from robbers, and from the enemy. But nothing daunted her. The enthusiasm which she felt and which she inspired triumphed over all difficulties and all dangers, and at length she came to Chinon, where Charles VII was. The council discussed for two days whether the king ought to see her, but at length the coveted permission was granted. In no wise disconcerted by her ceremonious reception, she recognized the king at once among all the courtiers, went straight to him, and said: "Gentle Dauphin, why do you not trust in me? I tell you that God has pity for you, your kingdom, and your people; for St. Louis and St. Charlemagne are on their knees before him, making intercession for us. If you will give me men, I will raise the siege of Orleans, and I will conduct you to Rheims to be consecrated, for it is the pleasure of God that his enemies the English go back to their country and that the kingdom remain with you."

The cynical court of Charles VII was not easily to be convinced of such a miraculous mission, but the people were already convinced. Public opinion urged on the hesitating government. Joan was armed, equipped, and sent to Orleans.

This city was in desperate case, but it may be said that the English besiegers were in scarcely a better situation. Losses and desertion had reduced their army to four or five thousand men. To overcome enemies so weak, only discipline and union on the part of those who attacked them were necessary; but nothing can be imagined more disorderly than were the partisan bands and captains who had entered the town of Orleans to defend it. They sought in war only the gains and the pleasures that might be obtained from it. To give *esprit de corps* and discipline to these rude and savage natures was an undertaking far beyond the scope of royal authority at this time, but what royalty could never have done the general enthusiasm effected. At a sign from Joan the French renegades renounced their debaucheries, confessed their sins, and took communion. Thus strangely metamorphosed, the army became invincible.

At the end of April 1429 Joan entered Orleans with a convoy of provisions and a small escort; a few days later she led in the army, passing and repassing before the lines of the enemy, while the English refused to stir, partly because they believed that all the powers of evil were conspiring against them. Joan, who was a saint within the walls of Orleans, was in the English redoubts regarded as a sorceress.

The enemy assailed her with coarse insults, yet entertained a real fear of her. Of their forts south of the Loire they evacuated all but two, and on these they concentrated their entire strength. On May 6 Joan crossed the river and planted upon the bank of the ditch her banner embroidered with fleurs-de-lis; the fort was soon taken and razed to the ground. Next day all the army and the people attacked the other fort. Joan received a serious wound as she scaled a ladder at the head of her troops, but the enthusiasm of her soldiers was not to be quelled. The English vainly attempted to flee, five hundred of them were put to the sword, and not a single Englishman now remained to the south of the Loire. On the following day Suffolk and Talbot abandoned the northern works, leaving behind munitions, artillery, baggage, prisoners, and the sick. Joan then set out for Tours, where, kneeling before the king, she besought him to go and be crowned at Rheims.

After a decisive victory won near Patay, the advice of Joan could no longer be resisted. The people believed in her only, and even the nobles took her side; so the army set out from Gien at the end of June 1429. Auxerre would not open its gates, but furnished provisions; Troyes, which had a strong garrison of Burgundians and English, refused to receive the royal army. Joan then ran to the ramparts, caused the ditch to be filled up, and began to assault the wall, when the English, who were disturbed at the news of what had happened in Orleans, offered of their own accord to go away. But Charles did not stop at Troyes, nor at Châlons, which willingly invited his presence. On the thirteenth of July he arrived before Rheims. The city promptly surrendered, and four days later Charles was finally consecrated with the usual ceremonies.

Joan had now done the two great things which her voices bade her do: she had delivered Orleans and caused the king to be crowned. She would thus have wished to return to her native village, but her work was not yet finished, for the English still held a considerable part of French soil. Joan demanded that the army march upon Paris, but the king's councilors decided first to take the small towns which lay between. This was easily accomplished, but when they arrived at Paris the opportunity had passed. It was too large a city to be carried by a sudden stroke, and its inhabitants were too largely compromised in recent revolutions to submit to Charles VII unless it was absolutely necessary;

time had been given them to prepare themselves, and they made a courageous defense. Joan bore herself with her usual intrepidity, crossed the moat alone, was wounded, and yet received all the blame for the failure to capture Paris. She saw Charles, returning to his listlessness, go back to Chinon, leaving orders to evacuate St. Denis. She saw the duke of Burgundy take fresh heart, reënter Soissons, and besiege Compiègne. Touched by the fate of these poor citizens who had given themselves up to Charles VII, she threw herself into the town to defend it.

The very day of her arrival in May 1430 she made a sortie, was repulsed, and returned to the gate to find it closed against her. Abandoned in the midst of the enemy, she was captured by the bastard of Vendôme, and sold, after many adventures, to the English at Rouen. To the French, Joan was a messenger of God; to the English, she was an emissary of the devil. The bishop of Beauvais undertook to prove the latter charge by a formal trial for witchcraft. He drew up an accusation on the four following points: transgression of the laws of the church in having employed practices of magic, in having taken arms contrary to the desire of her parents, in having assumed the attire of the opposite sex, and in having asserted revelations which the ecclesiastical authorities had not sanctioned. Thus a poor girl of nineteen found herself alone, without help, in the presence of judges who arbitrarily suppressed all the proofs of her innocence, who prevented her appealing to pope or council, who tried to embarrass her by absurd, captious, or subtle questions, yet found themselves often disconcerted by her straightforward replies.

Her condemnation was resolved upon in advance. Under threats and promises, especially that of being withdrawn from the hands of her English jailers and restored to the custody of the church, she yielded and signed a recantation presented to her, without knowing what was contained in it; then, as an act of grace and moderation, she was condemned simply to pass the remainder of her days in prison, upon a diet of bread and water.

At this the English began to complain. Their affairs were progressing badly, and they grew more and more enraged against their captive. On the morning of Trinity Sunday, May 31 1431, before she had risen from bed, one of her guards took away her woman's clothes and left in place of them male attire. Joan knew that she was forbidden to wear it, but they would give her no other and she was forced to put it on. The judges, at once informed of the fact, were quite ready to declare her crime. They condemned her to be burned alive, and before the morning had ended she had been dragged to the public square of Rouen, where the sentence was executed.

THE MIRACULOUS ELEMENTS IN THE PLAY

Schiller's tragedy differs from the great bulk of modern dramatic creations chiefly, perhaps, in that it abandons the firm ground of the natural world and transports us to the realm of the supernatural. The story Johanna tells of her visions and of the appearance to her of the Virgin Mary may, it is true, be explained away by believing them to be but the result of her own imagining; likewise, the prodigious influence her personality exerts on friend and foe alike need not be considered miraculous in origin. But when we come to her first arrival at Chinon, the unfaltering recognition of the unknown king and the revealing of his unheard prayer appeal to all as outside the pale of merely physical possibility and possible only through illumination by a divine source. The choosing of the sword in the churchyard at Fierboys can not be ascribed to either coincidence or the presence of untutored instinct in Johanna. And even if we would believe the apparition of the Black Knight to be but the creation of the heroine's overwrought fancy, the peals of thunder in the fourth act must be considered a palpable manifestation of divine warning. Finally, the bursting of the iron bonds which weight Johanna down renders ridiculous any further attempt to insist upon a natural basis of fact for the episodes which the drama offers.

Miracles then actually confront us, and Schiller was well aware of his purpose when he termed the play a *romantic tragedy*. Is his procedure justifiable? It is no mere chance that dramatic convention ordinarily demands so close an adherence to the natural development of events. Poets, when they deal with a theme to which cling such traditional elements of miraculous occurrence, are prone to strip them away and substitute therefor the sway of purely human passion; thus Goethe in his *Iphigenie auf Tauris* surrenders the Furies, thus Geibel in his *Brunhilde* gives over the various fabulous events of the old legend.

In a well-known passage of the *Hamburgische Dramaturgie* Lessing discusses the admissibility of presenting a ghost upon the stage. He suggests that the question be not dismissed simply with a negative, for the germ of a belief in things supernatural dwells in every human heart; it is only necessary then for the poet to bring growth from an existent seed, to find the needful impetus for a reasonable faith in the actuality of metaphysical facts. If the poet but possess such art, Lessing contends, we may in the walks of daily life believe whatever we wish, but in the theater we must believe what the poet wishes. Shakespeare is Lessing's model; our hair stands on end when we see the Ghost in *Hamlet*, no matter if we be credulous or agnostic.

Now if this be true we may apply the same argument to the miracles in the *Jungfrau*, for doubtless the same germ

of a belief in the manifestation of divine omnipotence still
dwells abundantly in the human heart. It all depends then
upon the ability of the poet to ripen the seed of belief and
by his whole presentation to give currency to it. Lessing
maintains that Shakespeare is almost the only one with
power to compass this, but is Schiller unworthy to be regarded as another in this small class of artists ?

First let us acknowledge that a certain degree of com-
plaisance on the part of the spectator is indispensable, if
he is to enter the realm of the miraculous at all. If a person clings fast to the rationalistic point of view, and doubt-
fully queries the possibility of unearthly happenings, he
will miss the poet's art totally ; his hair will not rise even
at sight of the Ghost in *Hamlet*. Any artistic illusion can
be brought about only if the spectator be willing to surrender himself to the impression of the moment. With this
fact granted, let us examine the method by which Schiller
attempts to bring the miracle close to us. He has not done
this, of course, by using the same means as those of Shakespeare ; else he would be but a dependent imitator of the
latter and no creative artist. A difference in purpose, too,
betokens a difference in procedure. Shakespeare's Ghost
appears at the witching hour, in the shuddering stillness of
the night, to the full accompaniment of all the somber and
mysterious accessories which we are wont to associate with
the approach of spirits. Something of the same sort is true
where Schiller is dealing with his ghost, with the apparition of the Black Knight, but in all the circle of other
spirit-influences in the *Jungfrau* there is no likeness to
Hamlet. For here the miracle is not incorporated in an external apparition, but finds expression in a spiritual and
physical strength which exceeds the common measure. And
when we are asked to agree to such an elevation of human
nature, it must be visualized for us in just the ravishing

and tempestuous power of enthusiasm which Johanna has. She is full of the divine fire, and therefore we believe in the miracles she performs. Thought, emotion, and will are all subordinate to a supernatural force which carries her imperiously onward in her career.

Thus we see her, without recourse to outward miracle, win irresistibly over friend and foe alike. When she discloses to the king his innermost thoughts he murmurs: "'twere out of the power of man to do so much; the highest God hath sent thee!" But Dunois strikes the root of the matter when he says:

> Nicht ihren Wundern, ihrem Auge glaub' ich,
> Der reinen Unschuld ihres Angesichts.

For how significant is the reverse side! In the very instant that Johanna feels herself divided, that she believes herself disobedient to the divine prompting and loses the integral unity of her being, — the power is gone out of her. The common faith in her virtue totters and falls, and she is impotent longer to wake enthusiasm in her troops or terror in the enemy. But when again her whole soul like a flame mounts skyward and in her renewed strength she suffers and dares all for Heaven, then the barriers of this world are lowered for her, the chains fall and the thickest ranks of foemen are riven.

We must remember too that the whole period which the play presents to us bears the stamp of romanticism, and that the poet has from the first prepared the ground for these supernatural occurrences. We sense continually the faith of the time in magic arts and in the spirit-realm which is separated by a thin crust of earth from the world of men; and we may believe that Schiller has succeeded masterfully in making real the incredible, in attaining the goal defined by Lessing.

CHARACTERIZATION

Johanna

From the very beginning of our drama, the personality of its heroine appears clear and significant. Simple peasant-maiden though she be, she stands forth conspicuously from her environment, for she is of rare physical beauty, endowed with miraculous mental faculties, and of a deep and un-usual turn of thought. The distress of France has stirred her inmost soul. She is passionately attached to her native land, she believes it the fairest that the eternal sun beholds in all his course, a paradise beloved of God as the apple of his eye. In her king Johanna recognizes the loftiest type of a divinely appointed monarch, at once a man and a succoring angel. The moment that the common need grows unendurable and her France is hovering at the edge of the abyss, that instant she feels herself called of God to be its savior.

The Virgin Mary appears to Johanna under the old oak-tree, to strengthen and direct her resolve. This miracle is not used by Schiller to make the spectator understand the heroine's determination to go to the wars, for her action is sufficiently motivated without it, but such divine interven-tion serves its aim in visualizing to us the temper of a time when wonders were believed in. Nor has the poet failed to add those touches which foretell the martial spirit of Johanna, as witness the story of the rapacious wolf that she conquered:

> Sie ganz allein, die löwenherz'ge Jungfrau,
> Stritt mit dem Wolf und rang das Lamm ihm ab,
> Das er im blut'gen Rachen schon davontrug.

And yet Schiller did not content himself with pictur-ing a maiden who because of divine inspiration became a warrior and prophetess, who rushes into battle to free her country and crown its king, without ever yielding to the impulses of her woman's nature. If he had done this, the poet would scarcely have created in the mind of his audience a stronger impression than that of mere amazement that such actions were possible to purely human characters. Schiller did not wish to portray the figure of a woman who was after all no woman. Therefore he made use of a theme which his materials offered him: the demand of strict chastity on the part of Johanna. This trait had been treated with vulgar scoffing by both Shakespeare and Voltaire; Schiller espoused it with all the deep earnestness of his idealizing nature, and saw at the first that he must found his tragedy upon it.

He believed that these two sides, the divine appointment to free her native country and the renunciation of earthly love, are necessarily and indissolubly bound together. The moment Johanna overstepped the boundary that nature has assigned woman, and thus eradicated the weakness of her sex from her heart, that instant was she compelled to surrender all hope of womanly happiness. A soul which is animated but by a single thought throws off all else as being merely accessory; Johanna can not be at the same time the messenger of God — all strength and spirit from top to toe — and a loving woman, weak and dependent. So we see that in his presentation of this conflict Schiller did not depart one step from what he considered the natural path of psychological development. If he wished to associate his heroine closely with feminine nature he thought he must necessarily assume a violation of her divine mission; and this is the conflict which the drama presents to us.

In the light of the foregoing it is clear that the scene in which Johanna succumbs to her love is the turning-point of the whole play. That she should so yield does not comport ill with what we are told of her temper, it is rather in harmony with her whole character. Nowhere has Schiller portrayed his heroine as a masculine woman; despite her warlike environment, she is rather the type of all that is true and tender. It would seem unnatural enough if a heart so intense and unselfish and deep and modest should not be seized on by love. Johanna has been presented to us as a prophetess and a fit temple for the indwelling of the divine spirit, but in no wise as an amazon.

And so she falls because of her love. The most affecting thing in this connection is that the very capacity for loving which plunges her before our eyes into such deep misery is just the attribute which we could not fail to find in her, were she to become an object of our sympathy. She must return to the circle of woman's nature from which she has departed, or her figure remains strange and cold in our sight, and she can not go back except by making a misstep that shall render her unhappy. Much as she herself may have wished not to have fallen from her lofty pedestal, he who reads the play may never desire it; for then she would have been an incorporeal spirit and her breastplate would have covered an unfeeling heart. She would have been, humanly speaking, repellent, and unusable as a figure in poetic art.

Johanna sins in her own eyes because she has broken both the conditions that were attached to her divine mission: she has not withstood earthly passion and remained chaste as her visions demanded of her, and she has spared her enemy; nay, she burns for him and thus seems to herself quite unworthy and defiled. "Better for me had I never been born," she cries out in her despair. The divine power goes out of her, she is deserted of men, before the cathedral at Rheims her father accuses her of covenanting with the devil.

Three days and three nights she wanders in wild places, a prey to the storms of heaven, forsaken by all but Raimond.

In her loneliness she fights with the weakness of her heart
and triumphs, and knowledge again descends upon her.
Schiller masterfully connects her exaltation and victory
over self with the life of environing nature. The dread
tempest whose awful thunder shakes the earth serves to
quiet her breast; Johanna now feels that every earthly impulse with its joy and its torment falls from her like some
dead husk, never to move her more:

> — Jetzt bin ich
> Geheilt, und dieser Sturm in der Natur,
> Der ihr das Ende drohte, war mein Freund,
> Er hat die Welt gereinigt und auch mich.
> In mir ist Friede — komme was da will,
> Ich bin mir keine Schwachheit mehr bewußt.

Lionel no longer has power over her heart. It is true she
cries after a little: "Kill me, but lead me not to him!"
And yet it is no new desire for love that she fears, but
shame rather, to be confronted by the only one who knows
her former weakness. When this heavy ordeal is laid upon
her she comes triumphant through it, and not for a moment
does her heart waver. Heaven surrounds her with the full
glory of the final miracle, she saves France from the enemy,
and goes to meet the death that holds her forever forgiven
and transfigured.

The Other Characters

With the exception of the *Jungfrau von Orleans* all the
plays of Schiller contain a second character who stands conspicuously in the foreground beside the protagonist, who
creates a dramatic interest in himself individually. In our
tragedy, however, Johanna's personality is dominant to
an almost unexampled degree. She has no foil or counter-
part; she is answerable to herself alone, for her outward

antagonists, the English, are unconcerned in the causes which occupy her inner life to discourage or exalt it.

And still in his portrayal of the secondary characters, as they may every one be termed, Schiller has displayed his full mastery of art. The weak king, irresponsible in deed and judgment, soft of heart, good-humored and scrupulous of outward conduct; the polished and superficial duke of Burgundy, man of the world and epicure, susceptible to good and beautiful impulses but without depth or firmness; ardent and steadfast Dunois, a knight without fear and without reproach; — a few strokes suffice to sketch them sharply in their essential outline. Sturdy La Hire, who occupies a secondary position but just behind Dunois, and so because of his noble and open-hearted chivalry brings out more clearly the heroic stature of the bastard of Orleans; finally, the sober and matter-of-fact Du Chatel, self-sacrificing and faithful in his duty as vassal, but woefully narrow, possessed by superstition of the popular sort, and without appreciation for the greatness and goodness of a higher nature; — they stand concretely imaged forth to us, though often enough little space is devoted to their speaking. As good an example of Schiller's conciseness as any that the drama offers is to be found in the attitude of all these personages towards the accusations of Johanna's father. Du Chatel believes the charge even before he has heard it out: *Now will the horrors be revealed!* Burgundy is much perturbed, but ready to yield up without resistance her whom he has but now worshiped: *Terrible! But one can not but believe the father who testifies his daughter's guilt.* La Hire breaks forth ardently: *Innocency has a language all its own to blast malicious slander;* but, truth to tell, even he is impotent before the common horror. Dunois pledges Johanna himself and his princely honor: *Here is my gauntlet; who dares to speak her guilty?* and holds to her when all the rest have fled. But the king? It is extremely significant that through all the scene he has no word to say; seized by pusillanimous fear, he heeds Du Chatel's urgent admonition to flight.

Talbot is the commanding spirit among the English generals. The prevailing trait of his character is an unqualified agnosticism; he does not regard Johanna as an instrument of either heaven or hell, for the simple reason that he believes neither in the one nor in the other. He holds her for a cunning adventuress who plays rather perfectly the rôle of heroine. This unfaith of his is based on a materialistic philosophy of life which finds uncommonly strong and convincing expression in his death-scene. Death is for him but surcease of toil, a dissolution into nothingness, man's giving back to the earth and the eternal sun the atoms which he has had from them and which have temporarily been fitted together in his human frame compounded of pain and joy. Schiller's aim in creating such a Talbot was a double one: the Englishman was first of all a foil for the ardent belief in miracles inherent in the more romantic Frenchmen; secondarily, he came naturally to be the chosen messenger of the lower world which appeared to Johanna just before her fall. But the lofty idealism of the heroine makes valiant stand before the sullen humor of earth-born Talbot. The disdain of all lofty striving which breathes from his dying lips impresses but does not move us; the curse flung at all who turn to great and worthy deeds fails of any lasting effect, for Johanna, who does this thing in fullest measure, succeeds most nobly. And so the figure of the doubting Englishman, which certain critics believe to fall outside the framework of the play, serves most importantly the truest aim of it.

Lionel, the second of the English generals, is depicted with loving care. It is true that until the culminating scene of the play he has little to say, but Schiller has before this time marked him off from his environment by more than one individual touch. He is bold, of heroic temper, ambitious of glory; withal a certain native superiority of mind leads him to assert his personality before Burgundy and Isabeau alike. His outward appearance brings the queen to desire his companionship, but manly he is none the less, as when in his sorrow for the departing misanthrope Talbot he cries out: "My lord, but few more breaths of life are yours; think on your Maker!" Schiller well prepares us for Lionel's susceptibility to the sudden apparition of Johanna adorned with the magic charm of youth and beauty, and just as real do we find the powerful influence which he in turn exerts on the spirit of the heroine.

Small space need be devoted to the two feminine characters who offer such sharp contrast to Johanna — the loving Sorel and the shrewish Isabeau. The latter is drawn by the poet with unusually coarse strokes of the brush, and lacks but little of becoming in our eyes abnormal or even ridiculous. Despite the elevation of human nature incorporate in Johanna, she has still retained the living impulses of her woman's heart; Isabeau has eradicated from her demeanor and her inner being every semblance of normal womanhood. One may be said to be above nature, the other contrary to nature. A contrast to both of them is Sorel — the purely natural woman; not heaven-aspiring like the heroine, not masculine like the queen, but of earth and yielding. Entirely devoted to her lover, and capable of any sacrifice where his interests are concerned, she does not strive to be aught more than the mistress of his heart. And yet it is in the mirror of this perfect and untroubled love of Sorel's that Johanna beholds for a moment the anguish of her own sinful passion

Vigorous and expedient for Schiller's purpose is the father Thibaut: not an evil sort of person, but, what with his narrow suspicion of everything great and unusual, with his belief in the witches and imps of hell, a veritable picture of the dull popular mind. The two sisters, little as they emerge from the background, are yet clearly set off. Both love Johanna, but purer affection and finer understanding dwell within Louison who is close to her in years. Evidence of this lies in the *Prologue*, but perhaps the best illustration of it is found in the coronation scenes. Louison scarce gets a look at Johanna, but she knows her to be unhappy and sorrows with her despite her seeming greatness; Louison it is who believes in her sister's divine mission; Louison tries to shield Johanna from the report that Thibaut has fallen a prey to brooding. But Margot displays no such depth of feeling: a harmless feminine curiosity overtakes her when she views the splendor which surrounds her sister, and she rejoices for her; again, she does not scruple to inform Johanna of the father's unhappy state.

Thus we see that Schiller has lost none of his art in constructing the larger figures of his heroic characters, and that in the *Jungfrau* as perhaps in no other of his dramas he has bestowed upon the secondary actors just that measure of outward and inward life to which their parts in the larger scheme of the action entitle them.

PROSODY

The meter of the play is in the main that of Shakespeare and other English dramatists. The standard line is of five iambic feet. Variations freely used, and not regarded as licenses, are the additional unaccented syllable at the end of the line (as in lines **2-3, 5-8**) and the trochee instead of the iambus at the beginning of the line (as in lines **3008-3012**).

Schiller avoids, however, too lengthy a consecution of either of these variations ; the spelling in line 1870 is niederfnien not only in editions conformed to the latest orthography, but in those which generally spell fnieen. Real licenses, not ordinarily used except to produce some special effect, and therefore to be specially noticed where they do occur, are the use of two unaccented syllables instead of one (as at the beginning of lines 348, 350-353, and in the second foot of 355, in prophetic ecstasy), the line of six feet instead of five (as 358), the line of less than five feet, and rhyme. Two lyrical scenes are wholly or mainly in verse of a shorter measure, and three consecutive scenes are in lines of six feet. This last is an imitation of the six-foot line of Greek tragedy rather than the six-foot line of the French, since there is no regular cæsura after the third foot ; these scenes also contain many Greek (Homeric) reminiscences in the wording.

A peculiar point in the prosody is the great freedom used in the treatment of French names. Perhaps this freedom may be partly due to the conflicting influences of Parisian French and Shakespearean French. There is in French no such thing as a properly accented syllable; Schiller takes this fact as license for accenting any syllable he chooses, with very little regard for the German (and English) rule to accent the last syllable of French names, and without taking any pains to accent the same name always alike. He even accents the French "mute" e sometimes, as in line 505, though usually he avoids this. He lets the "mute" e either count for a syllable, as in French poetry and in the standard German pronunciation of these names, or be totally silent, as in French conversation — whichever best suits his purpose for the moment. In Notre Dame, line 262, one mute e is sounded and the other is silent. When successive French vowels make a simple vowel sound, as in

𝔐ontereau, he lets them stand as one syllable; but when they form in French a diphthongal syllable as in 𝔙alois, or separate syllables as in 𝔒rleans, he treats them as two syllables which may flow together into one whenever convenience demands it. 𝔓oitiers is four syllables (lines **1243**, **3384**), though in French or English it would be only two. Without doubt Schiller conceived 𝔉ierboys also as four syllables, but when he uses it (line **1149**) he makes it stand as three. In line **1239** the two words 𝔒rleans, 𝔒rleans count for five syllables together; the reader or actor must decide whether the first shall be three and the second two, or the first two and the second three. Often-recurring names like 𝔇unois, 𝔏oire, vary their metrical value at pleasure.

The English names are in general taken from Shakespeare, and retain strictly the scansion that Schiller found in Shakespeare; to insure the right number of syllables, Schiller has on occasion altered the spelling, as 𝔖alsbury, 𝔊lofter, 𝔉aftolf ("Fastolfe" in Shakespeare). The name 𝔏ionel seems always to keep its three syllables and two accents, even when this makes a (well-placed) six-foot line; Shakespeare (*1 Henry VI*, ii, 4, 83; 5, 75; *2 Henry VI*, ii, 2, 13, 50) gives it only one accent, and, consequently, oftener makes it fill the metrical place of only two syllables. The spelling of 𝔖avern' suggests that it is taken from a French map, not from *1 Henry IV*, iii, 1; yet Schiller seems to be conscious that in English it should have only two syllables.

Die Jungfrau von Orleans

Eine romantische Tragödie

Personen

Karl der Siebente, König von Frankreich.

Königin Isabeau, seine Mutter.

Agnes Sorel, seine Geliebte.

Philipp der Gute, Herzog von Burgund.

Graf Dunois, Bastard von Orleans.

La Hire,
Du Chatel,
} königliche Offiziere.

Erzbischof von Reims.

Chatillon, ein burgundischer Ritter.

Raoul, ein lothringischer Ritter.

Talbot, Feldherr der Engländer.

Lionel,
Fastolf,
} englische Anführer.

Montgomery, ein Walliser.

Ratsherren von Orleans.

Ein englischer Herold.

Thibaut d'Arc, ein reicher Landmann.

Margot,
Louison,
Johanna,
} seine Töchter.

Etienne,
Claude Marie,
Raimond,
} ihre Freier.

Bertrand, ein anderer Landmann.

Die Erscheinung eines schwarzen Ritters.

Köhler und Köhlerweib.

Soldaten und Volk. Königliche Kronbediente, Bischöfe,
Mönche, Marschälle, Magistratspersonen, Hofleute und
andere stumme Personen im Gefolge des Krönungszuges.

2

Prolog

Eine ländliche Gegend. Vorn zur Rechten ein Heiligenbild in einer Kapelle; zur Linken eine hohe Eiche

Erster Auftritt

Thibaut d'Arc. Seine drei Töchter. Drei junge Schäfer, ihre Freier

Thibaut

Ja, liebe Nachbarn! Heute sind wir noch
Franzosen, freie Bürger noch und Herren
Des alten Bodens, den die Väter pflügten;
Wer weiß, wer morgen über uns befiehlt!
Denn allerorten läßt der Engelländer   5
Sein sieghaft Banner fliegen, seine Rosse
Zerstampfen Frankreichs blühende Gefilde.
Paris hat ihn als Sieger schon empfangen,
Und mit der alten Krone Dagoberts
Schmückt es den Sprößling eines fremden Stamms.   10
Der Enkel unsrer Könige muß irren
Enterbt und flüchtig durch sein eignes Reich,
Und wider ihn im Heer der Feinde kämpft
Sein nächster Vetter und sein erster Pair,
Ja, seine Rabenmutter führt es an.   15
Rings brennen Dörfer, Städte. Näher stets
Und näher wälzt sich der Verheerung Rauch
An diese Täler, die noch friedlich ruhn.
—Drum, liebe Nachbarn, hab' ich mich mit Gott

3

Entschlossen, weil ich's heute noch vermag,   20
Die Töchter zu versorgen; denn das Weib
Bedarf in Kriegesnöten des Beschützers,
Und treue Lieb' hilft alle Lasten heben.

Zu dem ersten Schäfer

— Kommt, Etienne! Ihr werbt um meine Margot.
Die Äcker grenzen nachbarlich zusammen,   25
Die Herzen stimmen überein — das stiftet
Ein gutes Eh'band.

Zu dem zweiten

Claude Marie! Ihr schweigt,
Und meine Louison schlägt die Augen nieder?
Werd' ich zwei Herzen trennen, die sich fanden,
Weil Ihr nicht Schätze mir zu bieten habt?   30
Wer hat jetzt Schätze? Haus und Scheune sind
Des nächsten Feindes oder Feuers Raub —
Die treue Brust des braven Manns allein
Ist ein sturmfestes Dach in diesen Zeiten.

Louison

Mein Vater!

Claude Marie

Meine Louison!

Louison Johanna umarmend

Liebe Schwester!   35

Thibaut

Ich gebe jeder dreißig Äcker Landes
Und Stall und Hof und eine Herde — Gott
Hat mich gesegnet, und so segn' er euch!

Margot Johanna umarmend

Erfreue unsern Vater! Nimm ein Beispiel!
Laß diesen Tag drei frohe Bande schließen.   40

Thibaut

Geht! Machet Anstalt! Morgen ist die Hochzeit;
Ich will, das ganze Dorf soll sie mitfeiern.

Die zwei Paare gehen Arm in Arm geschlungen ab

Zweiter Auftritt

Thibaut. Raimond. Johanna

Thibaut

Jeannette, deine Schwestern machen Hochzeit,
Ich seh' sie glücklich, sie erfreun mein Alter;
Du, meine Jüngste, machst mir Gram und Schmerz.   45

Raimond

Was fällt Euch ein! Was scheltet Ihr die Tochter?

Thibaut

Hier dieser wackre Jüngling, dem sich keiner
Vergleicht im ganzen Dorf, der Treffliche,
Er hat dir seine Neigung zugewendet
Und wirbt um dich, schon ist's der dritte Herbst,   50
Mit stillem Wunsch, mit herzlichem Bemühn;
Du stößest ihn verschlossen, kalt zurück,
Noch sonst ein andrer von den Hirten allen
Mag dir ein gütig Lächeln abgewinnen.
— Ich sehe dich in Jugendfülle prangen,   55
Dein Lenz ist da, es ist die Zeit der Hoffnung,
Entfaltet ist die Blume deines Leibes;
Doch stets vergebens harr' ich, daß die Blume

Der zarten Lieb' aus ihrer Knospe breche
Und freudig reife zu der goldnen Frucht!   60
O, das gefällt mir nimmermehr und deutet
Auf eine schwere Irrung der Natur!
Das Herz gefällt mir nicht, das streng und kalt
Sich zuschließt in den Jahren des Gefühls.

Raimond

Laßt's gut sein, Vater Arc! Laßt sie gewähren!   65
Die Liebe meiner trefflichen Johanna
Ist eine edle, zarte Himmelsfrucht,
Und still allmählich reift das Köstliche!
Jetzt liebt sie noch zu wohnen auf den Bergen,
Und von der freien Heide fürchtet sie   70
Herabzusteigen in das niedre Dach
Der Menschen, wo die engen Sorgen wohnen.
Oft seh' ich ihr aus tiefem Tal mit stillem
Erstaunen zu, wenn sie auf hoher Trift
In Mitte ihrer Herde ragend steht,   75
Mit edelm Leibe, und den ernsten Blick
Herabsenkt auf der Erde kleine Länder.
Da scheint sie mir was Höhres zu bedeuten,
Und dünkt mir's oft, sie stamm' aus andern Zeiten.

Thibaut

Das ist es, was mir nicht gefallen will!   80
Sie flieht der Schwestern fröhliche Gemeinschaft,
Die öden Berge sucht sie auf, verlässet
Ihr nächtlich Lager vor dem Hahnenruf,
Und in der Schreckensstunde, wo der Mensch

Sich gern vertraulich an den Menschen schließt, 85
Schleicht sie, gleich dem einsiedlerischen Vogel,
Heraus ins graulich düstre Geisterreich
Der Nacht, tritt auf den Kreuzweg hin und pflegt
Geheime Zwiesprach mit der Luft des Berges.
Warum erwählt sie immer diesen Ort 90
Und treibt gerade hieher ihre Herde!
Ich sehe sie zu ganzen Stunden sinnend
Dort unter dem Druidenbaume sitzen,
Den alle glückliche Geschöpfe fliehn.
Denn nicht geheur ist's hier; ein böses Wesen 95
Hat seinen Wohnsitz unter diesem Baum
Schon seit der alten grauen Heidenzeit.
Die Ältesten im Dorf erzählen sich
Von diesem Baume schauerhafte Mären;
Seltsamer Stimmen wundersamen Klang 100
Vernimmt man oft aus seinen düstern Zweigen.
Ich selbst, als mich in später Dämmrung einst
Der Weg an diesem Baum vorüberführte,
Hab' ein gespenstisch Weib hier sitzen sehn.
Das streckte mir aus weitgefaltetem 105
Gewande langsam eine dürre Hand
Entgegen, gleich als winkt' es; doch ich eilte
Fürbaß, und Gott befahl ich meine Seele.

Raimond
auf das Heiligenbild in der Kapelle zeigend

Des Gnadenbildes segenreiche Näh',
Das hier des Himmels Frieden um sich streut, 110
Nicht Satans Werk führt Eure Tochter her.

Thibaut

O nein, nein! Nicht vergebens zeigt sich's mir
In Träumen an und ängstlichen Gesichten.
Zu dreien Malen hab' ich sie gesehn
Zu Reims auf unsrer Könige Stuhle sitzen,   115
Ein funkelnd Diadem von sieben Sternen
Auf ihrem Haupt, das Zepter in der Hand,
Aus dem drei weiße Lilien entsprangen,
Und ich, ihr Vater, ihre beiden Schwestern
Und alle Fürsten, Grafen, Erzbischöfe,   120
Der König selber, neigten sich vor ihr.
Wie kommt mir solcher Glanz in meine Hütte?
O, das bedeutet einen tiefen Fall!
Sinnbildlich stellt mir dieser Warnungstraum
Das eitle Trachten ihres Herzens dar.   125
Sie schämt sich ihrer Niedrigkeit — weil Gott
Mit reicher Schönheit ihren Leib geschmückt,
Mit hohen Wundergaben sie gesegnet
Vor allen Hirtenmädchen dieses Tals,
So nährt sie sünd'gen Hochmut in dem Herzen,   130
Und Hochmut ist's, wodurch die Engel fielen,
Woran der Höllengeist den Menschen faßt.

Raimond

Wer hegt bescheidnern tugendlichern Sinn
Als Eure fromme Tochter? Ist sie's nicht,
Die ihren ältern Schwestern freudig dient?   135
Sie ist die Hochbegabteste von allen;
Doch seht Ihr sie wie eine niedre Magd

Die schwersten Pflichten still gehorsam üben,
Und unter ihren Händen wunderbar
Gedeihen Euch die Herden und die Saaten;　　　　140
Um alles, was sie schafft, ergießet sich
Ein unbegreiflich überschwenglich Glück.

Thibaut

Jawohl! — Ein unbegreiflich Glück — Mir kommt
Ein eigen Grauen an bei diesem Segen!
— Nichts mehr davon! Ich schweige. Ich will schweigen;　145
Soll ich mein eigen teures Kind anklagen?
Ich kann nichts tun, als warnen, für sie beten!
Doch warnen muß ich — Fliehe diesen Baum,
Bleib nicht allein und grabe keine Wurzeln
Um Mitternacht, bereite keine Tränke　　　　150
Und schreibe keine Zeichen in den Sand —
Leicht aufzuritzen ist das Reich der Geister,
Sie liegen wartend unter dünner Decke,
Und leise hörend stürmen sie herauf.
Bleib nicht allein, denn in der Wüste trat　　　　155
Der Satansengel selbst zum Herrn des Himmels.

Dritter Auftritt

Bertrand tritt auf, einen Helm in der Hand. Thibaut.
Raimond. Johanna

Raimond

Still! Da kommt Bertrand aus der Stadt zurück.
Sieh, was er trägt!

Bertrand

Ihr staunt mich an, ihr seid
Verwundert ob des seltsamen Gerätes
In meiner Hand.

Thibaut

Das sind wir. Saget an,   160
Wie kamt Ihr zu dem Helm, was bringt Ihr uns
Das böse Zeichen in die Friedensgegend?

*Johanna, welche in beiden vorigen Szenen still und ohne Anteil auf der
Seite gestanden, wird aufmerksam und tritt näher*

Bertrand

Kaum weiß ich selbst zu sagen, wie das Ding
Mir in die Hand geriet. Ich hatte eisernes
Gerät mir eingekauft zu Vaucouleurs;   165
Ein großes Drängen fand ich auf dem Markt,
Denn flücht'ges Volk war eben angelangt
Von Orleans mit böser Kriegespost.
Im Aufruhr lief die ganze Stadt zusammen,
Und als ich Bahn mir mache durchs Gewühl,   170
Da tritt ein braun Bohemerweib mich an
Mit diesem Helm, faßt mich ins Auge scharf
Und spricht: „Gesell, Ihr suchet einen Helm, .
Ich weiß, Ihr suchet einen. Da! Nehmt hin!
Um ein Geringes steht er Euch zu Kaufe."   175
— „Geht zu den Lanzenknechten," sagt' ich ihr,
„Ich bin ein Landmann, brauche nicht des Helmes."
Sie aber ließ nicht ab und sagte ferner:
„Kein Mensch vermag zu sagen, ob er nicht
Des Helmes braucht. Ein stählern Dach fürs Haupt 180

Ist jetzo mehr wert als ein steinern Haus."
So trieb sie mich durch alle Gassen, mir
Den Helm aufnötigend, den ich nicht wollte.
Ich sah den Helm, daß er so blank und schön
Und würdig eines ritterlichen Haupts,   185
Und da ich zweifelnd in der Hand ihn wog,
Des Abenteuers Seltsamkeit bedenkend,
Da war das Weib mir aus den Augen, schnell,
Hinweggerissen hatte sie der Strom
Des Volkes, und der Helm blieb mir in Händen.   190

Johanna
rasch und begierig darnach greifend
Gebt mir den Helm!

Bertrand
        Was frommt Euch dies Geräte?
Das ist kein Schmuck für ein jungfräulich Haupt.

Johanna entreißt ihm den Helm
Mein ist der Helm, und mir gehört er zu.

Thibaut
Was fällt dem Mädchen ein?

Raimond
        Laßt ihr den Willen!
Wohl ziemt ihr dieser kriegerische Schmuck,   195
Denn ihre Brust verschließt ein männlich Herz.
Denkt nach, wie sie den Tigerwolf bezwang,
Das grimmig wilde Tier, das unsre Herden
Verwüstete, den Schrecken aller Hirten.
Sie ganz allein, die löwenherz'ge Jungfrau,   200

Stritt mit dem Wolf und rang das Lamm ihm ab,
Das er im blut'gen Rachen schon davontrug.
Welch tapfres Haupt auch dieser Helm bedeckt,
Er kann kein würdigeres zieren!

Thibaut zu Bertrand

          Sprecht!
Welch neues Kriegesunglück ist geschehn?   205
Was brachten jene Flüchtigen?

Bertrand

          Gott helfe
Dem König und erbarme sich des Landes!
Geschlagen sind wir in zwei großen Schlachten,
Mitten in Frankreich steht der Feind, verloren
Sind alle Länder bis an die Loire —   210
Jetzt hat er seine ganze Macht zusammen
Geführt, womit er Orleans belagert.

Thibaut

Gott schütze den König!

Bertrand

          Unermeßliches
Geschütz ist aufgebracht von allen Enden,
Und wie der Bienen dunkelnde Geschwader   215
Den Korb umschwärmen in des Sommers Tagen,
Wie aus geschwärzter Luft die Heuschreckwolke
Herunterfällt und meilenlang die Felder
Bedeckt in unabsehbarem Gewimmel,
So goß sich eine Kriegeswolke aus   220
Von Völkern über Orleans' Gefilde,

Und von der Sprachen unverständlichem
Gemisch verworren dumpf erbraust das Lager.
Denn auch der mächtige Burgund, der Länder=
Gewaltige, hat seine Mannen alle   225
Herbeigeführt, die Lütticher, Luxemburger,
Die Hennegauer, die vom Lande Namur,
Und die das glückliche Brabant bewohnen,
Die üpp'gen Genter, die in Samt und Seide
Stolzieren, die von Seeland, deren Städte   230
Sich reinlich aus dem Meereswasser heben,
Die herdenmelkenden Holländer, die
Von Utrecht, ja vom äußersten Westfriesland,
Die nach dem Eispol schaun — sie folgen alle
Dem Heerbann des gewaltig herrschenden   235
Burgund und wollen Orleans bezwingen.

Thibaut

O des unselig jammervollen Zwists,
Der Frankreichs Waffen wider Frankreich wendet!

Bertrand

Auch sie, die alte Königin, sieht man,
Die stolze Isabeau, die Bayerfürstin,   240
In Stahl gekleidet durch das Lager reiten,
Mit gift'gen Stachelworten alle Völker
Zur Wut aufregen wider ihren Sohn,
Den sie in ihrem Mutterschoß getragen!

Thibaut

Fluch treffe sie! Und möge Gott sie einst   245
Wie jene stolze Jesabel verderben!

Bertrand

Der fürchterliche Salsbury, der Mauern=
Zertrümmerer, führt die Belagrung an,
Mit ihm des Löwen Bruder Lionel,
Und Talbot, der mit mörderischem Schwert   250
Die Völker niedermähet in den Schlachten.
In frechem Mute haben sie geschworen,
Der Schmach zu weihen alle Jungfrauen,
Und was das Schwert geführt, dem Schwert zu opfern.
Vier hohe Warten haben sie erbaut,   255
Die Stadt zu überragen; oben späht
Graf Salsbury mit mordbegier'gem Blick,
Und zählt den schnellen Wandrer auf den Gassen.
Viel tausend Kugeln schon von Zentners Last
Sind in die Stadt geschleudert, Kirchen liegen   260
Zertrümmert, und der königliche Turm
Von Notre Dame beugt sein erhabnes Haupt.
Auch Pulvergänge haben sie gegraben,
Und über einem Höllenreiche steht
Die bange Stadt, gewärtig jede Stunde,   265
Daß es mit Donners Krachen sich entzünde.

Johanna horcht mit gespannter Aufmerksamkeit und setzt sich den Helm auf

Thibaut

Wo aber waren denn die tapfern Degen
Saintrailles, La Hire und Frankreichs Brustwehr,
Der heldenmüt'ge Bastard, daß der Feind
So allgewaltig reißend vorwärts drang?   270
Wo ist der König selbst, und sieht er müßig
Des Reiches Not und seiner Städte Fall?

Bertrand

Zu Chinon hält der König seinen Hof,
Es fehlt an Volk, er kann das Feld nicht halten.
Was nützt der Führer Mut, der Helden Arm,   275
Wenn bleiche Furcht die Heere lähmt?
Ein Schrecken, wie von Gott herabgesandt,
Hat auch die Brust der Tapfersten ergriffen.
Umsonst erschallt der Fürsten Aufgebot.
Wie sich die Schafe bang zusammendrängen,   280
Wenn sich des Wolfes Heulen hören läßt,
So sucht der Franke, seines alten Ruhms
Vergessend, nur die Sicherheit der Burgen.
Ein einz'ger Ritter nur, hört' ich erzählen,
Hab' eine schwache Mannschaft aufgebracht,   285
Und zieh' dem König zu mit sechzehn Fahnen.

Johanna schnell

Wie heißt der Ritter?

Bertrand

Baudricour. Doch schwerlich
Möcht' er des Feindes Kundschaft hintergehn,
Der mit zwei Heeren seinen Fersen folgt.

Johanna

Wo hält der Ritter? Sagt mir's, wenn Ihr's wisset! 290

Bertrand

Er steht kaum eine Tagereise weit
Von Vaucouleurs.

Thibaut zu Johanna

Was kümmert's dich! Du fragst
Nach Dingen, Mädchen, die dir nicht geziemen.

Bertrand

Weil nun der Feind so mächtig, und kein Schutz
Vom König mehr zu hoffen, haben sie　　　　295
Zu Vaucouleurs einmütig den Beschluß
Gefaßt, sich dem Burgund zu übergeben.
So tragen wir nicht fremdes Joch und bleiben
Beim alten Königsstamme — ja, vielleicht
Zur alten Krone fallen wir zurück,　　　　300
Wenn einst Burgund und Frankreich sich versöhnen.

Johanna in Begeisterung

Nichts von Verträgen! Nichts von Übergabe!
Der Retter naht, er rüstet sich zum Kampf.
Vor Orleans soll das Glück des Feindes scheitern!
Sein Maß ist voll, er ist zur Ernte reif.　　　　305
Mit ihrer Sichel wird die Jungfrau kommen,
Und seines Stolzes Saaten niedermähn;
Herab vom Himmel reißt sie seinen Ruhm,
Den er hoch an den Sternen aufgehangen.
Verzagt nicht! Fliehet nicht! Denn eh der Roggen　310
Gelb wird, eh sich die Mondesscheibe füllt,
Wird kein engländisch Roß mehr aus den Wellen
Der prächtigströmenden Loire trinken.

Bertrand

Ach! Es geschehen keine Wunder mehr!

Johanna

Es geschehn noch Wunder — Eine weiße Taube　315
Wird fliegen und mit Adlerskühnheit diese Geier
Anfallen, die das Vaterland zerreißen.

Darniederkämpfen wird sie diesen stolzen
Burgund, den Reichsverräter, diesen Talbot,
Den himmelstürmend hunderthändigen,   320
Und diesen Salsbury, den Tempelschänder,
Und diese frechen Inselwohner alle
Wie eine Herde Lämmer vor sich jagen.
Der Herr wird mit ihr sein, der Schlachten Gott.
Sein zitterndes Geschöpf wird er erwählen,   325
Durch eine zarte Jungfrau wird er sich
Verherrlichen, denn er ist der Allmächt'ge!

Thibaut

Was für ein Geist ergreift die Dirn'?

Raimond

       Es ist
Der Helm, der sie so kriegerisch beseelt.
Seht Eure Tochter an! Ihr Auge blitzt,   330
Und glühend Feuer sprühen ihre Wangen!

Johanna

Dies Reich soll fallen? Dieses Land des Ruhms,
Das schönste, das die ew'ge Sonne sieht
In ihrem Lauf, das Paradies der Länder,
Das Gott liebt, wie den Apfel seines Auges,   335
Die Fesseln tragen eines fremden Volks!
— Hier scheiterte der Heiden Macht. Hier war
Das erste Kreuz, das Gnadenbild erhöht;
Hier ruht der Staub des heil'gen Ludewig,
Von hier aus ward Jerusalem erobert.   340

Bertrand erstaunt

Hört ihre Rede! Woher schöpfte sie
Die hohe Offenbarung? — Vater Arc!
Euch gab Gott eine wundervolle Tochter!

Johanna

Wir sollen keine eignen Könige
Mehr haben, keinen eingebornen Herrn —   345
Der König, der nie stirbt, soll aus der Welt
Verschwinden — der den heil'gen Pflug beschützt,
Der die Trift beschützt und fruchtbar macht die Erde,
Der die Leibeignen in die Freiheit führt,
Der die Städte freudig stellt um seinen Thron —   350
Der dem Schwachen beisteht und den Bösen schreckt,
Der den Neid nicht kennet — denn er ist der Größte —
Der ein Mensch ist und ein Engel der Erbarmung
Auf der feindsel'gen Erde. — Denn der Thron
Der Könige, der von Golde schimmert, ist   355
Das Obdach der Verlassenen — hier steht
Die Macht und die Barmherzigkeit — es zittert
Der Schuldige, vertrauend naht sich der Gerechte
Und scherzet mit den Löwen um den Thron!
Der fremde König, der von außen kommt,   360
Dem keines Ahnherrn heilige Gebeine
In diesem Lande ruhn, kann er es lieben?
Der nicht jung war mit unsern Jünglingen,
Dem unsre Worte nicht zum Herzen tönen,
Kann er ein Vater sein zu seinen Söhnen?   365

Thibaut

Gott schütze Frankreich und den König! Wir
Sind friedliche Landleute, wissen nicht
Das Schwert zu führen, noch das kriegerische Roß
Zu tummeln. — Laßt uns stillgehorchend harren,
Wen uns der Sieg zum König geben wird.   370
Das Glück der Schlachten ist das Urteil Gottes,
Und unser Herr ist, wer die heil'ge Ölung
Empfängt und sich die Kron' aufsetzt zu Reims.
—Kommt an die Arbeit! Kommt! Und denke jeder
Nur an das Nächste! Lassen wir die Großen,   375
Der Erde Fürsten um die Erde losen;
Wir können ruhig die Zerstörung schauen,
Denn sturmfest steht der Boden, den wir bauen.
Die Flamme brenne unsre Dörfer nieder,
Die Saat zerstampfe ihrer Rosse Tritt,   380
Der neue Lenz bringt neue Saaten mit,
Und schnell erstehn die leichten Hütten wieder!

Alle außer der Jungfrau gehen ab

Vierter Auftritt

Johanna allein

Lebt wohl, ihr Berge, ihr geliebten Triften,
Ihr traulich stillen Täler, lebet wohl!
Johanna wird nun nicht mehr auf euch wandeln,   385
Johanna sagt euch ewig Lebewohl!

Ihr Wiesen, die ich wässerte! Ihr Bäume,
Die ich gepflanzet, grünet fröhlich fort!
Lebt wohl, ihr Grotten und ihr kühlen Brunnen!
Du Echo, holde Stimme dieses Tals,   390
Die oft mir Antwort gab auf meine Lieder,
Johanna geht, und nimmer kehrt sie wieder!

    Ihr Plätze alle meiner stillen Freuden,
Euch lass' ich hinter mir auf immerdar!
Zerstreuet euch, ihr Lämmer, auf der Heiden!   395
Ihr seid jetzt eine hirtenlose Schar,
Denn eine andre Herde muß ich weiden
Dort auf dem blut'gen Felde der Gefahr.
So ist des Geistes Ruf an mich ergangen,
Mich treibt nicht eitles, irdisches Verlangen.   400

    Denn der zu Mosen auf des Horebs Höhen
Im feur'gen Busch sich flammend niederließ
Und ihm befahl, vor Pharao zu stehen,
Der einst den frommen Knaben Isais,
Den Hirten, sich zum Streiter ausersehen,   405
Der stets den Hirten gnädig sich bewies,
Er sprach zu mir aus dieses Baumes Zweigen:
„Geh hin! du sollst auf Erden für mich zeugen.

    In rauhes Erz sollst du die Glieder schnüren,
Mit Stahl bedecken deine zarte Brust,   410
Nicht Männerliebe darf dein Herz berühren
Mit sünd'gen Flammen eitler Erdenlust.

Nie wird der Brautkranz deine Locke zieren,
Dir blüht kein lieblich Kind an deiner Brust;
Doch werd' ich dich mit kriegerischen Ehren, 415
Vor allen Erdenfrauen dich verklären.

Denn wenn im Kampf die Mutigsten verzagen,
Wenn Frankreichs letztes Schicksal nun sich naht,
Dann wirst du meine Oriflamme tragen
Und, wie die rasche Schnitterin die Saat, 420
Den stolzen Überwinder niederschlagen;
Umwälzen wirst du seines Glückes Rad,
Errettung bringen Frankreichs Heldensöhnen,
Und Reims befrein und deinen König krönen!"

Ein Zeichen hat der Himmel mir verheißen, 425
Er sendet mir den Helm, er kommt von ihm,
Mit Götterkraft berühret mich sein Eisen,
Und mich durchflammt der Mut der Cherubim;
Ins Kriegsgewühl hinein will es mich reißen,
Es treibt mich fort mit Sturmes Ungestüm; 430
Den Feldruf hör' ich mächtig zu mir dringen,
Das Schlachtroß steigt, und die Trompeten klingen.

Sie geht ab

Erster Aufzug

Hoflager König Karls zu Chinon

Erster Auftritt

Dunois und Du Chatel

Dunois

Nein, ich ertrag’ es länger nicht. Ich sage
Mich los von diesem König, der unrühmlich
Sich selbst verläßt. Mir blutet in der Brust   435
Das tapfre Herz, und glühnde Tränen möcht’ ich weinen
Daß Räuber in das königliche Frankreich
Sich teilen mit dem Schwert, die edeln Städte,
Die mit der Monarchie gealtert sind,
Dem Feind die rost’gen Schlüssel überliefern,   440
Indes wir hier in tatenloser Ruh’
Die köstlich edle Rettungszeit verschwenden.
— Ich höre Orleans bedroht, ich fliege
Herbei aus der entlegnen Normandie,
Den König denk’ ich kriegerisch gerüstet   445
An seines Heeres Spitze schon zu finden,
Und find’ ihn — hier! umringt von Gaukelspielern
Und Troubadours, spitzfind’ge Rätsel lösend
Und der Sorel galante Feste gebend,
Als waltete im Reich der tiefste Friede!   450

22

— Der Konnetabel geht, er kann den Greul
Nicht länger ansehn. — Ich verlaß' ihn auch
Und übergeb' ihn seinem bösen Schicksal.

Du Chatel

Da kommt der König!

Zweiter Auftritt

König Karl zu den Vorigen

Karl

Der Konnetabel schickt sein Schwert zurück   455
Und sagt den Dienst mir auf. — In Gottes Namen!
So sind wir eines mürr'schen Mannes los,
Der unverträglich uns nur meistern wollte.

Dunois

Ein Mann ist viel wert in so teurer Zeit;
Ich möcht' ihn nicht mit leichtem Sinn verlieren.   460

Karl

Das sagst du nur aus Lust des Widerspruchs;
Solang er da war, warst du nie sein Freund.

Dunois

Er war ein stolz verdrießlich schwerer Narr,
Und wußte nie zu enden — diesmal aber
Weiß er's. Er weiß zu rechter Zeit zu gehn,   465
Wo keine Ehre mehr zu holen ist.

Karl

Du bist in deiner angenehmen Laune,
Ich will dich nicht drin stören. — Du Chatel!

Es sind Gesandte da vom alten König
René, belobte Meister im Gesang,   470
Und weit berühmt. — Man muß sie wohl bewirten,
Und jedem eine goldne Kette reichen.

Zum Bastard

Worüber lachst du?

Dunois

Daß du goldne Ketten
Aus deinem Munde schüttelst.

Du Chatel

Sire! es ist
Kein Geld in deinem Schatze mehr vorhanden.   475

Karl

So schaffe welches. — Edle Sänger dürfen
Nicht ungeehrt von meinem Hofe ziehn.
Sie machen uns den dürren Zepter blühn,
Sie flechten den unsterblich grünen Zweig
Des Lebens in die unfruchtbare Krone,   480
Sie stellen herrschend sich den Herrschern gleich,
Aus leichten Wünschen bauen sie sich Throne,
Und nicht im Raume liegt ihr harmlos Reich;
Drum soll der Sänger mit dem König gehen,
Sie beide wohnen auf der Menschheit Höhen!   485

Du Chatel

Mein königlicher Herr! Ich hab' dein Ohr
Verschont, solang noch Rat und Hilfe war;
Doch endlich löst die Notdurft mir die Zunge.
— Du hast nichts mehr zu schenken, ach! du hast

Nicht mehr, wovon du morgen könntest leben!   490
Die hohe Flut des Reichtums ist zerflossen,
Und tiefe Ebbe ist in deinem Schatz.
Den Truppen ist der Sold noch nicht bezahlt,
Sie drohen murrend abzuziehn. — Kaum weiß
Ich Rat, dein eignes königliches Haus   495
Notdürftig nur, nicht fürstlich, zu erhalten.

Karl

Verpfände meine königlichen Zölle
Und laß dir Geld darleihn von den Lombarden.

Du Chatel

Sire, deine Kroneinkünfte, deine Zölle
Sind auf drei Jahre schon voraus verpfändet.   500

Dunois

Und unterdes geht Pfand und Land verloren.

Karl

Uns bleiben noch viel reiche schöne Länder.

Dunois

Solang es Gott gefällt und Talbots Schwert!
Wenn Orleans genommen ist, magst du
Mit deinem König René Schafe hüten.   505

Karl

Stets übst du deinen Witz an diesem König;
Doch ist es dieser länderlose Fürst,
Der eben heut mich königlich beschenkte.

Dunois

Nur nicht mit seiner Krone von Neapel,
Um Gottes willen nicht! Denn die ist feil,   510
Hab' ich gehört, seitdem er Schafe weidet.

Karl

Das ist ein Scherz, ein heitres Spiel, ein Fest,
Das er sich selbst und seinem Herzen gibt,
Sich eine schuldlos reine Welt zu gründen
In dieser rauh barbar'schen Wirklichkeit.   515
Doch was er Großes, Königliches will —
Er will die alten Zeiten wiederbringen,
Wo zarte Minne herrschte, wo die Liebe
Der Ritter große Heldenherzen hob,
Und edle Frauen zu Gerichte saßen,   520
Mit zartem Sinne alles Feine schlichtend.
In jenen Zeiten wohnt der heitre Greis,
Und wie sie noch in alten Liedern leben,
So will er sie, wie eine Himmelstadt
In goldnen Wolken, auf die Erde setzen —   525
Gegründet hat er einen Liebeshof,
Wohin die edlen Ritter sollen wallen,
Wo keusche Frauen herrlich sollen thronen,
Wo reine Minne wiederkehren soll,
Und mich hat er erwählt zum Fürst der Liebe.   530

Dunois

Ich bin so sehr nicht aus der Art geschlagen,
Daß ich der Liebe Herrschaft sollte schmähn.
Ich nenne mich nach ihr, ich bin ihr Sohn,
Und all mein Erbe liegt in ihrem Reich.
Mein Vater war der Prinz von Orleans,   535
Ihm war kein weiblich Herz unüberwindlich;
Doch auch kein feindlich Schloß war ihm zu fest.
Willst du der Liebe Fürst dich würdig nennen,

So sei der Tapfern Tapferster! — Wie ich
Aus jenen alten Büchern mir gelesen,   540
War Liebe stets mit hoher Rittertat
Gepaart, und Helden, hat man mich gelehrt,
Nicht Schäfer saßen an der Tafelrunde.
Wer nicht die Schönheit tapfer kann beschützen,
Verdient nicht ihren goldnen Preis. — Hier ist   545
Der Fechtplatz! Kämpf' um deiner Väter Krone!
Verteidige mit ritterlichem Schwert
Dein Eigentum und edler Frauen Ehre —
Und hast du dir aus Strömen Feindesbluts
Die angestammte Krone kühn erobert,   550
Dann ist es Zeit und steht dir fürstlich an,
Dich mit der Liebe Myrten zu bekrönen.

Karl
zu einem Edelknecht, der hereintritt

Was gibt's?

Edelknecht

       Ratsherrn von Orleans flehn um Gehör.

Karl

Führ' sie herein!
Edelknecht geht ab
      Sie werden Hilfe fordern:
Was kann ich tun, der selber hilflos ist!   555

Dritter Auftritt

Drei Ratsherren zu den Vorigen

Willkommen, meine vielgetreuen Bürger
Aus Orleans! Wie steht's um meine gute Stadt?

Fährt sie noch fort, mit dem gewohnten Mut
Dem Feind zu widerstehn, der sie belagert?

Ratsherr

Ach, Sire! Es drängt die höchste Not, und stündlich wachsend 560
Schwillt das Verderben an die Stadt heran.
Die äußern Werke sind zerstört, der Feind
Gewinnt mit jedem Sturme neuen Boden.
Entblößt sind von Verteidigern die Mauern,
Denn rastlos fechtend fällt die Mannschaft aus;   565
Doch wen'ge sehn die Heimatpforte wieder,
Und auch des Hungers Plage droht der Stadt.
Drum hat der edle Graf von Rochepierre,
Der drin befiehlt, in dieser höchsten Not
Vertragen mit dem Feind, nach altem Brauch,   570
Sich zu ergeben auf den zwölften Tag,
Wenn binnen dieser Zeit kein Heer im Feld
Erschien, zahlreich genug, die Stadt zu retten.

Dunois macht eine heftige Bewegung des Zorns

Karl

Die Frist ist kurz.

Ratsherr

                          Und jetzo sind wir hier
Mit Feindsgeleit, daß wir dein fürstlich Herz   575
Anflehen, deiner Stadt dich zu erbarmen,
Und Hilf' zu senden binnen dieser Frist,
Sonst übergibt er sie am zwölften Tage.

Dunois

Saintrailles konnte seine Stimme geben
Zu solchem schimpflichen Vertrag!

Ratsherr

Nein, Herr!   580

Solang der Tapfre lebte, durfte nie
Die Rede sein von Fried' und Übergabe.

Dunois

So ist er tot!

Ratsherr

An unsern Mauern sank
Der edle Held für seines Königs Sache.

Karl

Saintrailles tot! O, in dem einz'gen Mann   585
Sinkt mir ein Heer!

*Ein Ritter kommt und spricht einige Worte leise mit dem Bastard,
welcher betroffen auffährt*

Dunois

Auch das noch!

Karl

Nun! Was gibt's?

Dunois

Graf Douglas sendet her. Die schott'schen Völker
Empören sich und drohen abzuziehn,
Wenn sie nicht heut den Rückstand noch erhalten.

Karl

Du Chatel?

Du Chatel *zuckt die Achseln*

Sire! Ich weiß nicht Rat.

Karl

Versprich,   590
Verpfände, was du hast, mein halbes Reich —

Du Chatel

Hilft nichts! Sie sind zu oft vertröstet worden!

Karl

Es sind die besten Truppen meines Heers!
Sie sollen mich jetzt nicht, nicht jetzt verlassen!

Ratsherr mit einem Fußfall

O König, hilf uns! Unsrer Not gedenke!   595

Karl verzweiflungsvoll

Kann ich Armeen aus der Erde stampfen?
Wächst mir ein Kornfeld in der flachen Hand?
Reißt mich in Stücken, reißt das Herz mir aus,
Und münzet es statt Goldes! Blut hab' ich
Für euch, nicht Silber hab' ich, noch Soldaten!   600

Er sieht die Sorel hereintreten und eilt ihr mit ausgebreiteten Armen
entgegen

Vierter Auftritt

Agnes Sorel, ein Kästchen in der Hand, zu den Vorigen

Karl

O meine Agnes! Mein geliebtes Leben!
Du kommst, mich der Verzweiflung zu entreißen!
Ich habe dich, ich flieh' an deine Brust,
Nichts ist verloren, denn du bist noch mein.

Sorel

Mein teurer König!

Mit ängstlich fragendem Blick umherschauend

Dunois! Ist's wahr?   605

Du Chatel?

Du Chatel

Leider!

Sorel

Ist die Not so groß?
Es fehlt am Sold? Die Truppen wollen abziehn?

Du Chatel

Ja, leider ist es so!

Sorel

ihm das Kästchen aufdringend

Hier, hier ist Gold,
Hier sind Juwelen — Schmelzt mein Silber ein —
Verkauft, verpfändet meine Schlösser — Leihet   610·
Auf meine Güter in Provence — Macht alles
Zu Gelde und befriediget die Truppen!
Fort! Keine Zeit verloren!

Treibt ihn fort

Karl

Nun, Dunois? Nun, Du Chatel? Bin ich euch
Noch arm, da ich die Krone aller Frauen   615
Besitze? — Sie ist edel wie ich selbst
Geboren; selbst das königliche Blut
Der Valois ist nicht reiner; zieren würde sie
Den ersten Thron der Welt — doch sie verschmäht ihn,
Nur meine Liebe will sie sein und heißen.   620
Erlaubte sie mir jemals ein Geschenk
Von höherm Wert, als eine frühe Blume
Im Winter oder seltne Frucht? Von mir
Nimmt sie kein Opfer an, und bringt mir alle!

Wagt ihren ganzen Reichtum und Besitz   625
Großmütig an mein untersinkend Glück.

Dunois

Ja, sie ist eine Rasende wie du,
Und wirft ihr alles in ein brennend Haus,
Und schöpft ins lecke Faß der Danaiden.
Dich wird sie nicht erretten, nur sich selbst   630
Wird sie mit dir verderben —

Sorel

     Glaub' ihm nicht!
Er hat sein Leben zehenmal für dich
Gewagt und zürnt, daß ich mein Gold jetzt wage.
Wie? Hab' ich dir nicht alles froh geopfert,
Was mehr geachtet wird als Gold und Perlen,   635
Und sollte jetzt mein Glück für mich behalten?
Komm! Laß uns allen überflüss'gen Schmuck
Des Lebens von uns werfen! Laß mich dir
Ein edles Beispiel der Entsagung geben!
Verwandle deinen Hofstaat in Soldaten,   640
Dein Gold in Eisen, alles, was du hast,
Wirf es entschlossen hin nach deiner Krone!
Komm! Komm! Wir teilen Mangel und Gefahr!
Das kriegerische Roß laß uns besteigen,
Den zarten Leib dem glühnden Pfeil der Sonne   645
Preisgeben, die Gewölke über uns
Zur Decke nehmen, und den Stein zum Pfühl.
Der rauhe Krieger wird sein eignes Weh
Geduldig tragen, sieht er seinen König,
Dem Ärmsten gleich, ausdauern und entbehren!   650

Karl lächelnd

Ja, nun erfüllt sich mir ein altes Wort
Der Weissagung, das eine Nonne mir
Zu Clermont im prophet'schen Geiste sprach.
Ein Weib, verhieß die Nonne, würde mich
Zum Sieger machen über alle Feinde,   655
Und meiner Väter Krone mir erkämpfen.
Fern sucht' ich sie im Feindeslager auf,
Das Herz der Mutter hofft' ich zu versöhnen;
Hier steht die Heldin, die nach Reims mich führt,
Durch meiner Agnes Liebe werd' ich siegen!   660

Sorel

Du wirst's durch deiner Freunde tapfres Schwert.

Karl

Auch von der Feinde Zwietracht hoff' ich viel —
Denn mir ist sichre Kunde zugekommen,
Daß zwischen diesen stolzen Lords von England
Und meinem Vetter von Burgund nicht alles mehr   665
So steht wie sonst — Drum hab' ich den La Hire
Mit Botschaft an den Herzog abgefertigt,
Ob mir's gelänge, den erzürnten Pair
Zur alten Pflicht und Treu' zurückzuführen. —
Mit jeder Stunde wart ich seiner Ankunft.   670

Du Chatel am Fenster

Der Ritter sprengt soeben in den Hof.

Karl

Willkommner Bote! Nun, so werden wir
Bald wissen, ob wir weichen oder siegen.

Fünfter Auftritt

La Hire zu den Vorigen

Karl geht ihm entgegen

La Hire! Bringst du uns Hoffnung oder keine?
Erklär' dich kurz! Was hab' ich zu erwarten? 675

La Hire

Erwarte nichts mehr als von deinem Schwert.

Karl

Der stolze Herzog läßt sich nicht versöhnen?
O, sprich! Wie nahm er meine Botschaft auf?

La Hire

Vor allen Dingen, und bevor er noch
Ein Ohr dir könne leihen, fordert er, 680
Daß ihm Du Chatel ausgeliefert werde,
Den er den Mörder seines Vaters nennt.

Karl

Und — weigern wir uns dieser Schmachbedingung?

La Hire

Dann sei der Bund zertrennt, noch eh er anfing.

Karl

Hast du ihm drauf, wie ich dir anbefahl, 685
Zum Kampf mit mir gefordert auf der Brücke
Zu Montereau, allwo sein Vater fiel?

La Hire

Ich warf ihm deinen Handschuh hin und sprach:
Du wolltest deiner Hoheit dich begeben,

Und als ein Ritter kämpfen um dein Reich.   690
Doch er versetzte: nimmer tät's ihm not,
Um das zu fechten, was er schon besitze.
Doch wenn dich so nach Kämpfen lüstete,
So würdest du vor Orleans ihn finden,
Wohin er morgen willens sei zu gehn;   695
Und damit kehrt' er lachend mir den Rücken.

Karl

Erhob sich nicht in meinem Parlamente
Die reine Stimme der Gerechtigkeit?

La Hire

Sie ist verstummt vor der Parteien Wut.
Ein Schluß des Parlaments erklärte dich   700
Des Throns verlustig, dich und dein Geschlecht.

Dunois

Ha, frecher Stolz des herrgewordnen Bürgers!

Karl

Hast du bei meiner Mutter nichts versucht?

La Hire

Bei deiner Mutter!

Karl

Ja! Wie ließ sie sich vernehmen?

La Hire

nachdem er einige Augenblicke sich bedacht

Es war gerad das Fest der Königskrönung,   705
Als ich zu Saint Denis eintrat. Geschmückt,
Wie zum Triumphe, waren die Pariser;
In jeder Gasse stiegen Ehrenbogen,

Durch die der engelländ'sche König zog.
Bestreut mit Blumen war der Weg, und jauchzend,   710
Als hätte Frankreich seinen schönsten Sieg
Erfochten, sprang der Pöbel um den Wagen.

Sorel

Sie jauchzten — jauchzten, daß sie auf das Herz
Des liebevollen, sanften Königs traten!

La Hire

Ich sah den jungen Harry Lancaster,   715
Den Knaben, auf den königlichen Stuhl
Sankt Ludwigs sitzen; seine stolzen Öhme
Bedford und Gloster standen neben ihm,
Und Herzog Philipp kniet' am Throne nieder
Und leistete den Eid für seine Länder.   720

Karl

O ehrvergeßner Pair! Unwürd'ger Vetter!

La Hire

Das Kind war bang und strauchelte, da es
Die hohen Stufen an den Thron hinanstieg.
Ein böses Omen! murmelte das Volk,
Und es erhub sich schallendes Gelächter.   725
Da trat die alte Königin, deine Mutter,
Hinzu, und — mich entrüstet es zu sagen!

Karl

Nun?

La Hire

In die Arme faßte sie den Knaben,
Und setzt' ihn selbst auf deines Vaters Stuhl.

Karl

O Mutter! Mutter!

La Hire

Selbst die wütenden 730
Burgundier, die mordgewohnten Banden,
Erglüheten vor Scham bei diesem Anblick.
Sie nahm es wahr, und an das Volk gewendet,
Rief sie mit lauter Stimm': „Dankt mir's, Franzosen,
Daß ich den kranken Stamm mit reinem Zweig 735
Veredle, euch bewahre vor dem miß=
Gebornen Sohn des hirnverrückten Vaters!"

Der König verhüllt sich, Agnes eilt auf ihn zu und schließt ihn in ihre
Arme, alle Umstehenden drücken ihren Abscheu, ihr Entsetzen aus

Dunois

Die Wölfin! die wutschnaubende Megäre!

Karl

nach einer Pause zu den Ratsherren

Ihr habt gehört, wie hier die Sachen stehn.
Verweilt nicht länger, geht nach Orleans 740
Zurück, und meldet meiner treuen Stadt:
Des Eides gegen mich entlass' ich sie.
Sie mag ihr Heil beherzigen und sich
Der Gnade des Burgundiers ergeben;
Er heißt der Gute, er wird menschlich sein. 745

Dunois

Wie, Sire? Du wolltest Orleans verlassen?

Ratsherr kniet nieder

Mein königlicher Herr! Zieh deine Hand
Nicht von uns ab! Gib deine treue Stadt

Nicht unter Englands harte Herrschaft hin.
Sie ist ein edler Stein in deiner Krone,   750
Und keine hat den Königen, deinen Ahnherrn,
Die Treue heiliger bewahrt.

Dunois

          Sind wir

Geschlagen? Ist's erlaubt, das Feld zu räumen,
Eh noch ein Schwertstreich um die Stadt geschehn?
Mit einem leichten Wörtlein, ehe Blut   755
Geflossen ist, denkst du die beste Stadt
Aus Frankreichs Herzen wegzugeben?

Karl

          Gnug

Des Blutes ist geflossen, und vergebens!
Des Himmels schwere Hand ist gegen mich;
Geschlagen wird mein Heer in allen Schlachten,   760
Mein Parlament verwirft mich, meine Hauptstadt,
Mein Volk nimmt meinen Gegner jauchzend auf,
Die mir die nächsten sind am Blut, verlassen,
Verraten mich — Die eigne Mutter nährt
Die fremde Feindesbrut an ihren Brüsten.   765
— Wir wollen jenseits der Loire uns ziehn,
Und der gewalt'gen Hand des Himmels weichen,
Der mit dem Engelländer ist.

Sorel

Das wolle Gott nicht, daß wir, an uns selbst
Verzweifelnd, diesem Reich den Rücken wenden!   770
Dies Wort kam nicht aus deiner tapfern Brust.

Der Mutter unnatürlich rohe Tat
Hat meines Königs Heldenherz gebrochen!
Du wirst dich wiederfinden, männlich fassen,
Mit edlem Mut dem Schicksal widerstehen,   775
Das grimmig dir entgegenkämpft.

Karl
in düsteres Sinnen verloren

                              Ist es nicht wahr?
Ein finster furchtbares Verhängnis waltet
Durch Valois' Geschlecht; es ist verworfen
Von Gott, der Mutter Lastertaten führten
Die Furien herein in dieses Haus;   780
Mein Vater lag im Wahnsinn zwanzig Jahre,
Drei ältre Brüder hat der Tod vor mir
Hinweggemäht, es ist des Himmels Schluß,
Das Haus des sechsten Karls soll untergehn.

Sorel
In dir wird es sich neu verjüngt erheben!   785
Hab' Glauben an dich selbst. — O! nicht umsonst
Hat dich ein gnädig Schicksal aufgespart
Von deinen Brüdern allen, dich, den jüngsten,
Gerufen auf den ungehofften Thron.
In deiner sanften Seele hat der Himmel   790
Den Arzt für alle Wunden sich bereitet,
Die der Parteien Wut dem Lande schlug.
Des Bürgerkrieges Flammen wirst du löschen,
Mir sagt's das Herz, den Frieden wirst du pflanzen,
Des Frankenreiches neuer Stifter sein.   795

Karl

Nicht ich. Die rauhe sturmbewegte Zeit
Heischt einen kraftbegabtern Steuermann.
Ich hätt' ein friedlich Volk beglücken können;
Ein wildempörtes kann ich nicht bezähmen,
Nicht mir die Herzen öffnen mit dem Schwert,   800
Die sich entfremdet mir in Haß verschließen.

Sorel

Verblendet ist das Volk, ein Wahn betäubt es;
Doch dieser Taumel wird vorübergehn,
Erwachen wird, nicht fern mehr ist der Tag,
Die Liebe zu dem angestammten König,   805
Die tiefgepflanzt ist in des Franken Brust,
Der alte Haß, die Eifersucht erwachen,
Die beide Völker ewig feindlich trennt;
Den stolzen Sieger stürzt sein eignes Glück.
Darum verlasse nicht mit Übereilung   810
Den Kampfplatz, ring um jeden Fußbreit Erde,
Wie deine eigne Brust verteidige
Dies Orleans! Laß alle Fähren lieber
Versenken, alle Brücken niederbrennen,
Die über diese Scheide deines Reichs,   815
Das styg'sche Wasser der Loire, dich führen.

Karl

Was ich vermocht, hab' ich getan. Ich habe
Mich dargestellt zum ritterlichen Kampf
Um meine Krone. — Man verweigert ihn.
Umsonst verschwend' ich meines Volkes Leben,   820

Und meine Städte sinken in den Staub.
Soll ich, gleich jener unnatürlichen Mutter,
Mein Kind zerteilen lassen mit dem Schwert?
Nein, daß es lebe, will ich ihm entsagen.

Dunois

Wie, Sire? Ist das die Sprache eines Königs?   825
Gibt man so eine Krone auf? Es setzt
Der Schlechtste deines Volkes Gut und Blut
An seine Meinung, seinen Haß und Liebe;
Partei wird alles, wenn das blut'ge Zeichen
Des Bürgerkrieges ausgehangen ist.   830
Der Ackersmann verläßt den Pflug, das Weib
Den Rocken, Kinder, Greise waffnen sich,
Der Bürger zündet seine Stadt, der Landmann
Mit eignen Händen seine Saaten an,
Um dir zu schaden oder wohlzutun   835
Und seines Herzens Wollen zu behaupten.
Nichts schont er selber und erwartet sich
Nicht Schonung, wenn die Ehre ruft, wenn er
Für seine Götter oder Götzen kämpft.
Drum weg mit diesem weichlichen Mitleiden,   840
Das einer Königsbrust nicht ziemt. — Laß du
Den Krieg ausrasen, wie er angefangen,
Du hast ihn nicht leichtsinnig selbst entflammt.
Für seinen König muß das Volk sich opfern,
Das ist das Schicksal und Gesetz der Welt.   845
Der Franke weiß es nicht und will's nicht anders.
Nichtswürdig ist die Nation, die nicht
Ihr alles freudig setzt an ihre Ehre.

Karl zu den Ratsherren

Erwartet keinen anderen Bescheid!
Gott schütz' euch! Ich kann nicht mehr.

Dunois

Nun, so kehre 850
Der Siegesgott auf ewig dir den Rücken,
Wie du dem väterlichen Reich. Du hast
Dich selbst verlassen; so verlass' ich dich.
Nicht Englands und Burgunds vereinte Macht,
Dich stürzt der eigne Kleinmut von dem Thron. 855
Die Könige Frankreichs sind geborne Helden,
Du aber bist unkriegerisch gezeugt.

Zu den Ratsherren

Der König gibt euch auf. Ich aber will
In Orleans, meines Vaters Stadt, mich werfen,
Und unter ihren Trümmern mich begraben. 860

Er will gehen. Agnes Sorel hält ihn auf

Sorel zum König

O, laß ihn nicht im Zorne von dir gehn!
Sein Mund spricht rauhe Worte, doch sein Herz
Ist treu wie Gold; es ist derselbe doch,
Der warm dich liebt und oft für dich geblutet.
Kommt, Dunois! Gesteht, daß euch die Hitze 865
Des edeln Zorns zu weit geführt — Du aber
Verzeih dem treuen Freund die heft'ge Rede!
O, kommt, kommt! Laßt mich eure Herzen schnell
Vereinigen, eh sich der rasche Zorn
Unlöschbar, der verderbliche, entflammt! 870

Dunois fixiert den König und scheint eine Antwort zu erwarten

Karl zu Du Chatel

Wir gehen über die Loire. Laß mein
Gerät zu Schiffe bringen!

Dunois schnell zur Sorel

Lebet wohl!

Wendet sich schnell und geht, Ratsherren folgen

Sorel
ringt verzweiflungsvoll die Hände

O, wenn er geht, so sind wir ganz verlassen!
—Folgt ihm, La Hire! O, sucht ihn zu begüt'gen!

La Hire geht ab

Sechster Auftritt

Karl, Sorel, Du Chatel

Karl

Ist denn die Krone so ein einzig Gut?   875
Ist es so bitterschwer, davon zu scheiden?
Ich kenne, was noch schwerer sich erträgt.
Von diesen trotzig herrischen Gemütern
Sich meistern lassen, von der Gnade leben
Hochsinnig eigenwilliger Vasallen,   880
Das ist das Harte für ein edles Herz,
Und bittrer, als dem Schicksal unterliegen!

Zu Du Chatel, der noch zaudert

Tu, was ich dir befohlen!

Du Chatel wirft sich zu seinen Füßen

O mein König!

Karl

Es ist beschlossen. Keine Worte weiter!

Du Chatel

Mach' Frieden mit dem Herzog von Burgund!   885
Sonst seh' ich keine Rettung mehr für dich.

Karl

Du rätst mir dieses, und dein Blut ist es,
Womit ich diesen Frieden soll versiegeln?

Du Chatel

Hier ist mein Haupt. Ich hab' es oft für dich
Gewagt in Schlachten, und ich leg' es jetzt   890
Für dich mit Freuden auf das Blutgerüste.
Befriedige den Herzog! Überliefre mich
Der ganzen Strenge seines Zorns und laß
Mein fließend Blut den alten Haß versöhnen!

Karl
blickt ihn eine Zeitlang gerührt und schweigend an

Ist es denn wahr? Steht es so schlimm mit mir,   895
Daß meine Freunde, die mein Herz durchschauen,
Den Weg der Schande mir zur Rettung zeigen?
Ja, jetzt erkenn' ich meinen tiefen Fall,
Denn das Vertraun ist hin auf meine Ehre.

Du Chatel

Bedenk' —

Karl

Kein Wort mehr! Bringe mich nicht auf! 900
Müßt' ich zehn Reiche mit dem Rücken schauen,
Ich rette mich nicht mit des Freundes Leben.

— Tu, was ich dir befohlen! Geh und laß
Mein Heergerät einschiffen!

Du Chatel

Es wird schnell
Getan sein.

Steht auf und geht, Agnes Sorel weint heftig

Siebenter Auftritt

Karl und Agnes Sorel

Karl ihre Hand fassend

Sei nicht traurig, meine Agnes!   905
Auch jenseits der Loire liegt noch ein Frankreich,
Wir gehen in ein glücklicheres Land.
Da lacht ein milder, nie bewölkter Himmel,
Und leichtre Lüfte wehn, und sanftre Sitten
Empfangen uns; da wohnen die Gesänge,   910
Und schöner blüht das Leben und die Liebe.

Sorel

O, muß ich diesen Tag des Jammers schauen!
Der König muß in die Verbannung gehn,
Der Sohn auswandern aus des Vaters Hause
Und seine Wiege mit dem Rücken schauen.   915
O angenehmes Land, das wir verlassen,
Nie werden wir dich freudig mehr betreten.

Achter Auftritt

La Hire kommt zurück. Karl und Sorel

Sorel

Ihr kommt allein. Ihr bringt ihn nicht zurück?

Indem sie ihn näher ansieht

La Hire! Was gibt's? Was sagt mir Euer Blick?
Ein neues Unglück ist geschehn!

La Hire

                Das Unglück   920
Hat sich erschöpft, und Sonnenschein ist wieder!

Sorel

Was ist's? Ich bitt' Euch.

La Hire zum König

                 Ruf' die Abgesandten
Von Orleans zurück!

Karl

            Warum? Was gibt's?

La Hire

Ruf' sie zurück! Dein Glück hat sich gewendet,
Ein Treffen ist geschehn, du hast gesiegt.   925

Sorel

Gesiegt! O himmlische Musik des Wortes!

Karl

La Hire! Dich täuscht ein fabelhaft Gerücht.
Gesiegt! Ich glaub' an keine Siege mehr.

La Hire

O, du wirst bald noch größre Wunder glauben.
— Da kommt der Erzbischof. Er führt den Bastard   930
In deinen Arm zurück —

Sorel

        O schöne Blume
Des Siegs, die gleich die edeln Himmelsfrüchte,
Fried' und Versöhnung, trägt!

Neunter Auftritt

Erzbischof von Reims. Dunois. Du Chatel mit Raoul,
einem geharnischten Ritter, zu den Vorigen

Erzbischof

führt den Bastard zu dem König und legt ihre Hände ineinander

          Umarmt euch, Prinzen!
Laßt allen Groll und Hader jetzo schwinden,
Da sich der Himmel selbst für uns erklärt.   935

Dunois umarmt den König

Karl

Reißt mich aus meinem Zweifel und Erstaunen.
Was kündigt dieser feierliche Ernst mir an?
Was wirkte diesen schnellen Wechsel?

Erzbischof

führt den Ritter hervor und stellt ihn vor den König

              Redet!

Raoul

Wir hatten sechzehn Fähnlein aufgebracht,
Lothringisch Volk, zu deinem Heer zu stoßen,   940
Und Ritter Baudricour aus Vaucouleurs

War unser Führer. Als wir nun die Höhen
Bei Vermanton erreicht und in das Tal,
Das die Yonne durchströmt, herunterstiegen,
Da stand in weiter Ebene vor uns der Feind,   945
Und Waffen blitzten, da wir rückwärts sahn.
Umrungen sahn wir uns von beiden Heeren,
Nicht Hoffnung war, zu siegen noch zu fliehn;
Da sank dem Tapfersten das Herz, und alles,
Verzweiflungsvoll, will schon die Waffen strecken.   950
Als nun die Führer miteinander noch
Rat suchten und nicht fanden — sieh, da stellte sich
Ein seltsam Wunder unsern Augen dar!
Denn aus der Tiefe des Gehölzes plötzlich
Trat eine Jungfrau mit behelmtem Haupt,   955
Wie eine Kriegesgöttin, schön zugleich
Und schrecklich anzusehn; um ihren Nacken
In dunkeln Ringen fiel das Haar; ein Glanz
Vom Himmel schien die Hohe zu umleuchten,
Als sie die Stimm' erhub und also sprach: 960
„Was zagt ihr, tapfre Franken! Auf den Feind!
Und wären sein mehr denn des Sands im Meere,
Gott und die heil'ge Jungfrau führt euch an!"
Und schnell dem Fahnenträger aus der Hand
Riß sie die Fahn', und vor dem Zuge her   965
Mit kühnem Anstand schritt die Mächtige.
Wir, stumm vor Staunen, selbst nicht wollend, folgen
Der hohen Fahn' und ihrer Trägerin,
Und auf den Feind gerad an stürmen wir.
Der, hochbetroffen, steht bewegungslos,   970

Mit weitgeöffnet starrem Blick das Wunder
Anstaunend, das sich seinen Augen zeigt —
Doch schnell, als hätten Gottes Schrecken ihn
Ergriffen, wendet er sich um
Zur Flucht, und Wehr und Waffen von sich werfend, 975
Entschart das ganze Heer sich im Gefilde;
Da hilft kein Machtwort, keines Führers Ruf;
Vor Schrecken sinnlos, ohne rückzuschaun,
Stürzt Mann und Roß sich in des Flusses Bette,
Und läßt sich würgen ohne Widerstand;   980
Ein Schlachten war's, nicht eine Schlacht, zu nennen!
Zweitausend Feinde deckten das Gefild,
· Die nicht gerechnet, die der Fluß verschlang,
Und von den Unsern ward kein Mann vermißt.

Karl

Seltsam, bei Gott! höchst wunderbar und seltsam!   985

Sorel

Und eine Jungfrau wirkte dieses Wunder?
Wo kam sie her? Wer ist sie?

Raoul
                            Wer sie sei,
Will sie allein dem König offenbaren.
Sie nennt sich eine Seherin und Gott=
Gesendete Prophetin, und verspricht   990
Orleans zu retten, eh der Mond noch wechselt.
Ihr glaubt das Volk und dürstet nach Gefechten.
Sie folgt dem Heer, gleich wird sie selbst hier sein.

Man hört Glocken und ein Geklirr von Waffen, die aneinander
geschlagen werden

Hört ihr den Auflauf? Das Geläut der Glocken?
Sie ist's, das Volk begrüßt die Gottgesandte.   995

Karl zu Du Chatel

Führt sie herein —

Zum Erzbischof

        Was soll ich davon denken?
Ein Mädchen bringt mir Sieg und eben jetzt,
Da nur ein Götterarm mich retten kann!
Das ist nicht in dem Laufe der Natur,
Und darf ich — Bischof, darf ich Wunder glauben?   1000

Viele Stimmen hinter der Szene

Heil, Heil der Jungfrau, der Erretterin!

Karl

Sie kommt!

Zu Dunois

       Nehmt meinen Platz ein, Dunois!
Wir wollen dieses Wundermädchen prüfen.
Ist sie begeistert und von Gott gesandt,
Wird sie den König zu entdecken wissen.   1005

Dunois setzt sich, der König steht zu seiner Rechten, neben ihm Agnes
Sorel, der Erzbischof mit den übrigen gegenüber, daß der mittlere
Raum leer bleibt

Zehnter Auftritt

Die Vorigen. Johanna, begleitet von den Ratsherren und vielen Rittern, welche den Hintergrund der Szene anfüllen; mit edelm Anstand tritt sie vorwärts und schaut die Umstehenden der Reihe nach an

Dunois

nach einer tiefen feierlichen Stille

Bist du es, wunderbares Mädchen —

Johanna

unterbricht ihn, mit Klarheit und Hoheit ihn anschauend

Bastard von Orleans! Du willst Gott versuchen!
Steh auf von diesem Platz, der dir nicht ziemt!
An diesen Größeren bin ich gesendet.

Sie geht mit entschiedenem Schritt auf den König zu, beugt ein Knie vor ihm und steht sogleich wieder auf, zurücktretend. Alle Anwesenden drücken ihr Erstaunen aus. Dunois verläßt seinen Sitz, und es wird Raum vor dem König

Karl

Du siehst mein Antlitz heut zum erstenmal;   1010
Von wannen kommt dir diese Wissenschaft?

Johanna

Ich sah dich, wo dich niemand sah als Gott.

Sie nähert sich dem König und spricht geheimnisvoll

In jüngstverwichner Nacht, besinne dich!
Als alles um dich her in tiefem Schlaf
Begraben lag, da standst du auf von deinem Lager, 1015
Und tatst ein brünstiges Gebet zu Gott.

Laß die hinausgehn, und ich nenne dir
Den Inhalt des Gebets.

Karl

Was ich dem Himmel
Vertraut, brauch' ich vor Menschen nicht zu bergen.
Entdecke mir den Inhalt meines Flehns,   1020
So zweifl' ich nicht mehr, daß dich Gott begeistert.

Johanna

Es waren drei Gebete, die du tatst;
Gib wohl acht, Dauphin, ob ich dir sie nenne!
Zum ersten flehtest du den Himmel an,
Wenn unrecht Gut an dieser Krone hafte,   1025
Wenn eine andre schwere Schuld, noch nicht
Gebüßt, von deiner Väter Zeiten her,
Diesen tränenvollen Krieg herbeigerufen,
Dich zum Opfer anzunehmen für dein Volk,
Und auszugießen auf dein einzig Haupt   1030
Die ganze Schale seines Zorns.

Karl tritt mit Schrecken zurück

Wer bist du, mächtig Wesen? Woher kommst du?

Alle zeigen ihr Erstaunen

Johanna

Du tatst dem Himmel diese zweite Bitte:
Wenn es sein hoher Schluß und Wille sei,
Das Zepter deinem Stamme zu entwinden,   1035
Dir alles zu entziehn, was deine Väter,
Die Könige in diesem Reich, besaßen,
Drei einz'ge Güter flehtest du ihn an

Dir zu bewahren: die zufriedne Brust,

Des Freundes Herz und deiner Agnes Liebe.   1040

Der König verbirgt das Gesicht, heftig weinend; große Bewegung des Erstaunens unter den Anwesenden. Nach einer Pause

Soll ich dein dritt Gebet dir nun noch nennen?

Karl

Genug! Ich glaube dir! So viel vermag

Kein Mensch! Dich hat der höchste Gott gesendet.

Erzbischof

Wer bist du, heilig wunderbares Mädchen?

Welch glücklich Land gebar dich? Sprich! Wer sind   1045

Die gottgeliebten Eltern, die dich zeugten?

Johanna

Ehrwürd'ger Herr, Johanna nennt man mich.

Ich bin nur eines Hirten niedre Tochter

Aus meines Königs Flecken Dom Remi,

Der in dem Kirchensprengel liegt von Toul,   1050

Und hütete die Schafe meines Vaters

Von Kind auf— Und ich hörte viel und oft

Erzählen von dem fremden Inselvolk,

Das über Meer gekommen, uns zu Knechten

Zu machen, und den fremdgebornen Herrn   1055

Uns aufzuzwingen, der das Volk nicht liebt;

Und daß sie schon die große Stadt Paris

Inn'hätten und des Reiches sich ermächtigt.

Da rief ich flehend Gottes Mutter an,

Von uns zu wenden fremder Ketten Schmach,   1060

Uns den einheim'schen König zu bewahren.

Und vor dem Dorf, wo ich geboren, steht

Ein uralt Muttergottesbild, zu dem
Der frommen Pilgerfahrten viel geschahn,
Und eine heil'ge Eiche steht darneben,   1065
Durch vieler Wunder Segenskraft berühmt.
Und in der Eiche Schatten saß ich gern,
Die Herde weidend, denn mich zog das Herz,
Und ging ein Lamm mir in den wüsten Bergen
Verloren, immer zeigte mir's der Traum,   1070
Wenn ich im Schatten dieser Eiche schlief.
— Und einsmals, als ich eine lange Nacht
In frommer Andacht unter diesem Baum
Gesessen und dem Schlafe widerstand,
Da trat die Heilige zu mir, ein Schwert   1075
Und Fahne tragend, aber sonst, wie ich,
Als Schäferin gekleidet, und sie sprach zu mir:
„Ich bin's. Steh auf, Johanna! Laß die Herde!
Dich ruft der Herr zu einem anderen Geschäft!
Nimm diese Fahne! Dieses Schwert umgürte dir!   1080
Damit vertilge meines Volkes Feinde,
Und führe deines Herren Sohn nach Reims,
Und krön' ihn mit der königlichen Krone!"
Ich aber sprach: „Wie kann ich solcher Tat
Mich unterwinden, eine zarte Magd,   1085
Unkundig des verderblichen Gefechts!"
Und sie versetzte: „Eine reine Jungfrau
Vollbringt jedwedes Herrliche auf Erden,
Wenn sie der ird'schen Liebe widersteht.
Sieh mich an! Eine keusche Magd, wie du,   1090
Hab' ich den Herrn, den göttlichen, geboren,

Und göttlich bin ich selbst!" — Und sie berührte
Mein Augenlid, und als ich aufwärts sah,
Da war der Himmel voll von Engelknaben,
Die trugen weiße Lilien in der Hand,   1095
Und süßer Ton verschwebte in den Lüften.
— Und so drei Nächte nacheinander ließ
Die Heilige sich sehn und rief: „Steh auf, Johanna!
Dich ruft der Herr zu einem anderen Geschäft."
Und als sie in der dritten Nacht erschien,   1100
Da zürnte sie, und scheltend sprach sie dieses Wort:
„Gehorsam ist des Weibes Pflicht auf Erden,
Das harte Dulden ist ihr schweres Los;
Durch strengen Dienst muß sie geläutert werden;
Die hier gedienet, ist dort oben groß."   1105
Und also sprechend ließ sie das Gewand
Der Hirtin fallen, und als Königin
Der Himmel stand sie da im Glanz der Sonnen,
Und goldne Wolken trugen sie hinauf
Langsam verschwindend in das Land der Wonnen.   1110

Alle sind gerührt, Agnes Sorel, heftig weinend, verbirgt ihr Gesicht an des Königs Brust

Erzbischof *nach einem langen Stillschweigen*

Vor solcher göttlicher Beglaubigung
Muß jeder Zweifel ird'scher Klugheit schweigen.
Die Tat bewährt es, daß sie Wahrheit spricht;
Nur Gott allein kann solche Wunder wirken.

Dunois

Nicht ihren Wundern, ihrem Auge glaub' ich,   1115
Der reinen Unschuld ihres Angesichts.

Karl

Und bin ich Sünd'ger solcher Gnade wert?
Untrüglich allerforschend Aug', du siehst
Mein Innerstes und kennest meine Demut!

Johanna

Der Hohen Demut leuchtet hell dort oben;   1120
Du beugtest dich, drum hat er dich erhoben.

Karl

So werd' ich meinen Feinden widerstehn?

Johanna

Bezwungen leg' ich Frankreich dir zu Füßen!

Karl

Und Orleans, sagst du, wird nicht übergehn?

Johanna

Eh siehest du die Loire zurückefließen.   1125

Karl

Werd' ich nach Reims als Überwinder ziehn?

Johanna

Durch tausend Feinde führ' ich dich dahin.

Alle anwesende Ritter erregen ein Getöse mit ihren Lanzen und Schilden
und geben Zeichen des Muts

Dunois

Stell' uns die Jungfrau an des Heeres Spitze!
Wir folgen blind, wohin die Göttliche
Uns führt! Ihr Seherauge soll uns leiten,   1130
Und schützen soll sie dieses tapfre Schwert!

La Hire

Nicht eine Welt in Waffen fürchten wir,
Wenn sie einher vor unsern Scharen zieht.
Der Gott des Sieges wandelt ihr zu Seite;
Sie führ' uns an, die Mächtige, im Streite!   1135

Die Ritter erregen ein großes Waffengetös und treten vorwärts

Karl

Ja, heilig Mädchen, führe du mein Heer,
Und seine Fürsten sollen dir gehorchen.
Dies Schwert der höchsten Kriegsgewalt, das uns
Der Kronfeldherr im Zorn zurückgesendet,
Hat eine würdigere Hand gefunden.   1140
Empfange du es, heilige Prophetin,
Und sei fortan —

Johanna

                    Nicht also, edler Dauphin!
Nicht durch dies Werkzeug irdischer Gewalt
Ist meinem Herrn der Sieg verliehn. Ich weiß
Ein ander Schwert, durch das ich siegen werde.   1145
Ich will es dir bezeichnen, wie's der Geist
Mich lehrte; sende hin und laß es holen.

Karl

Nenn' es, Johanna!

Johanna

                    Sende nach der alten Stadt
Fierboys, dort, auf Sankt Kathrinens Kirchhof,
Ist ein Gewölb, wo vieles Eisen liegt,   1150
Von alter Siegesbeute aufgehäuft.
Das Schwert ist drunter, das mir dienen soll.

An dreien goldnen Lilien ist's zu kennen,
Die auf der Klinge eingeschlagen sind.
Dies Schwert laß holen, denn durch dieses wirst du siegen.   1155

Karl
Man sende hin und tue, wie sie sagt.

Johanna
Und eine weiße Fahne laß mich tragen,
Mit einem Saum von Purpur eingefaßt.
Auf dieser Fahne sei die Himmelskönigin
Zu sehen mit dem schönen Jesusknaben,   1160
Die über einer Erdenkugel schwebt,
Denn also zeigte mir's die heil'ge Mutter.

Karl
Es sei so, wie du sagst.

Johanna zum Erzbischof
                    Ehrwürd'ger Bischof,
Legt Eure priesterliche Hand auf mich,
Und sprecht den Segen über Eure Tochter!   1165
              Kniet nieder

Erzbischof
Du bist gekommen, Segen auszuteilen,
Nicht zu empfangen — Geh mit Gottes Kraft!
Wir aber sind Unwürdige und Sünder.
              Sie steht auf

Edelknecht
Ein Herold kommt vom engelländ'schen Feldherrn.

Johanna
Laß ihn eintreten, denn ihn sendet Gott!   1170
          Der König winkt dem Edelknecht, der hinausgeht

Elfter Auftritt

Der Herold zu den Vorigen

Karl

Was bringst du, Herold? Sage deinen Auftrag!

Herold

Wer ist es, der für Karln von Valois,
Den Grafen von Ponthieu, das Wort hier führt?

Dunois

Nichtswürd'ger Herold! Niederträcht'ger Bube!
Erfrechst du dich, den König der Franzosen   1175
Auf seinem eignen Boden zu verleugnen?
Dich schützt dein Wappenrock, sonst solltest du —

Herold

Frankreich erkennt nur einen einz'gen König,
Und dieser lebt im engelländischen Lager.

Karl

Seid ruhig, Vetter! Deinen Auftrag, Herold!   1180

Herold

Mein edler Feldherr, den des Blutes jammert,
Das schon geflossen und noch fließen soll,
Hält seiner Krieger Schwert noch in der Scheide,
Und ehe Orleans im Sturme fällt,
Läßt er noch gütlichen Vergleich dir bieten.   1185

Karl

Laß hören!

Johanna tritt hervor

    Sire! Laß mich an deiner Statt
Mit diesem Herold reden!

Karl

      Tu' das, Mädchen!
Entscheide du, ob Krieg sei oder Friede!

Johanna zum Herold

Wer sendet dich und spricht durch deinen Mund?

Herold

Der Briten Feldherr, Graf von Salsbury.   1190

Johanna

Herold, du lügst! Der Lord spricht nicht durch dich.
Nur die Lebend'gen sprechen, nicht die Toten.

Herold

Mein Feldherr lebt in Fülle der Gesundheit
Und Kraft, und lebt euch allen zum Verderben.

Johanna

Er lebte, da du abgingst. Diesen Morgen   1195
Streckt' ihn ein Schuß aus Orleans zu Boden,
Als er vom Turm La Tournelle niedersah.
— Du lachst, weil ich Entferntes dir verkünde?
Nicht meiner Rede, deinen Augen glaube!
Begegnen wird dir seiner Leiche Zug,   1200
Wenn deine Füße dich zurücketragen!
Jetzt, Herold, sprich und sage deinen Auftrag!

Herold

Wenn du Verborgnes zu enthüllen weißt,
So kennst du ihn, noch eh ich dir ihn sage.

Johanna

Ich brauch' ihn nicht zu wissen, aber du   1205
Vernimm den meinen jetzt! und diese Worte
Verkündige den Fürsten, die dich sandten!
— König von England, und ihr, Herzoge
Bedford und Gloster, die das Reich verwesen!
Gebt Rechenschaft dem Könige des Himmels   1210
Von wegen des vergoßnen Blutes! Gebt
Heraus die Schlüssel alle von den Städten,
Die ihr bezwungen wider göttlich Recht!
Die Jungfrau kommt vom Könige des Himmels,
Euch Frieden zu bieten oder blut'gen Krieg.   1215
Wählt! Denn das sag' ich euch, damit ihr's wisset:
Euch ist das schöne Frankreich nicht beschieden
Vom Sohne der Maria — sondern Karl,
Mein Herr und Dauphin, dem es Gott gegeben,
Wird königlich einziehen zu Paris,   1220
Von allen Großen seines Reichs begleitet.
— Jetzt, Herold, geh und mach' dich eilends fort,
Denn eh du noch das Lager magst erreichen
Und Botschaft bringen, ist die Jungfrau dort
Und pflanzt in Orleans das Siegeszeichen.   1225

Sie geht, alles setzt sich in Bewegung, der Vorhang fällt

Zweiter Aufzug

Gegend von Felsen begrenzt

Erster Auftritt

Talbot und Lionel, englische Heerführer. Philipp,
Herzog von Burgund. Ritter Fastolf und Chatillon
mit Soldaten und Fahnen

Talbot

Hier unter diesen Felsen lasset uns
Halt machen und ein festes Lager schlagen,
Ob wir vielleicht die flücht'gen Völker wieder sammeln,
Die in dem ersten Schrecken sich zerstreut.
Stellt gute Wachen aus, besetzt die Höhn!   1230
Zwar sichert uns die Nacht vor der Verfolgung,
Und wenn der Gegner nicht auch Flügel hat,
So fürcht' ich keinen Überfall. — Dennoch
Bedarf's der Vorsicht, denn wir haben es
Mit einem kecken Feind und sind geschlagen.   1235

Ritter Fastolf geht ab mit den Soldaten

Lionel

Geschlagen! Feldherr, nennt das Wort nicht mehr!
Ich darf es mir nicht denken, daß der Franke
Des Engelländers Rücken heut gesehn.
— O Orleans! Orleans! Grab unsers Ruhms!

Auf deinen Feldern liegt die Ehre Englands. 1240
Beschimpfend lächerliche Niederlage!
Wer wird es glauben in der künft'gen Zeit!
Die Sieger bei Poitiers, Crequi
Und Azincourt gejagt von einem Weibe!
Das muß uns trösten. Wir sind nicht von Menschen 1245
Besiegt, wir sind vom Teufel überwunden.

Talbot

Vom Teufel unsrer Narrheit. — Wie, Burgund?
Schreckt dies Gespenst des Pöbels auch die Fürsten?
Der Aberglaube ist ein schlechter Mantel
Für Eure Feigheit — Eure Völker flohn zuerst. 1250

Burgund

Niemand hielt stand. Das Fliehn war allgemein.

Talbot

Nein, Herr! Auf Eurem Flügel fing es an.
Ihr stürztet Euch in unser Lager, schreiend:
„Die Höll' ist los, der Satan kämpft für Frankreich!"
Und brachtet so die Unsern in Verwirrung. 1255

Lionel

Ihr könnt's nicht leugnen. Euer Flügel wich
Zuerst.

Burgund

    Weil dort der erste Angriff war.

Talbot

Das Mädchen kannte unsers Lagers Blöße;
Sie wußte, wo die Furcht zu finden war.

Burgund

Wie? Soll Burgund die Schuld des Unglücks tragen? 1260

Lionel

Wir Engelländer, waren wir allein,
Bei Gott! Wir hätten Orleans nicht verloren!

Burgund

Nein — denn ihr hättet Orleans nie gesehn!
Wer bahnte euch den Weg in dieses Reich,
Reicht' euch die treue Freundeshand, als ihr   1265
An diese feindlich fremde Küste stieget?
Wer krönte euren Heinrich zu Paris,
Und unterwarf ihm der Franzosen Herzen?
Bei Gott! Wenn dieser starke Arm euch nicht
Hereingeführt, ihr sahet nie den Rauch   1270
Von einem fränkischen Kamine steigen!

Lionel

Wenn es die großen Worte täten, Herzog,
So hättet Ihr allein Frankreich erobert.

Burgund

Ihr seid unlustig, weil euch Orleans
Entging, und laßt nun eures Zornes Galle   1275
An mir, dem Bundesfreund, aus. Warum entging
Uns Orleans, als eurer Habsucht wegen?
Es war bereit, sich mir zu übergeben,
Ihr, euer Neid allein hat es verhindert.

Talbot

Nicht Eurentwegen haben wir's belagert.   1280

Burgund

Wie stünd's um euch, zög' ich mein Heer zurück?

Lionel

Nicht schlimmer, glaubt mir, als bei Azincourt,
Wo wir mit Euch und mit ganz Frankreich fertig wurden.

Burgund

Doch tat's euch sehr um unsre Freundschaft not,
Und teuer kaufte sie der Reichsverweser.   1285

Talbot

Ja, teuer, teuer haben wir sie heut
Vor Orleans bezahlt mit unsrer Ehre.

Burgund

Treibt es nicht weiter, Lord, es könnt' Euch reuen!
Verließ ich meines Herrn gerechte Fahnen,
Lud auf mein Haupt den Namen des Verräters,   1290
Um von dem Fremdling solches zu ertragen?
Was tu' ich hier und fechte gegen Frankreich?
Wenn ich dem Undankbaren dienen soll,
So will ich's meinem angebornen König.

Talbot

Ihr steht in Unterhandlung mit dem Dauphin,   1295
Wir wissen's, doch wir werden Mittel finden,
Uns vor Verrat zu schützen.

Burgund

        Tod und Hölle!
Begegnet man mir so? — Chatillon!
Laß meine Völker sich zum Aufbruch rüsten;
Wir gehn in unser Land zurück.

Chatillon geht ab

Lionel

Glück auf den Weg! 1300

Nie war der Ruhm des Briten glänzender,
Als da er, seinem guten Schwert allein
Vertrauend, ohne Helfershelfer focht.
Es kämpfe jeder seine Schlacht allein;
Denn ewig bleibt es wahr: französisch Blut　　1305
Und englisch kann sich redlich nie vermischen.

Zweiter Auftritt

Königin Isabeau, von einem Pagen begleitet, zu den Vorigen

Isabeau

Was muß ich hören, Feldherrn! Haltet ein!
Was für ein hirnverrückender Planet
Verwirrt euch also die gesunden Sinne?
Jetzt, da euch Eintracht nur erhalten kann,　　1310
Wollt ihr in Haß euch trennen und, euch selbst
Befehdend, euren Untergang bereiten?
— Ich bitt' Euch, edler Herzog. Ruft den raschen
Befehl zurück! — Und Ihr, ruhmvoller Talbot,
Besänftiget den aufgebrachten Freund!　　1315
Kommt, Lionel, helft mir die stolzen Geister
Zufriedensprechen und Versöhnung stiften.

Lionel

Ich nicht, Mylady. Mir ist alles gleich.
Ich denke so: Was nicht zusammen kann
Bestehen, tut am besten, sich zu lösen.　　1320

Isabeau

Wie? Wirkt der Hölle Gaukelkunst, die uns
Im Treffen so verderblich war, auch hier
Noch fort, uns sinnverwirrend zu betören?
Wer fing den Zank an? Redet! — Edler Lord!

Zu Talbot

Seid Ihr's, der seines Vorteils so vergaß,   1325
Den werten Bundsgenossen zu verletzen?
Was wollt Ihr schaffen ohne diesen Arm?
Er baute Eurem König seinen Thron;
Er hält ihn noch und stürzt ihn, wenn er will;
Sein Heer verstärkt Euch und noch mehr sein Name. 1330
Ganz England, strömt' es alle seine Bürger
Auf unsre Küsten aus, vermöchte nicht
Dies Reich zu zwingen, wenn es einig ist;
Nur Frankreich konnte Frankreich überwinden.

Talbot

Wir wissen den getreuen Freund zu ehren.   1335
Dem falschen wehren, ist der Klugheit Pflicht.

Burgund

Wer treulos sich des Dankes will entschlagen,
Dem fehlt des Lügners freche Stirne nicht.

Isabeau

Wie, edler Herzog? Könntet Ihr so sehr
Der Scham absagen und der Fürstenehre,   1340
In jene Hand, die Euren Vater mordete,
Die Eurige zu legen? Wärt Ihr rasend
Genug, an eine redliche Versöhnung
Zu glauben mit dem Dauphin, den Ihr selbst

An des Verderbens Rand geschleudert habt?   1345
So nah dem Falle wolltet Ihr ihn halten,
Und Euer Werk wahnsinnig selbst zerstören?
Hier stehen Eure Freunde. Euer Heil
Ruht in dem festen Bunde nur mit England.

Burgund

Fern ist mein Sinn vom Frieden mit dem Dauphin; 1350
Doch die Verachtung und den Übermut
Des stolzen Englands kann ich nicht ertragen.

Isabeau

Kommt! Haltet ihm ein rasches Wort zugut.
Schwer ist der Kummer, der den Feldherrn drückt,
Und ungerecht, Ihr wißt es, macht das Unglück.   1355
Kommt! Kommt! Umarmt euch, laßt mich diesen Riß
Schnell heilend schließen, eh er ewig wird.

Talbot

Was dünket Euch, Burgund? Ein edles Herz
Bekennt sich gern von der Vernunft besiegt.
Die Königin hat ein kluges Wort geredet;   1360
Laßt diesen Händedruck die Wunde heilen,
Die meine Zunge übereilend schlug.

Burgund

Madame sprach ein verständig Wort, und mein
Gerechter Zorn weicht der Notwendigkeit.

Isabeau

Wohl! So besiegelt den erneuten Bund   1365
Mit einem brüderlichen Kuß, und mögen
Die Winde das Gesprochene verwehen.

Burgund und Talbot umarmen sich

Lionel
betrachtet die Gruppe, für sich

Glück zu dem Frieden, den die Furie stiftet!

Isabeau

Wir haben eine Schlacht verloren, Feldherrn;
Das Glück war uns zuwider; darum aber   1370
Entsink' euch nicht der edle Mut.   Der Dauphin
Verzweifelt an des Himmels Schutz und ruft
Des Satans Kunst zu Hilfe; doch er habe
Umsonst sich der Verdammnis übergeben,
Und seine Hölle selbst errett' ihn nicht.   1375
Ein sieghaft Mädchen führt des Feindes Heer;
Ich will das eure führen, ich will euch
Statt einer Jungfrau und Prophetin sein.

Lionel

Madame, geht nach Paris zurück! Wir wollen
Mit guten Waffen, nicht mit Weibern siegen.   1380

Talbot

Geht! Geht! Seit Ihr im Lager seid, geht alles
Zurück, kein Segen ist mehr in unsern Waffen.

Burgund

Geht! Eure Gegenwart schafft hier nichts Gutes;
Der Krieger nimmt ein Ärgernis an Euch.

Isabeau
sieht einen um den andern erstaunt an

Ihr auch, Burgund? Ihr nehmet wider mich   1385
Partei mit diesen undankbaren Lords?

Burgund

Geht! Der Soldat verliert den guten Mut,
Wenn er für Eure Sache glaubt zu fechten.

Isabeau

Ich hab' kaum Frieden zwischen euch gestiftet,
So macht ihr schon ein Bündnis wider mich?   1390

Talbot

Geht, geht mit Gott, Madame! Wir fürchten uns
Vor keinem Teufel mehr, sobald Ihr weg seid.

Isabeau

Bin ich nicht eure treue Bundsgenossin?
Ist eure Sache nicht die meinige?

Talbot

Doch Eure nicht die unsrige. Wir sind   1395
In einem ehrlich guten Streit begriffen.

Burgund

Ich räche eines Vaters blut'gen Mord;
Die fromme Sohnspflicht heiligt meine Waffen.

Talbot

Doch grad heraus! Was Ihr am Dauphin tut,
Ist weder menschlich gut, noch göttlich recht.   1400

Isabeau

Fluch soll ihn treffen bis ins zehnte Glied!
Er hat gefrevelt an dem Haupt der Mutter.

Burgund

Er rächte einen Vater und Gemahl.

Isabeau

Er warf sich auf zum Richter meiner Sitten!

Lionel

Das war unehrerbietig von dem Sohn!   1405

Isabeau

In die Verbannung hat er mich geschickt.

Talbot

Die öffentliche Stimme zu vollziehn.

Isabeau

Fluch treffe mich, wenn ich ihm je vergebe!
Und eh er herrscht in seines Vaters Reich —

Talbot

Eh opfert Ihr die Ehre seiner Mutter!   1410

Isabeau

Ihr wißt nicht, schwache Seelen,
Was ein beleidigt Mutterherz vermag.
Ich liebe, wer mir Gutes tut, und hasse,
Wer mich verletzt, und ist's der eigne Sohn,
Den ich geboren, desto hassenswerter.   1415
Dem ich das Dasein gab, will ich es rauben,
Wenn er mit ruchlos frechem Übermut
Den eignen Schoß verletzt, der ihn getragen.
Ihr, die ihr Krieg führt gegen meinen Sohn,
Ihr habt nicht Recht noch Grund, ihn zu berauben.   1420
Was hat der Dauphin Schweres gegen euch
Verschuldet? Welche Pflichten brach er euch?
Euch treibt die Ehrsucht, der gemeine Neid;
Ich darf ihn hassen, ich hab' ihn geboren.

Talbot

Wohl, an der Rache fühlt er seine Mutter!   1425

Isabeau

Armsel'ge Gleisner, wie veracht' ich euch,
Die ihr euch selbst so wie die Welt belügt!
Ihr Engelländer streckt die Räuberhände
Nach diesem Frankreich aus, wo ihr nicht Recht
Noch gült'gen Anspruch habt auf so viel Erde,   1430
Als eines Pferdes Huf bedeckt. — Und dieser Herzog,
Der sich den Guten schelten läßt, verkauft
Sein Vaterland, das Erbreich seiner Ahnen,
Dem Reichsfeind und dem fremden Herrn. — Gleichwohl
Ist euch das dritte Wort Gerechtigkeit.   1435
— Die Heuchelei veracht' ich. Wie ich bin,
So sehe mich das Aug' der Welt.

Burgund

     Wahr ist's!
Den Ruhm habt Ihr mit starkem Geist behauptet.

Isabeau

Ich habe Leidenschaften, warmes Blut,
Wie eine andre, und ich kam als Königin   1440
In dieses Land, zu leben, nicht zu scheinen.
Sollt' ich der Freud' absterben, weil der Fluch
Des Schicksals meine lebensfrohe Jugend
Zu dem wahnsinn'gen Gatten hat gesellt?
Mehr als das Leben lieb' ich meine Freiheit,   1445
Und wer mich hier verwundet — Doch warum
Mit euch mich streiten über meine Rechte?
Schwer fließt das dicke Blut in euren Adern;
Ihr kennt nicht das Vergnügen, nur die Wut!
Und dieser Herzog, der sein Leben lang   1450

Geschwankt hat zwischen Bös und Gut, kann nicht
Von Herzen hassen, noch von Herzen lieben.
— Ich geh' nach Melun. Gebt mir diesen da,

Auf Lionel zeigend

Der mir gefällt, zur Kurzweil und Gesellschaft,
Und dann macht, was ihr wollt! Ich frage nichts   1455
Nach den Burgundern noch den Engelländern.

Sie winkt ihrem Pagen und will gehen

Lionel

Verlaßt Euch drauf. Die schönsten Frankenknaben,
Die wir erbeuten, schicken wir nach Melun.

Isabeau zurückkommend

Wohl taugt ihr, mit dem Schwerte dreinzuschlagen;
Der Franke nur weiß Zierliches zu sagen.   1460

Sie geht ab

Dritter Auftritt

Talbot. Burgund. Lionel

Talbot

Was für ein Weib!

Lionel

Nun eure Meinung, Feldherrn!
Fliehn wir noch weiter oder wenden uns
Zurück, durch einen schnellen kühnen Streich
Den Schimpf des heut'gen Tages auszulöschen?

Burgund

Wir sind zu schwach, die Völker sind zerstreut,   1465
Zu neu ist noch der Schrecken in dem Heer.

Talbot

Ein blinder Schrecken nur hat uns besiegt,
Der schnelle Eindruck eines Augenblicks.
Dies Furchtbild der erschreckten Einbildung
Wird, näher angesehn, in nichts verschwinden.   1470
Drum ist mein Rat, wir führen die Armee
Mit Tagesanbruch über den Strom zurück,
Dem Feind entgegen.

Burgund
Überlegt —

Lionel
                              Mit Eurer
Erlaubnis.   Hier ist nichts zu überlegen.
Wir müssen das Verlorne schleunig wieder   1475
Gewinnen oder sind beschimpft auf ewig.

Talbot

Es ist beschlossen.   Morgen schlagen wir.
Und dies Phantom des Schreckens zu zerstören,
Das unsre Völker blendet und entmannt,
Laßt uns mit diesem jungfräulichen Teufel   1480
Uns messen in persönlichem Gefecht.
Stellt sie sich unserm tapfern Schwert, nun dann,
So hat sie uns zum letztenmal geschadet;
Stellt sie sich nicht, und seid gewiß, sie meidet
Den ernsten Kampf, so ist das Heer entzaubert.   1485

Lionel

So sei's! Und mir, mein Feldherr, überlasset
Dies leichte Kampfspiel, wo kein Blut soll fließen.

Denn lebend denk' ich das Gespenst zu fangen,
Und vor des Bastards Augen, ihres Buhlen,
Trag' ich auf diesen Armen sie herüber   1490
Zur Lust des Heers, in das britann'sche Lager.

Burgund

Versprechet nicht zu viel.

Talbot

                    Erreich' ich sie,
Ich denke sie so sanft nicht zu umarmen.
Kommt jetzo, die ermüdete Natur
Durch einen leichten Schlummer zu erquicken,   1495
Und dann zum Aufbruch mit der Morgenröte!

Sie gehen ab

Vierter Auftritt

Johanna mit der Fahne, im Helm und Brustharnisch, sonst aber
weiblich gekleidet. Dunois, La Hire, Ritter und Soldaten
zeigen sich oben auf dem Felsenweg, ziehen still darüber hinweg und
erscheinen gleich darauf auf der Szene

Johanna

zu den Rittern, die sie umgeben, indem der Zug oben immer
noch fortwährt

Erstiegen ist der Wall, wir sind im Lager!
Jetzt werft die Hülle der verschwiegnen Nacht
Von euch, die euren stillen Zug verhehlte,
Und macht dem Feinde eure Schreckensnähe   1500
Durch lauten Schlachtruf kund — Gott und die Jungfrau!

Alle

rufen laut unter wildem Waffengetös

Gott und die Jungfrau!

Trommeln und Trompeten

Schildwache hinter der Szene

Feinde! Feinde! Feinde!

Johanna

Jetzt Fackeln her! Werft Feuer in die Zelte!
Der Flammen Wut vermehre das Entsetzen,
Und drohend rings umfange sie der Tod!   1505

Soldaten eilen fort, sie will folgen

Dunois hält sie zurück

Du hast das Deine nun erfüllt, Johanna!
Mitten ins Lager hast du uns geführt,
Den Feind hast du in unsre Hand gegeben.
Jetzt aber bleibe von dem Kampf zurück,
Uns überlaß die blutige Entscheidung!   1510

La Hire

Den Weg des Siegs bezeichne du dem Heer,
Die Fahne trag uns vor in reiner Hand;
Doch nimm das Schwert, das tödliche, nicht selbst,
Versuche nicht den falschen Gott der Schlachten,
Denn blind und ohne Schonung waltet er.   1515

Johanna

Wer darf mir Halt gebieten? Wer dem Geist
Vorschreiben, der mich führt? Der Pfeil muß fliegen,
Wohin die Hand ihn seines Schützen treibt.
Wo die Gefahr ist, muß Johanna sein;

Nicht heut, nicht hier ist mir bestimmt zu fallen;   1520
Die Krone muß ich sehn auf meines Königs Haupt.
Dies Leben wird kein Gegner mir entreißen,
Bis ich vollendet, was mir Gott geheißen.

Sie geht ab

La Hire

Kommt, Dunois! Laßt uns der Heldin folgen
Und ihr die tapfre Brust zum Schilde leihn!   1525
Gehen ab

Fünfter Auftritt

Englische Soldaten fliehen über die Bühne. Hierauf Talbot

Erster

Das Mädchen! Mitten im Lager!

Zweiter

Nicht möglich! Nimmermehr! Wie kam sie in das Lager?

Dritter

Durch die Luft! Der Teufel hilft ihr!

Vierter und **Fünfter**

Flieht! Flieht! Wir sind alle des Todes!
Gehen ab

Talbot kommt

Sie hören nicht — Sie wollen mir nicht stehn!   1530
Gelöst sind alle Bande des Gehorsams;
Als ob die Hölle ihre Legionen
Verdammter Geister ausgespien, reißt
Ein Taumelwahn den Tapfern und den Feigen

Gehirnlos fort; nicht eine kleine Schar   1535
Kann ich der Feinde Flut entgegenstellen,
Die wachsend, wogend in das Lager dringt!
— Bin ich der einzig Nüchterne, und alles
Muß um mich her in Fiebers Hitze rasen?
Vor diesen fränk'schen Weichlingen zu fliehn,   1540
Die wir in zwanzig Schlachten überwunden! —
Wer ist sie denn, die Unbezwingliche,
Die Schreckensgöttin, die der Schlachten Glück
Auf einmal wendet, und ein schüchtern Heer
Von feigen Rehn in Löwen umgewandelt?   1545
Eine Gauklerin, die die gelernte Rolle
Der Heldin spielt, soll wahre Helden schrecken?
Ein Weib entriß mir allen Siegesruhm?

Soldat stürzt herein

Das Mädchen! Flieh! Flieh, Feldherr!

Talbot stößt ihn nieder

Flieh zur Hölle
Du selbst! Den soll dies Schwert durchbohren,   1550
Der mir von Furcht spricht und von feiger Flucht!

Er geht ab

Sechster Auftritt

Der Prospekt öffnet sich. Man sieht das englische Lager in vollen
Flammen stehen. Trommeln, Flucht und Verfolgung. Nach einer
Weile kommt Montgomery

Montgomery allein

Wo soll ich hinfliehn? Feinde rings umher und Tod!
Hier der ergrimmte Feldherr, der mit drohndem Schwert

Die Flucht versperrend uns dem Tod entgegentreibt.

Dort die Fürchterliche, die verderblich um sich her 1555

Wie die Brunst des Feuers raset — Und ringsum kein Busch,

Der mich verbärge, keiner Höhle sichrer Raum!

O, wär' ich nimmer über Meer hiehergeschifft,

Ich Unglückjel'ger! Eitler Wahn betörte mich,

Wohlfeilen Ruhm zu suchen in dem Frankenkrieg, 1560

Und jetzo führt mich das verderbliche Geschick

In diese blut'ge Mordschlacht. — Wär' ich weit von hier

Daheim noch an der Savern' blühendem Gestad,

Im sichern Vaterhause, wo die Mutter mir

In Gram zurückblieb und die zarte, süße Braut. 1565

Johanna zeigt sich in der Ferne

Weh mir! Was seh' ich! Dort erscheint die Schreckliche!

Aus Brandes Flammen, düsterleuchtend, hebt sie sich

Wie aus der Hölle Rachen ein Gespenst der Nacht

Hervor. — Wohin entrinn' ich! Schon ergreift sie mich

Mit ihren Feueraugen, wirft von fern 1570

Der Blicke Schlingen nimmerfehlend nach mir aus.

Um meine Füße, fest und fester, wirret sich

Das Zauberknäul, daß sie gefesselt mir die Flucht

Versagen! Hinsehn muß ich, wie das Herz mir auch

Dagegenkämpfe, nach der tödlichen Gestalt! 1575

Johanna tut einige Schritte ihm entgegen und bleibt wieder stehen

Sie naht! Ich will nicht warten, bis die Grimmige

Zuerst mich anfällt! Bittend will ich ihre Knie

Umfassen, um mein Leben flehn; sie ist ein Weib,

Ob ich vielleicht durch Tränen sie erweichen kann!

Indem er auf sie zugehen will, tritt sie ihm rasch entgegen

Siebenter Auftritt

Johanna. Montgomery

Johanna

Du bist des Todes! Eine brit'sche Mutter zeugte dich. 1580

Montgomery fällt ihr zu Füßen

Halt ein, Furchtbare! Nicht den Unverteidigten
Durchbohre! Weggeworfen hab' ich Schwert und Schild;
Zu deinen Füßen sink' ich wehrlos, flehend hin.
Laß mir das Licht des Lebens, nimm ein Lösegeld!
Reich an Besitztum wohnt der Vater mir daheim   1585
Im schönen Lande Wallis, wo die schlängelnde
Savern' durch grüne Auen rollt den Silberstrom,
Und funfzig Dörfer kennen seine Herrschaft an.
Mit reichem Golde löst er den geliebten Sohn,
Wenn er mich im Frankenlager lebend noch vernimmt. 1590

Johanna

Betrogner Tor! Verlorner! In der Jungfrau Hand
Bist du gefallen, die verderbliche, woraus
Nicht Rettung noch Erlösung mehr zu hoffen ist.
Wenn dich das Unglück in des Krokodils Gewalt
Gegeben oder des gefleckten Tigers Klaun,   1595
Wenn du der Löwenmutter junge Brut geraubt,
Du könntest Mitleid finden und Barmherzigkeit;
Doch tödlich ist's, der Jungfrau zu begegnen. Denn
Dem Geisterreich, dem strengen, unverletzlichen,
Verpflichtet mich der furchtbar bindende Vertrag,   1600

Mit dem Schwert zu töten alles Lebende, das mir
Der Schlachten Gott verhängnisvoll entgegenschickt.

Montgomery

Furchtbar ist deine Rede, doch dein Blick ist sanft;
Nicht schrecklich bist du in der Nähe anzuschaun,
Es zieht das Herz mich zu der lieblichen Gestalt.   1605
O, bei der Milde deines zärtlichen Geschlechts
Fleh' ich dich an. Erbarme meiner Jugend dich!

Johanna

Nicht mein Geschlecht beschwöre! Nenne mich nicht Weib!
Gleichwie die körperlosen Geister, die nicht frein
Auf ird'sche Weise, schließ' ich mich an kein Geschlecht   1610
Der Menschen an, und dieser Panzer deckt kein Herz.

Montgomery

O, bei der Liebe heilig waltendem Gesetz,
Dem alle Herzen huldigen, beschwör' ich dich!
Daheim gelassen hab' ich eine holde Braut,
Schön, wie du selbst bist, blühend in der Jugend Reiz.   1615
Sie harret weinend des Geliebten Wiederkunft.
O, wenn du selber je zu lieben hoffst, und hoffst
Beglückt zu sein durch Liebe, trenne grausam nicht
Zwei Herzen, die der Liebe heilig Bündnis knüpft!

Johanna

Du rufest lauter irdisch fremde Götter an,   1620
Die mir nicht heilig, noch verehrlich sind. Ich weiß
Nichts von der Liebe Bündnis, das du mir beschwörst,
Und nimmer kennen werd' ich ihren eitlen Dienst.
Verteidige dein Leben, denn dir ruft der Tod.

Montgomery

O, so erbarme meiner jammervollen Eltern dich,   1625
Die ich zu Haus verlassen! Ja, gewiß auch du
Verließest Eltern, die die Sorge quält um dich.

Johanna

Unglücklicher! Und du erinnerst mich daran,
Wie viele Mütter dieses Landes kinderlos,
Wie viele zarte Kinder vaterlos, wieviel   1630
Verlobte Bräute Witwen worden sind durch euch!
Auch Englands Mütter mögen die Verzweiflung nun
Erfahren, und die Tränen kennen lernen,
Die Frankreichs jammervolle Gattinnen geweint.

Montgomery

O, schwer ist's, in der Fremde sterben unbeweint.   1635

Johanna

Wer rief euch in das fremde Land, den blühnden Fleiß
Der Felder zu verwüsten, von dem heim'schen Herd
Uns zu verjagen und des Krieges Feuerbrand
Zu werfen in der Städte friedlich Heiligtum?
Ihr träumtet schon in eures Herzens eitelm Wahn,   1640
Den freigebornen Franken in der Knechtschaft Schmach
Zu stürzen und dies große Land, gleichwie ein Boot,
An euer stolzes Meerschiff zu befestigen!
Ihr Toren! Frankreichs königliches Wappen hängt
Am Throne Gottes. Eher rißt ihr einen Stern   1645
Vom Himmelwagen, als ein Dorf aus diesem Reich,
Dem unzertrennlich ewig einigen! — Der Tag
Der Rache ist gekommen; nicht lebendig mehr

Zurückemessen werdet ihr das heil'ge Meer,
Das Gott zur Länderscheide zwischen euch und uns   1650
Gesetzt, und das ihr frevelnd überschritten habt.

Montgomery läßt ihre Hand los

O, ich muß sterben! Grausend faßt mich schon der Tod.

Johanna

Stirb, Freund! Warum so zaghaft zittern vor dem Tod,
Dem unentfliehbaren Geschick? — Sieh mich an! Sieh!
Ich bin nur eine Jungfrau, eine Schäferin   1655
Geboren; nicht des Schwerts gewohnt ist diese Hand,
Die den unschuldig frommen Hirtenstab geführt.
Doch weggerissen von der heimatlichen Flur,
Vom Vaters Busen, von der Schwestern lieber Brust
Muß ich hier, ich muß — mich treibt die Götterstimme, nicht   1660
Eignes Gelüsten, — euch zu bitterm Harm, mir nicht
Zur Freude, ein Gespenst des Schreckens würgend gehn,
Den Tod verbreiten und sein Opfer sein zuletzt!
Denn nicht den Tag der frohen Heimkehr werd' ich sehn.
Noch vielen von den Euren werd' ich tödlich sein,   1665
Noch viele Witwen machen, aber endlich werd'
Ich selbst umkommen und erfüllen mein Geschick.
— Erfülle du auch deines. Greise frisch zum Schwert,
Und um des Lebens süße Beute kämpfen wir.

Montgomery steht auf

Nun, wenn du sterblich bist wie ich, und Waffen dich   1670
Verwunden; kann's auch meinem Arm beschieden sein,
Zur Höll' dich sendend Englands Not zu endigen.
In Gottes gnäd'ge Hände leg' ich mein Geschick.

Ruf' du, Verdammte, deine Höllengeister an,
Dir beizustehen! Wehre deines Lebens dich!   1675

Er ergreift Schild und Schwert und dringt auf sie ein, kriegerische Musik erschallt in der Ferne, nach einem kurzen Gefechte fällt Montgomery

Achter Auftritt

Johanna allein

Dich trug dein Fuß zum Tode — Fahre hin!

Sie tritt von ihm weg und bleibt gedankenvoll stehen

Erhabne Jungfrau, du wirkst Mächtiges in mir!
Du rüstest den unkriegerischen Arm mit Kraft,
Dies Herz mit Unerbittlichkeit bewaffnest du.
In Mitleid schmilzt die Seele, und die Hand erbebt,   1680
Als bräche sie in eines Tempels heil'gen Bau,
Den blühenden Leib des Gegners zu verletzen;
Schon vor des Eisens blanker Schneide schaudert mir,
Doch wenn es not tut, alsbald ist die Kraft mir da,
Und nimmer irrend in der zitternden Hand regiert   1685
Das Schwert sich selbst, als wär' es ein lebend'ger Geist.

Neunter Auftritt

Ein Ritter mit geschlossenem Visier. Johanna

Ritter

Verfluchte! Deine Stunde ist gekommen,
Dich sucht' ich auf dem ganzen Feld der Schlacht,
Verderblich Blendwerk! Fahre zu der Hölle
Zurück, aus der du aufgestiegen bist.   1690

Johanna

Wer bist du, den sein böser Engel mir
Entgegenschickt? Gleich eines Fürsten ist
Dein Anstand, auch kein Brite scheinst du mir,
Denn dich bezeichnet die burgund'sche Binde,
Vor der sich meines Schwertes Spitze neigt.   1695

Ritter

Verworfne, du verdientest nicht zu fallen
Von eines Fürsten edler Hand. Das Beil
Des Henkers sollte dein verdammtes Haupt
Vom Rumpfe trennen, nicht der tapfre Degen
Des königlichen Herzogs von Burgund.   1700

Johanna

So bist du dieser edle Herzog selbst?

Ritter schlägt das Visier auf

Ich bin's. Elende, zittre und verzweifle!
Die Satanskünste schützen dich nicht mehr,
Du hast bisher nur Schwächlinge bezwungen;
Ein Mann steht vor dir.

Zehnter Auftritt

Dunois und La Hire zu den Vorigen

Dunois

    Wende dich, Burgund!   1705
Mit Männern kämpfe, nicht mit Jungfrauen.

La Hire

Wir schützen der Prophetin heilig Haupt;
Erst muß dein Degen diese Brust durchbohren —

Burgund

Nicht diese buhlerische Circe fürcht' ich,
Noch euch, die sie so schimpflich hat verwandelt.   1710
Erröte, Bastard, Schande dir, La Hire,
Daß du die alte Tapferkeit zu Künsten
Der Höll' erniedrigst, den verächtlichen
Schildknappen einer Teufelsdirne machst.
Kommt her! Euch allen biet' ich's! Der verzweifelt   1715
An Gottes Schutz, der zu dem Teufel flieht.

Sie bereiten sich zum Kampf, Johanna tritt dazwischen

Johanna

Haltet inne!

Burgund

Zitterst du für deinen Buhlen?
Vor deinen Augen soll er —

Dringt auf Dunois ein

Johanna

Haltet inne!

Trennt sie, La Hire — Kein französisch Blut soll fließen!
Nicht Schwerter sollen diesen Streit entscheiden.   1720
Ein andres ist beschlossen in den Sternen —
Auseinander, sag' ich — Höret und verehrt
Den Geist, der mich ergreift, der aus mir redet!

Dunois

Was hältst du meinen aufgehobnen Arm,
Und hemmst des Schwertes blutige Entscheidung?   1725
Das Eisen ist gezückt, es fällt der Streich,
Der Frankreich rächen und versöhnen soll.

Johanna

stellt sich in die Mitte und trennt beide Teile durch einen weiten
Zwischenraum; zum Bastard

Tritt auf die Seite!

Zu La Hire

Bleib gefesselt stehen!

Ich habe mit dem Herzoge zu reden.

Nachdem alles ruhig ist

Was willst du tun, Burgund? Wer ist der Feind,   1730
Den deine Blicke mordbegierig suchen?
Dieser edle Prinz ist Frankreichs Sohn, wie du,
Dieser Tapfre ist dein Waffenfreund und Landsmann!
Ich selbst bin deines Vaterlandes Tochter.
Wir alle, die du zu vertilgen strebst,   1735
Gehören zu den Deinen — unsre Arme
Sind aufgetan, dich zu empfangen, unsre Knie
Bereit, dich zu verehren — unser Schwert
Hat keine Spitze gegen dich. Ehrwürdig
Ist uns das Antlitz, selbst im Feindeshelm,   1740
Das unsers Königs teure Züge trägt.

Burgund

Mit süßer Rede schmeichlerischem Ton
Willst du, Sirene, deine Opfer locken.
Arglist'ge, mich betörst du nicht. Verwahrt
Ist mir das Ohr vor deiner Rede Schlingen,   1745
Und deines Auges Feuerpfeile gleiten
Am guten Harnisch meines Busens ab.
Zu den Waffen, Dunois!
Mit Streichen, nicht mit Worten laßt uns fechten!

Dunois

Erst Worte und dann Streiche. Fürchtest du   1750
Vor Worten dich? Auch das ist Feigheit
Und der Verräter einer bösen Sache.

Johanna

Uns treibt nicht die gebieterische Not
Zu deinen Füßen; nicht als Flehende
Erscheinen wir vor dir. — Blick' um dich her!   1755
In Asche liegt das engelländ'sche Lager,
Und eure Toten decken das Gefild.
Du hörst der Franken Kriegsdrommete tönen,
Gott hat entschieden, unser ist der Sieg.
Des schönen Lorbeers frisch gebrochnen Zweig   1760
Sind wir bereit mit unserm Freund zu teilen.
— O, komm herüber! Edler Flüchtling, komm
Herüber, wo das Recht ist und der Sieg.
Ich selbst, die Gottgesandte, reiche dir
Die schwesterliche Hand. Ich will dich rettend   1765
Herüberziehn auf unsre reine Seite! —
Der Himmel ist für Frankreich. Seine Engel,
Du siehst sie nicht, sie fechten für den König;
Sie alle sind mit Lilien geschmückt.
Lichtweiß, wie diese Fahn', ist unsre Sache;   1770
Die reine Jungfrau ist ihr keusches Sinnbild.

Burgund

Verstrickend ist der Lüge trüglich Wort,
Doch ihre Rede ist wie eines Kindes.
Wenn böse Geister ihr die Worte leihn,
So ahmen sie die Unschuld siegreich nach.   1775

Ich will nicht weiter hören. Zu den Waffen!
Mein Ohr, ich fühl's, ist schwächer als mein Arm.

Johanna

Du nennst mich eine Zauberin, gibst mir Künste
Der Hölle schuld — Ist Frieden stiften, Haß
Versöhnen ein Geschäft der Hölle? Kommt   1780
Die Eintracht aus dem ew'gen Pfuhl hervor?
Was ist unschuldig, heilig, menschlich gut,
Wenn es der Kampf nicht ist ums Vaterland?
Seit wann ist die Natur so mit sich selbst
Im Streite, daß der Himmel die gerechte Sache   1785
Verläßt, und daß die Teufel sie beschützen?
Ist aber das, was ich dir sage, gut,
Wo anders als von oben konnt' ich's schöpfen?
Wer hätte sich auf meiner Schäfertrift
Zu mir gesellt, das kind'sche Hirtenmädchen   1790
In königlichen Dingen einzuweihn?
Ich bin vor hohen Fürsten nie gestanden,
Die Kunst der Rede ist dem Munde fremd.
Doch jetzt, da ich's bedarf, dich zu bewegen,
Besitz' ich Einsicht, hoher Dinge Kunde,   1795
Der Länder und der Könige Geschick
Liegt sonnenhell vor meinem Kindesblick,
Und einen Donnerkeil führ' ich im Munde.

Burgund
*lebhaft bewegt, schlägt die Augen zu ihr auf und betrachtet sie mit
Erstaunen und Rührung*

Wie wird mir? Wie geschieht mir? Ist's ein Gott,
Der mir das Herz im tiefsten Busen wendet?   1800

— Sie trügt nicht, diese rührende Gestalt!

Nein! nein! Bin ich durch Zaubers Macht geblendet,

So ist's durch eine himmlische Gewalt;

Mir sagt's das Herz, sie ist von Gott gesendet.

Johanna

Er ist gerührt, er ist's! Ich habe nicht   1805

Umsonst gefleht; des Zornes Donnerwolke schmilzt

Von seiner Stirne tränentauend hin,

Und aus den Augen, Friede strahlend, bricht

Die goldne Sonne des Gefühls hervor.

— Weg mit den Waffen — drücket Herz an Herz —   1810

Er weint, er ist bezwungen, er ist unser!

Schwert und Fahne entsinken ihr, sie eilt auf ihn zu mit ausgebreiteten
Armen und umschlingt ihn mit leidenschaftlichem Ungestüm. La Hire und
Dunois lassen die Schwerter fallen und eilen ihn zu umarmen

Dritter Aufzug

Erster Auftritt

Dunois und La Hire

Dunois

Wir waren Herzensfreunde, Waffenbrüder,
Für eine Sache hoben wir den Arm
Und hielten fest in Not und Tod zusammen.
Laßt Weiberliebe nicht das Band zertrennen,   1815
Das jeden Schicksalswechsel ausgehalten!

La Hire

Prinz, hört mich an!

Dunois

       Ihr liebt das wunderbare Mädchen,
Und mir ist wohlbekannt, worauf Ihr sinnt.
Zum König denkt Ihr stehnden Fußes jetzt
Zu gehen, und die Jungfrau zum Geschenk   1820
Euch zu erbitten — Eurer Tapferkeit
Kann er den wohlverdienten Preis nicht weigern.
Doch wißt — eh ich in eines andern Arm
Sie sehe —

La Hire

Hört mich, Prinz!

91

Dunois

Es zieht mich nicht

Der Augen flüchtig schnelle Luft zu ihr.   1825
Den unbezwungnen Sinn hat nie ein Weib
Gerührt, bis ich die Wunderbare sah,
Die eines Gottes Schickung diesem Reich
Zur Retterin bestimmt und mir zum Weibe,
Und in dem Augenblick gelobt' ich mir   1830
Mit heil'gem Schwur, als Braut sie heimzuführen.
Denn nur die Starke kann die Freundin sein
Des starken Mannes, und dies glühnde Herz
Sehnt sich, an einer gleichen Bruft zu ruhn,
Die seine Kraft kann faffen und ertragen.   1835

La Hire

Wie könnt' ich's wagen, Prinz, mein schwach Verdienst
Mit Eures Namens Heldenruhm zu meffen!
Wo sich Graf Dunois in die Schranken stellt,
Muß jeder andre Mitbewerber weichen.
Doch eine niedre Schäferin kann nicht   1840
Als Gattin würdig Euch zur Seite stehn.
Das königliche Blut, das Eure Adern
Durchrinnt, verschmäht so niedrige Vermischung.

Dunois

Sie ist das Götterkind der heiligen
Natur, wie ich, und ist mir ebenbürtig.   1845
Sie sollte eines Fürsten Hand entehren,
Die eine Braut der reinen Engel ist,
Die sich das Haupt mit einem Götterschein

Umgibt, der heller strahlt als ird'sche Kronen,
Die jedes Größte, Höchste dieser Erden   1850
Klein unter ihren Füßen liegen sieht!
Denn alle Fürstenthronen, aufeinander
Gestellt, bis zu den Sternen fortgebaut,
Erreichten nicht die Höhe, wo sie steht,
In ihrer Engelsmajestät!   1855

La Hire
Der König mag entscheiden.

Dunois
     Nein, sie selbst
Entscheide! Sie hat Frankreich freigemacht,
Und selber frei muß sie ihr Herz verschenken.

La Hire
Da kommt der König!

Zweiter Auftritt

**Karl. Agnes Sorel. Du Chatel, Erzbischof und Chatillon
zu den Vorigen**

Karl zu Chatillon
Er kommt! Er will als seinen König mich   1860
Erkennen, sagt Ihr, und mir huldigen?

Chatillon
Hier, Sire, in deiner königlichen Stadt
Chalons will sich der Herzog, mein Gebieter,
Zu deinen Füßen werfen. — Mir befahl er,
Als meinen Herrn und König dich zu grüßen;   1865
Er folgt mir auf dem Fuß, gleich naht er selbst.

Sorel

Er kommt! O schöne Sonne dieses Tags,
Der Freude bringt und Frieden und Versöhnung.

Chatillon

Mein Herr wird kommen mit zweihundert Rittern,
Er wird zu deinen Füßen niederknien;   1870
Doch er erwartet, daß du es nicht duldest,
Als deinen Vetter freundlich ihn umarmest.

Karl

Mein Herz glüht, an dem seinigen zu schlagen.

Chatillon

Der Herzog bittet, daß des alten Streits
Beim ersten Wiedersehn mit keinem Worte   1875
Meldung gescheh'.

Karl

                    Versenkt im Lethe sei
Auf ewig das Vergangene. Wir wollen
Nur in der Zukunft heitre Tage sehn.

Chatillon

Die für Burgund gefochten, alle sollen
In die Versöhnung aufgenommen sein.   1880

Karl

Ich werde so mein Königreich verdoppeln!

Chatillon

Die Königin Isabeau soll in dem Frieden
Mit eingeschlossen sein, wenn sie ihn annimmt.

Karl

Sie führet Krieg mit mir, nicht ich mit ihr.
Unser Streit ist aus, sobald sie selbst ihn endigt.   1885

Chatillon

Zwölf Ritter sollen bürgen für dein Wort.

Karl

Mein Wort ist heilig.

Chatillon

Und der Erzbischof
Soll eine Hostie teilen zwischen dir und ihm
Zum Pfand und Siegel redlicher Versöhnung.

Karl

So sei mein Anteil an dem ew'gen Heil,   1890
Als Herz und Handschlag bei mir einig sind.
Welch andres Pfand verlangt der Herzog noch?

Chatillon
mit einem Blick auf Du Chatel

Hier seh' ich einen, dessen Gegenwart
Den ersten Gruß vergiften könnte.
Du Chatel geht schweigend

Karl

Geh,
Du Chatel! Bis der Herzog deinen Anblick   1895
Ertragen kann, magst du verborgen bleiben!
Er folgt ihm mit den Augen, dann eilt er ihm nach und umarmt ihn
Rechtschaffner Freund! Du wolltest mehr als dies
Für meine Ruhe tun!
Du Chatel geht ab

Chatillon

Die andern Punkte nennt dies Instrument.

Karl zum Erzbischof

Bring es in Ordnung! Wir genehm'gen alles;   1900
Für einen Freund ist uns kein Preis zu hoch.

Geht, Dunois! Nehmt hundert edle Ritter
Mit Euch und holt den Herzog freundlich ein.
Die Truppen alle sollen sich mit Zweigen
Bekränzen, ihre Brüder zu empfangen. 1905
Zum Feste schmücke sich die ganze Stadt,
Und alle Glocken sollen es verkünden,
Daß Frankreich und Burgund sich neu verbünden.

     Ein Edelknecht kommt. Man hört die Trompeten

Horch! Was bedeutet der Trompeten Ruf?

Edelknecht

Der Herzog von Burgund hält seinen Einzug. 1910

     Geht ab

Dunois

     geht mit La Hire und Chatillon

Auf! Ihm entgegen!

Karl zur Sorel

Agnes, du weinst? Beinah gebricht auch mir
Die Stärke, diesen Auftritt zu ertragen.
Wie viele Todesopfer mußten fallen,
Bis wir uns friedlich konnten wiedersehn! 1915
Doch endlich legt sich jedes Sturmes Wut,
Tag wird es auf die dickste Nacht, und kommt
Die Zeit, so reisen auch die spätsten Früchte!

Erzbischof am Fenster

Der Herzog kann sich des Gedränges kaum
Erledigen. Sie heben ihn vom Pferd, 1920
Sie küssen seinen Mantel, seine Sporen.

Karl

Es ist ein gutes Volk, in seiner Liebe
Raschlodernd wie in seinem Zorn. — Wie schnell
Vergessen ist's, daß eben dieser Herzog
Die Väter ihnen und die Söhne schlug;   1925
Der Augenblick verschlingt ein ganzes Leben!
— Faß' dich, Sorel! Auch deine heft'ge Freude
Möcht' ihm ein Stachel in die Seele sein;
Nichts soll ihn hier beschämen, noch betrüben.

Dritter Auftritt

Herzog von Burgund. Dunois. La Hire. Chatillon und noch
zwei andere Ritter von des Herzogs Gefolge. Der Herzog bleibt
am Eingang stehen; der König bewegt sich gegen ihn, sogleich nähert
sich Burgund, und in dem Augenblick, wo er sich auf ein Knie will
niederlassen, empfängt ihn der König in seinen Armen

Karl

Ihr habt uns überrascht — Euch einzuholen   1930
Gedachten wir — Doch Ihr habt schnelle Pferde.

Burgund

Sie trugen mich zu meiner Pflicht.

Er umarmt die Sorel und küßt sie auf die Stirne

                                   Mit Eurer

Erlaubnis, Base. Das ist unser Herrenrecht
Zu Arras, und kein schönes Weib darf sich
Der Sitte weigern.

Karl

                    Eure Hofstatt ist   1935
Der Sitz der Minne, sagt man, und der Markt,
Wo alles Schöne muß den Stapel halten.

Burgund

Wir sind ein handeltreibend Volk, mein König.
Was köstlich wächst in allen Himmelsstrichen,
Wird ausgestellt zur Schau und zum Genuß 1940
Auf unserm Markt zu Brügg, das höchste aber
Von allen Gütern ist der Frauen Schönheit.

Sorel

Der Frauen Treue gilt noch höhern Preis;
Doch auf dem Markte wird sie nicht gesehen.

Karl

Ihr steht in bösem Ruf und Leumund, Vetter, 1945
Daß Ihr der Frauen schönste Tugend schmäht.

Burgund

Die Ketzerei straft sich am schwersten selbst.
Wohl Euch, mein König! Früh hat Euch das Herz,
Was mich ein wildes Leben, spät, gelehrt!

 Er bemerkt den Erzbischof und reicht ihm die Hand

Ehrwürdiger Mann Gottes! Euren Segen! 1950
Euch trifft man immer auf dem rechten Platz;
Wer Euch will finden, muß im Guten wandeln.

Erzbischof

Mein Meister rufe, wann er will, dies Herz
Ist freudensatt, und ich kann fröhlich scheiden,
Da meine Augen diesen Tag gesehn. 1955

Burgund *zur Sorel*

Man spricht, Ihr habt euch Eurer edeln Steine
Beraubt, um Waffen gegen mich daraus
Zu schmieden? Wie? Seid Ihr so kriegerisch
Gesinnt? War's Euch so ernst, mich zu verderben?

Doch unser Streit ist nun vorbei; es findet   1960
Sich alles wieder, was verloren war.
Auch Euer Schmuck hat sich zurückgefunden;
Zum Kriege gegen mich war er bestimmt,
Nehmt ihn aus meiner Hand zum Friedenszeichen.

Er empfängt von einem seiner Begleiter das Schmuckkästchen und über=
reicht es ihr geöffnet. Agnes Sorel sieht den König betroffen an

Karl

Nimm das Geschenk, es ist ein zweifach teures Pfand   1965
Der schönen Liebe mir und der Versöhnung.

Burgund

indem er eine brillantne Rose in ihre Haare steckt

Warum ist es nicht Frankreichs Königskrone?
Ich würde sie mit gleich geneigtem Herzen
Auf diesem schönen Haupt befestigen.

Ihre Hand bedeutend fassend

Und — zählt auf mich, wenn Ihr dereinst des Freundes 1970
Bedürfen solltet!

Agnes Sorel, in Tränen ausbrechend, tritt auf die Seite, auch der König
bekämpft eine große Bewegung; alle Umstehenden blicken gerührt auf
beide Fürsten

Burgund

nachdem er alle der Reihe nach angesehen, wirft er sich in die Arme
des Königs

O mein König!

In demselben Augenblick eilen die drei burgundischen Ritter auf Dunois,
La Hire und den Erzbischof zu und umarmen einander. Beide Fürsten
liegen eine Zeitlang einander sprachlos in den Armen

Euch konnt' ich hassen! Euch konnt' ich entsagen!

Karl

Still! Still! Nicht weiter!

Burgund

> Diesen Engelländer
> Konnt' ich krönen! Diesem Fremdling Treue schwören!
> Euch, meinen König, ins Verderben stürzen!   1975

Karl

> Vergeßt es! Alles ist verziehen. Alles
> Tilgt dieser einz'ge Augenblick. Es war
> Ein Schicksal, ein unglückliches Gestirn!

Burgund faßt seine Hand

> Ich will gutmachen! Glaubet mir, ich will's.
> Alle Leiden sollen Euch erstattet werden,   1980
> Euer ganzes Königreich sollt Ihr zurück
> Empfangen — nicht ein Dorf soll daran fehlen!

Karl

> Wir sind vereint. Ich fürchte keinen Feind mehr.

Burgund

> Glaubt mir, ich führte nicht mit frohem Herzen
> Die Waffen wider Euch. O, wüßtet Ihr —   1985
> Warum habt Ihr mir diese nicht geschickt?

Auf die Sorel zeigend

> Nicht widerstanden hätt' ich ihren Tränen.
> — Nun soll uns keine Macht der Hölle mehr
> Entzweien, da wir Brust an Brust geschlossen!
> Jetzt hab' ich meinen wahren Ort gefunden;   1990
> An diesem Herzen endet meine Irrfahrt.

Erzbischof tritt zwischen beide

> Ihr seid vereinigt, Fürsten! Frankreich steigt
> Ein neuverjüngter Phönix aus der Asche,
> Uns lächelt eine schöne Zukunft an.

Des Landes tiefe Wunden werden heilen, 1995
Die Dörfer, die verwüsteten, die Städte
Aus ihrem Schutt sich prangender erheben,
Die Felder decken sich mit neuem Grün —
Doch, die das Opfer eures Zwists gefallen,
Die Toten stehen nicht mehr auf; die Tränen, 2000
Die eurem Streit geflossen, sind und bleiben
Geweint! Das kommende Geschlecht wird blühen;
Doch das vergangne war des Elends Raub,
Der Enkel Glück erweckt nicht mehr die Väter.
Das sind die Früchte eures Bruderzwists! 2005
Laßt's euch zur Lehre dienen! Fürchtet die Gottheit
Des Schwerts, eh ihr's der Scheid' entreißt. Loslassen
Kann der Gewaltige den Krieg, doch nicht
Gelehrig wie der Falk sich aus den Lüften
Zurückschwingt auf des Jägers Hand, gehorcht 2010
Der wilde Gott dem Ruf der Menschenstimme.
Nicht zweimal kommt im rechten Augenblick,
Wie heut, die Hand des Retters aus den Wolken.

Burgund

O Sire! Euch wohnt ein Engel an der Seite.
— Wo ist sie? Warum seh' ich sie nicht hier? 2015

Karl

Wo ist Johanna? Warum fehlt sie uns
In diesem festlichschönen Augenblick,
Den sie uns schenkte?

Erzbischof

       Sire! Das heil'ge Mädchen
Liebt nicht die Ruhe eines müß'gen Hofs,

Und ruft sie nicht der göttliche Befehl   2020
Ans Licht der Welt hervor, so meidet sie
Verschämt den eitlen Blick gemeiner Augen!
Gewiß bespricht sie sich mit Gott, wenn sie
Für Frankreichs Wohlfahrt nicht geschäftig ist;
Denn allen ihren Schritten folgt der Segen.   2025

Vierter Auftritt

Johanna zu den Vorigen

Sie ist im Harnisch, aber ohne Helm, und trägt einen Kranz in den Haaren

Karl

Du kommst als Priesterin geschmückt, Johanna,
Den Bund, den du gestiftet, einzuweihn?

Burgund

Wie schrecklich war die Jungfrau in der Schlacht,
Und wie umstrahlt mit Anmut sie der Friede!
— Hab' ich mein Wort gelöst, Johanna? Bist du   2030
Befriedigt, und verdien' ich deinen Beifall?

Johanna

Dir selbst hast du die größte Gunst erzeigt.
Jetzt schimmerst du in segenvollem Licht,
Da du vorhin in blutrot düsterm Schein
Ein Schreckensmond an diesem Himmel hingst.   2035

Sich umschauend

Viel edle Ritter find' ich hier versammelt,
Und alle Augen glänzen freudenhell;
Nur einem Traurigen hab' ich begegnet,
Der sich verbergen muß, wo alles jauchzt.

Burgund

Und wer ist sich so schwerer Schuld bewußt,   2040
Daß er an unsrer Huld verzweifeln müßte?

Johanna

Darf er sich nahn? O, sage, daß er's darf!
Mach' dein Verdienst vollkommen! Eine Versöhnung
Ist keine, die das Herz nicht ganz befreit.
Ein Tropfe Haß, der in dem Freudenbecher   2045
Zurückbleibt, macht den Segenstrank zum Gift.
— Kein Unrecht sei so blutig, daß Burgund
An diesem Freudentag es nicht vergebe!

Burgund

Ha, ich verstehe dich!

Johanna

                Und willst verzeihn?
Du willst es, Herzog? — Komm herein, Du Chatel! 2050

Sie öffnet die Tür und führt Du Chatel herein; dieser bleibt in der Entfernung stehen

Der Herzog ist mit seinen Feinden allen
Versöhnt, er ist es auch mit dir.

Du Chatel tritt einige Schritte näher und sucht in den Augen des Herzogs zu lesen

Burgund

                Was machst du
Aus mir, Johanna? Weißt du, was du forderst?

Johanna

Ein güt'ger Herr tut seine Pforten auf
Für alle Gäste, keinen schließt er aus;   2055
Frei, wie das Firmament die Welt umspannt,

So muß die Gnade Freund und Feind umschließen.
Es schickt die Sonne ihre Strahlen gleich
Nach allen Räumen der Unendlichkeit;
Gleichmessend gießt der Himmel seinen Tau   2060
Auf alle durstenden Gewächse aus.
Was irgend gut ist und von oben kommt,
Ist allgemein und ohne Vorbehalt;
Doch in den Falten wohnt die Finsternis!

Burgund

O, sie kann mit mir schalten, wie sie will,   2065
Mein Herz ist weiches Wachs in ihrer Hand.
— Umarmet mich, Du Chatel! Ich vergeb' Euch.
Geist meines Vaters, zürne nicht, wenn ich
Die Hand, die dich getötet, freundlich fasse.
Ihr Todesgötter, rechnet mir's nicht zu,   2070
Daß ich mein schrecklich Rachgelübde breche!
Bei euch dort unten in der ew'gen Nacht,
Da schlägt kein Herz mehr, da ist alles ewig,
Steht alles unbeweglich fest — doch anders
Ist es hier oben in der Sonne Licht.   2075
Der Mensch ist, der lebendigfühlende,
Der leichte Raub des mächt'gen Augenblicks.

Karl zur Johanna

Was dank' ich dir nicht alles, hohe Jungfrau!
Wie schön hast du dein Wort gelöst!
Wie schnell mein ganzes Schicksal umgewandelt!   2080
Die Freunde hast du mir versöhnt, die Feinde
Mir in den Staub gestürzt und meine Städte

Dem fremden Joch entrissen. — Du allein
Vollbrachtest alles. — Sprich, wie lohn' ich dir!

Johanna

Sei immer menschlich, Herr, im Glück, wie du's 2085
Im Unglück warst — Und auf der Größe Gipfel
Vergiß nicht, was ein Freund wiegt in der Not;
Du hast's in der Erniedrigung erfahren.
Verweigre nicht Gerechtigkeit und Gnade
Dem letzten deines Volks; denn von der Herde 2090
Berief dir Gott die Retterin — du wirst
Ganz Frankreich sammeln unter deinen Zepter,
Der Ahn- und Stammherr großer Fürsten sein;
Die nach dir kommen, werden heller leuchten,
Als die dir auf dem Thron vorangegangen. 2095
Dein Stamm wird blühn, solang er sich die Liebe
Bewahrt im Herzen seines Volks,
Der Hochmut nur kann ihn zum Falle führen,
Und von den niedern Hütten, wo dir jetzt
Der Retter ausging, droht geheimnisvoll 2100
Den schuldbefleckten Enkeln das Verderben!

Burgund

Erleuchtet Mädchen, das der Geist beseelt!
Wenn deine Augen in die Zukunft dringen,
So sprich mir auch von meinem Stamm! Wird er
Sich herrlich breiten, wie er angefangen? 2105

Johanna

Burgund! Hoch bis zu Throneshöhe hast
Du deinen Stuhl gesetzt, und höher strebt

Das stolze Herz, es hebt bis in die Wolken
Den kühnen Bau. — Doch eine Hand von oben
Wird seinem Wachstum schleunig Halt gebieten.   2110
Doch fürchte drum nicht deines Hauses Fall!
In einer Jungfrau lebt es glänzend fort,
Und zeptertragende Monarchen, Hirten
Der Völker, werden ihrem Schoß entblühn.
Sie werden herrschen auf zwei großen Thronen,   2115
Gesetze schreiben der bekannten Welt
Und einer neuen, welche Gottes Hand
Noch zudeckt hinter unbeschifften Meeren.

Karl

O, sprich, wenn es der Geist dir offenbaret,
Wird dieses Freundesbündnis, das wir jetzt   2120
Erneut, auch noch die späten Enkelsöhne
Vereinigen?

Johanna

nach einem Stillschweigen

Ihr Könige und Herrscher!
Fürchtet die Zwietracht! Wecket nicht den Streit
Aus seiner Höhle, wo er schläft; denn einmal
Erwacht, bezähmt er spät sich wieder! Enkel   2125
Erzeugt er sich, ein eisernes Geschlecht,
Fortzündet an dem Brande sich der Brand.
— Verlangt nicht mehr zu wissen! Freuet euch
Der Gegenwart, laßt mich die Zukunft still
Bedecken!

Sorel

Heilig Mädchen, du erforschest 2130
Mein Herz, du weißt, ob es nach Größe eitel strebt;
Auch mir gib ein erfreuliches Orakel!

Johanna

Mir zeigt der Geist nur große Weltgeschicke;
Dein Schicksal ruht in deiner eignen Brust!

Dunois

Was aber wird dein eigen Schicksal sein, 2135
Erhabnes Mädchen, das der Himmel liebt!
Dir blüht gewiß das schönste Glück der Erden,
Da du so fromm und heilig bist.

Johanna

Das Glück
Wohnt droben in dem Schoß des ew'gen Vaters.

Karl

Dein Glück sei fortan deines Königs Sorge! 2140
Denn deinen Namen will ich herrlich machen
In Frankreich; selig preisen sollen dich
Die spätesten Geschlechter — und gleich jetzt
Erfüll' ich es. — Knie nieder!

Er zieht das Schwert und berührt sie mit demselben

Und steh auf
Als eine Edle! Ich erhebe dich, 2145
Dein König, aus dem Staube deiner dunkeln
Geburt — Im Grabe adl' ich deine Väter —
Du sollst die Lilie im Wappen tragen,
Den Besten sollst du ebenbürtig sein

In Frankreich; nur das königliche Blut   2150
Von Valois sei edler als das deine!
Der Größte meiner Großen fühle sich
Durch deine Hand geehrt; mein sei die Sorge,
Dich einem edeln Gatten zu vermählen.

Dunois tritt vor

Mein Herz erkor sie, da sie niedrig war;   2155
Die neue Ehre, die ihr Haupt umglänzt,
Erhöht nicht ihr Verdienst, noch meine Liebe.
Hier in dem Angesichte meines Königs
Und dieses heil'gen Bischofs reich' ich ihr
Die Hand als meiner fürstlichen Gemahlin,   2160
Wenn sie mich würdig hält, sie zu empfangen.

Karl

Unwiderstehlich Mädchen, du häufst Wunder
Auf Wunder! Ja, nun glaub' ich, daß dir nichts
Unmöglich ist. Du hast dies stolze Herz
Bezwungen, das der Liebe Allgewalt   2165
Hohnsprach bis jetzt.

La Hire tritt vor

                    Johannas schönster Schmuck,
Kenn' ich sie recht, ist ihr bescheidnes Herz.
Der Huldigung des Größten ist sie wert,
Doch nie wird sie den Wunsch so hoch erheben.
Sie strebt nicht schwindelnd ird'scher Hoheit nach;   2170
Die treue Neigung eines redlichen
Gemüts genügt ihr und das stille Los,
Das ich mit dieser Hand ihr anerbiete.

Karl

Auch du, La Hire? Zwei treffliche Bewerber,
An Heldentugend gleich und Kriegesruhm!   2175
— Willst du, die meine Feinde mir versöhnt,
Mein Reich vereinigt, mir die liebsten Freunde
Entzwein? Es kann sie einer nur besitzen,
Und jeden acht' ich solches Preises wert.
So rede du, dein Herz muß hier entscheiden.   2180

Sorel tritt näher

Die edle Jungfrau seh' ich überrascht,
Und ihre Wangen färbt die zücht'ge Scham.
Man geb' ihr Zeit, ihr Herz zu fragen, sich
Der Freundin zu vertrauen und das Siegel
Zu lösen von der festverschloßnen Brust.   2185
Jetzt ist der Augenblick gekommen, wo
Auch ich der strengen Jungfrau schwesterlich
Mich nahen, ihr den treuverschwiegnen Busen
Darbieten darf. — Man laß' uns weiblich erst
Das Weibliche bedenken und erwarte,   2190
Was wir beschließen werden.

Karl im Begriff zu gehen

Also sei's!

Johanna

Nicht also, Sire! Was meine Wangen färbte,
War die Verwirrung nicht der blöden Scham.
Ich habe dieser edeln Frau nichts zu vertraun,
Des ich vor Männern mich zu schämen hätte.   2195
Hoch ehrt mich dieser edeln Ritter Wahl,
Doch nicht verließ ich meine Schäfertrift,

Um weltlich eitle Hoheit zu erjagen,
Noch mir den Brautkranz in das Haar zu flechten,
Legt' ich die ehrne Waffenrüstung an. 2200
Berufen bin ich zu ganz anderm Werk,
Die reine Jungfrau nur kann es vollenden.
Ich bin die Kriegerin des höchsten Gottes,
Und keinem Manne kann ich Gattin sein.

Erzbischof

Dem Mann zur liebenden Gefährtin ist 2205
Das Weib geboren — wenn sie der Natur
Gehorcht, dient sie am würdigsten dem Himmel!
Und hast du dem Befehle deines Gottes,
Der in das Feld dich rief, genuggetan,
So wirst du deine Waffen von dir legen 2210
Und wiederkehren zu dem sanfteren
Geschlecht, das du verleugnet hast, das nicht
Berufen ist zum blut'gen Werk der Waffen.

Johanna

Ehrwürd'ger Herr, ich weiß noch nicht zu sagen,
Was mir der Geist gebieten wird zu tun; 2215
Doch wenn die Zeit kommt, wird mir seine Stimme
Nicht schweigen, und gehorchen werd' ich ihr.
Jetzt aber heißt er mich mein Werk vollenden.
Die Stirne meines Herren ist noch nicht
Gekrönt, das heil'ge Öl hat seine Scheitel 2220
Noch nicht benetzt, noch heißt mein Herr nicht König.

Karl

Wir sind begriffen auf dem Weg nach Reims.

Johanna

Laß uns nicht stillstehn, denn geschäftig sind
Die Feinde rings, den Weg dir zu verschließen.
Doch mitten durch sie alle führ' ich dich!   2225

Dunois

Wenn aber alles wird vollendet sein,
Wenn wir zu Reims nun siegend eingezogen,
Wirst du mir dann vergönnen, heilig Mädchen —

Johanna

Will es der Himmel, daß ich sieggekrönt
Aus diesem Kampf des Todes wiederkehre,   2230
So ist mein Werk vollendet — und die Hirtin
Hat kein Geschäft mehr in des Königs Hause.

Karl ihre Hand fassend

Dich treibt des Geistes Stimme jetzt, es schweigt
Die Liebe in dem gotterfüllten Busen.
Sie wird nicht immer schweigen, glaube mir!   2235
Die Waffen werden ruhn, es führt der Sieg
Den Frieden an der Hand, dann kehrt die Freude
In jeden Busen ein, und sanftere
Gefühle wachen auf in allen Herzen —
Sie werden auch in deiner Brust erwachen,   2240
Und Tränen süßer Sehnsucht wirst du weinen,
Wie sie dein Auge nie vergoß — dies Herz,
Das jetzt der Himmel ganz erfüllt, wird sich
Zu einem ird'schen Freunde liebend wenden —
Jetzt hast du rettend Tausende beglückt,   2245
Und einen zu beglücken wirst du enden!

Johanna

Dauphin! Bist du der göttlichen Erscheinung
Schon müde, daß du ihr Gefäß zerstören,
Die reine Jungfrau, die dir Gott gesendet,
Herab willst ziehn in den gemeinen Staub?   2250
Ihr blinden Herzen! Ihr Kleingläubigen!
Des Himmels Herrlichkeit umleuchtet euch,
Vor eurem Aug' enthüllt er seine Wunder,
Und ihr erblickt in mir nichts als ein Weib.
Darf sich ein Weib, mit kriegerischem Erz   2255
Umgeben, in die Männerschlacht sich mischen?
Weh mir, wenn ich das Rachschwert meines Gottes
In Händen führte und im eiteln Herzen
Die Neigung trüge zu dem ird'schen Mann!
Mir wäre besser, ich wär' nie geboren!   2260
Kein solches Wort mehr, sag' ich euch, wenn ihr
Den Geist in mir nicht zürnend wollt entrüsten!
Der Männer Auge schon, das mich begehrt,
Ist mir ein Grauen und Entheiligung.

Karl

Brecht ab! Es ist umsonst, sie zu bewegen.   2265

Johanna

Befiehl, daß man die Kriegsdrommete blase!
Mich preßt und ängstigt diese Waffenstille,
Es jagt mich auf aus dieser müß'gen Ruh'
Und treibt mich fort, daß ich mein Werk erfülle,
Gebieterisch mahnend meinem Schicksal zu.   2270

Fünfter Auftritt

Ein Ritter eilfertig

Karl

Was ist's?

Ritter

   Der Feind ist über die Marne gegangen
Und stellt sein Heer zum Treffen.

Johanna begeistert

        Schlacht und Kampf!
Jetzt ist die Seele ihrer Banden frei.
Bewaffnet euch, ich ordn' indes die Scharen.

Sie eilt hinaus

Karl

Folgt ihr, La Hire — Sie wollen uns am Tore   2275
Von Reims noch um die Krone kämpfen lassen!

Dunois

Sie treibt nicht wahrer Mut. Es ist der letzte
Versuch ohnmächtig wütender Verzweiflung.

Karl

Burgund, Euch sporn' ich nicht. Heut ist der Tag,
Um viele böse Tage zu vergüten.   2280

Burgund

Ihr sollt mit mir zufrieden sein.

Karl

      Ich selbst
Will euch vorangehn auf dem Weg des Ruhms
Und in dem Angesicht der Krönungsstadt

Die Krone mir erfechten. — Meine Agnes,

Dein Ritter sagt dir Lebewohl!   2285

Agnes umarmt ihn

Ich weine nicht, ich zittre nicht für dich,

Mein Glaube greift vertrauend in die Wolken!

So viele Pfänder seiner Gnade gab

Der Himmel nicht, daß wir am Ende trauern!

Vom Sieg gekrönt umarm' ich meinen Herrn,   2290

Mir sagt's das Herz, in Reims' bezwungnen Mauern.

Trompeten erschallen mit mutigem Ton und gehen, während daß verwandelt wird, in ein wildes Kriegsgetümmel über; das Orchester fällt
ein bei offener Szene und wird von kriegerischen Instrumenten hinter
der Szene begleitet

Sechster Auftritt

Der Schauplatz verwandelt sich in eine freie Gegend, die von Bäumen
begrenzt wird. Man sieht während der Musik Soldaten über den
Hintergrund schnell wegziehen

Talbot, auf **Fastolf** gestützt und von **Soldaten** begleitet.
Gleich darauf **Lionel**

Talbot

Hier unter diesen Bäumen setzt mich nieder,

Und Ihr begebt Euch in die Schlacht zurück;

Ich brauche keines Beistands, um zu sterben.

Fastolf

O unglückselig jammervoller Tag!   2295

Lionel tritt auf

Zu welchem Anblick kommt Ihr, Lionel!

Hier liegt der Feldherr auf den Tod verwundet.

Lionel

Das wolle Gott nicht! Edler Lord, steht auf!
Jetzt ist's nicht Zeit, ermattet hinzusinken.
Weicht nicht dem Tod, gebietet der Natur   2300
Mit Eurem mächt'gen Willen, daß sie lebe!

Talbot

Umsonst! Der Tag des Schicksals ist gekommen,
Der unsern Thron in Frankreich stürzen soll.
Vergebens in verzweiflungsvollem Kampf
Wagt' ich das Letzte noch, ihn abzuwenden.   2305
Vom Strahl dahingeschmettert lieg' ich hier,
Um nicht mehr aufzustehn. — Reims ist verloren.
So eilt, Paris zu retten!

Lionel

Paris hat sich vertragen mit dem Dauphin;
Soeben bringt ein Eilbot' uns die Nachricht.   2310

Talbot reißt den Verband auf

So strömet hin, ihr Bäche meines Bluts,
Denn überdrüssig bin ich dieser Sonne!

Lionel

Ich kann nicht bleiben. — Fastolf, bringt den Feldherrn
An einen sichern Ort; wir können uns
Nicht lange mehr auf diesem Posten halten.   2315
Die Unsern fliehen schon von allen Seiten,
Unwiderstehlich dringt das Mädchen vor —

Talbot

Unsinn, du siegst, und ich muß untergehn!
Mit der Dummheit kämpfen Götter selbst vergebens.

Erhabene Vernunft, lichthelle Tochter   2320
  Des göttlichen Hauptes, weise Gründerin
  Des Weltgebäudes, Führerin der Sterne,
  Wer bist du denn, wenn du, dem tollen Roß
  Des Aberwitzes an den Schweif gebunden,
  Ohnmächtig rufend, mit dem Trunkenen   2325
  Dich sehend in den Abgrund stürzen mußt!
  Verflucht sei, wer sein Leben an das Große
  Und Würd'ge wendet und bedachte Plane
  Mit weisem Geist entwirft! Dem Narrenkönig
  Gehört die Welt —

Lionel

                    Mylord! Ihr habt nur noch   2330
  Für wenig Augenblicke Leben — Denkt
  An Euren Schöpfer!

Talbot

                    Waren wir als Tapfre
  Durch andre Tapfere besiegt, wir könnten
  Uns trösten mit dem allgemeinen Schicksal,
  Das immer wechselnd seine Kugel dreht —   2335
  Doch solchem groben Gaukelspiel erliegen!
  War unser ernstes arbeitvolles Leben
  Keines ernsthaftern Ausgangs wert?

Lionel reicht ihm die Hand

Mylord, fahrt wohl! Der Tränen schuld'gen Zoll
  Will ich Euch redlich nach der Schlacht entrichten,   2340
  Wenn ich alsdann noch übrig bin. Jetzt aber
  Ruft das Geschick mich fort, das auf dem Schlachtfeld
  Noch richtend sitzt und seine Lose schüttelt.

Auf Wiedersehn in einer andern Welt!
Kurz ist der Abschied für die lange Freundschaft.   2345

Geht ab

Talbot

Bald ist's vorüber, und der Erde geb' ich,
Der ew'gen Sonne die Atome wieder,
Die sich zu Schmerz und Lust in mir gefügt —
Und von dem mächt'gen Talbot, der die Welt
Mit seinem Kriegsruhm füllte, bleibt nichts übrig   2350
Als eine Handvoll leichten Staubs. — So geht
Der Mensch zu Ende — und die einzige
Ausbeute, die wir aus dem Kampf des Lebens
Wegtragen, ist die Einsicht in das Nichts,
Und herzliche Verachtung alles dessen,   2355
Was uns erhaben schien und wünschenswert. —

Siebenter Auftritt

Karl, Burgund, Dunois, Du Chatel und Soldaten treten auf

Burgund

Die Schanze ist erstürmt.

Dunois

           Der Tag ist unser.

Karl Talbot bemerkend

Seht, wer es ist, der dort vom Licht der Sonne
Den unfreiwillig schweren Abschied nimmt?
Die Rüstung zeigt mir keinen schlechten Mann,   2360
Geht, springt ihm bei, wenn ihm noch Hilfe frommt.

Soldaten aus des Königs Gefolge treten hinzu

Fastolf

Zurück! Bleibt fern! Habt Achtung vor dem Toten,
Dem ihr im Leben nie zu nahn gewünscht!

Burgund

Was seh' ich! Talbot liegt in seinem Blut!
Er geht auf ihn zu. Talbot blickt ihn starr an und stirbt

Fastolf

Hinweg, Burgund! Den letzten Blick des Helden   2365
Vergifte nicht der Anblick des Verräters!

Dunois

Furchtbarer Talbot! Unbezwinglicher!
Nimmst du vorlieb mit so geringem Raum,
Und Frankreichs weite Erde konnte nicht
Dem Streben deines Riesengeistes gnügen.   2370
—Erst jetzo, Sire, begrüß' ich Euch als König;
Die Krone zitterte auf Eurem Haupt,
Solang ein Geist in diesem Körper lebte.

Karl
nachdem er den Toten stillschweigend betrachtet

Ihn hat ein Höherer besiegt, nicht wir!
Er liegt auf Frankreichs Erde, wie der Held   2375
Auf seinem Schild, den er nicht lassen wollte.
Bringt ihn hinweg!
Soldaten heben den Leichnam auf und tragen ihn fort
                    Fried' sei mit seinem Staube!
Ihm soll ein ehrenvolles Denkmal werden,
Mitten in Frankreich, wo er seinen Lauf
Als Held geendet, ruhe sein Gebein!   2380

So weit als er drang noch kein feindlich Schwert;
Seine Grabschrift sei der Ort, wo man ihn findet.

Fastolf gibt sein Schwert ab

Herr, ich bin dein Gefangener.

Karl gibt ihm sein Schwert zurück

Nicht also!
Die fromme Pflicht ehrt auch der rohe Krieg,
Frei sollt Ihr Eurem Herrn zu Grabe folgen.   2385
Jetzt eilt, Du Chatel — Meine Agnes zittert —
Entreißt sie ihrer Angst um uns — Bringt ihr
Die Botschaft, daß wir leben, daß wir siegten,
Und führt sie im Triumph nach Reims!

Du Chatel geht ab

Achter Auftritt

La Hire zu den Vorigen

Dunois

La Hire,
Wo ist die Jungfrau?

La Hire

Wie? Das frag' ich Euch.   2390
An Eurer Seite fechtend ließ ich sie.

Dunois

Von Eurem Arme glaubt' ich sie beschützt,
Als ich dem König beizuspringen eilte.

Burgund

Im dichtsten Feindeshaufen sah ich noch
Vor kurzem ihre weiße Fahne wehn.   2395

Dunois

Weh uns, wo ist sie? Böses ahnet mir!
Kommt, eilen wir, sie zu befrein. — Ich fürchte,
Sie hat der kühne Mut zu weit geführt,
Umringt von Feinden kämpft sie ganz allein,
Und hilflos unterliegt sie jetzt der Menge.   2400

Karl

Eilt, rettet sie!

La Hire

Ich folg' euch, kommt!

Burgund

Wir alle!

Sie eilen fort

Neunter Auftritt

Eine andre öde Gegend des Schlachtfelds. Man sieht die Türme von
Reims in der Ferne, von der Sonne beleuchtet

Ein Ritter in ganz schwarzer Rüstung, mit geschloßnem Visier.
Johanna verfolgt ihn bis auf die vordere Bühne, wo er stille-
steht und sie erwartet

Johanna

Arglist'ger! Jetzt erkenn' ich deine Tücke!
Du hast mich trüglich durch verstellte Flucht
Vom Schlachtfeld weggelockt und Tod und Schicksal
Von vieler Britensöhne Haupt entfernt.   2405
Doch jetzt ereilt dich selber das Verderben.

Schwarzer Ritter

Warum verfolgst du mich und heftest dich
So wutentbrannt an meine Fersen? Mir
Ist nicht bestimmt von deiner Hand zu fallen.

Johanna

Verhaßt in tiefster Seele bist du mir,   2410
Gleichwie die Nacht, die deine Farbe ist.
Dich wegzutilgen von dem Licht des Tags,
Treibt mich die unbezwingliche Begier.
Wer bist du? Öffne dein Visier. — Hätt' ich
Den kriegerischen Talbot in der Schlacht   2415
Nicht fallen sehn, so sagt' ich, du wärst Talbot.

Schwarzer Ritter

Schweigt dir die Stimme des Prophetengeistes?

Johanna

Sie redet laut in meiner tiefsten Brust,
Daß mir das Unglück an der Seite steht.

Schwarzer Ritter

Johanna d'Arc! Bis an die Tore Reims'   2420
Bist du gedrungen auf des Sieges Flügeln.
Dir gnüge der erworbne Ruhm. Entlasse
Das Glück, das dir als Sklave hat gedient,
Eh es sich zürnend selbst befreit; es haßt
Die Treu', und keinem dient es bis ans Ende.   2425

Johanna

Was heißest du in Mitte meines Laufs
Mich stillestehen und mein Werk verlassen?
Ich führ' es aus und löse mein Gelübde!

Schwarzer Ritter

Nichts kann dir, du Gewalt'ge, widerstehn,
In jedem Kampfe siegst du. — Aber gehe   2430
In keinen Kampf mehr. Höre meine Warnung!

Johanna

Nicht aus den Händen leg' ich dieses Schwert,
Als bis das stolze England niederliegt.

Schwarzer Ritter

Schau' hin! Dort hebt sich Reims mit seinen Türmen,
Das Ziel und Ende deiner Fahrt — die Kuppel 2435
Der hohen Kathedrale siehst du leuchten,
Dort wirst du einziehn im Triumphgepräng,
Deinen König krönen, dein Gelübde lösen.
— Geh nicht hinein! Kehr' um! Hör' meine Warnung!

Johanna

Wer bist du, doppelzüngig falsches Wesen, 2440
Das mich erschrecken und verwirren will?
Was maßest du dir an, mir falsch Orakel
Betrüglich zu verkündigen?

Der schwarze Ritter will abgehen, sie tritt ihm in den Weg

       Nein, du stehst
Mir Rede oder stirbst von meinen Händen!

Sie will einen Streich auf ihn führen

Schwarzer Ritter

berührt sie mit der Hand, sie bleibt unbeweglich stehen

Töte was sterblich ist! 2445

Nacht, Blitz und Donnerschlag. Der Ritter versinkt

Johanna

steht anfangs erstaunt, faßt sich aber bald wieder

Es war nichts Lebendes. — Ein trüglich Bild
Der Hölle war's, ein widerspenst'ger Geist,
Heraufgestiegen aus dem Feuerpfuhl,
Mein edles Herz im Busen zu erschüttern.

Wen fürcht' ich mit dem Schwerte meines Gottes?   2450
Siegreich vollenden will ich meine Bahn,
Und käm' die Hölle selber in die Schranken,
Mir soll der Mut nicht weichen und nicht wanken!

Sie will abgehen

Zehnter Auftritt

Lionel.   Johanna

Lionel

Verfluchte, rüste dich zum Kampf — Nicht beide
Verlassen wir lebendig diesen Platz.   2455
Du hast die Besten meines Volks getötet;
Der edle Talbot hat die große Seele
In meinen Busen ausgehaucht. — Ich räche
Den Tapfern oder teile sein Geschick.
Und daß du wissest, wer dir Ruhm verleiht,   2460
Er sterbe oder siege — Ich bin Lionel,
Der letzte von den Fürsten unsers Heers,
Und unbezwungen noch ist dieser Arm.

Er dringt auf sie ein; nach einem kurzen Gefecht schlägt sie ihm das
Schwert aus der Hand

Treuloses Glück!

Er ringt mit ihr

Johanna

ergreift ihn von hinten am Helmbusch und reißt ihm den Helm gewalt=
sam herunter, daß sein Gesicht entblößt wird, zugleich zuckt sie das Schwert
mit der Rechten

Erleide, was du suchtest,

Die heil'ge Jungfrau opfert dich durch mich!   2465

In diesem Augenblicke sieht sie ihm ins Gesicht, sein Anblick ergreift sie,
sie bleibt unbeweglich stehen und läßt dann langsam den Arm sinken

Lionel

Was zauderst du und hemmst den Todesstreich?
Nimm mir das Leben auch, du nahmst den Ruhm,
Ich bin in deiner Hand, ich will nicht Schonung.

Sie gibt ihm ein Zeichen mit der Hand, sich zu entfernen

Entfliehen soll ich? Dir soll ich mein Leben
Verdanken? — Eher sterben!

Johanna mit abgewandtem Gesicht

                              Rette dich!   2470
Ich will nichts davon wissen, daß dein Leben
In meine Macht gegeben war.

Lionel

Ich hasse dich und dein Geschenk — Ich will
Nicht Schonung — Töte deinen Feind, der dich
Verabscheut, der dich töten wollte.

Johanna

                              Töte mich   2475
— Und fliehe!

Lionel

                Ha! Was ist das?

Johanna verbirgt das Gesicht

                              Wehe mir!

Lionel tritt ihr näher

Du tötest, sagt man, alle Engelländer,
Die du im Kampf bezwingst — Warum nur mich
Verschonen?

Johanna

*erhebt das Schwert mit einer raschen Bewegung gegen ihn, läßt es aber,
wie sie ihn ins Gesicht faßt, schnell wieder sinken*

Heil'ge Jungfrau!

Lionel

Warum nennst du
Die Heil'ge? Sie weiß nichts von dir; der Himmel 2480
Hat keinen Teil an dir.

Johanna

in der heftigsten Beängstigung

Was hab' ich
Getan! Gebrochen hab' ich mein Gelübde!

Sie ringt verzweifelnd die Hände

Lionel

betrachtet sie mit Teilnahme und tritt ihr näher

Unglücklich Mädchen! Ich beklage dich.
Du rührst mich; du hast Großmut ausgeübt
An mir allein; ich fühle daß mein Haß 2485
Verschwindet, ich muß Anteil an dir nehmen!
— Wer bist du? Woher kommst du?

Johanna

Fort! Entfliehe!

Lionel

Mich jammert deine Jugend, deine Schönheit!
Dein Anblick dringt mir an das Herz. Ich möchte
Dich gerne retten — Sage mir, wie kann ich's? 2490
Komm! Komm! Entsage dieser gräßlichen
Verbindung — Wirf sie von dir, diese Waffen!

Johanna

Ich bin unwürdig, sie zu führen!

Lionel

Wirf
Sie von dir, schnell, und folge mir!

Johanna mit Entsetzen

Dir folgen!

Lionel

Du kannst gerettet werden. Folge mir!   2495
Ich will dich retten, aber säume nicht.
Mich faßt ein ungeheurer Schmerz um dich,
Und ein unnennbar Sehnen, dich zu retten —

Bemächtigt sich ihres Armes

Johanna

Der Bastard naht! Sie sind's! Sie suchen mich!
Wenn sie dich finden —

Lionel

Ich beschütze dich!   2500

Johanna

Ich sterbe, wenn du fällst von ihren Händen!

Lionel

Bin ich dir teuer?

Johanna

Heilige des Himmels!

Lionel

Werd' ich dich wiedersehen? Von dir hören?

Johanna

Nie! Niemals!

Lionel

Dieses Schwert zum Pfand, daß ich

Dich wiedersehe!

Er entreißt ihr das Schwert

Johanna

Rasender, du wagst es?   2505

Lionel

Jetzt weich' ich der Gewalt, ich seh' dich wieder!

Er geht ab

Elfter Auftritt

Dunois und La Hire. Johanna

La Hire

Sie lebt! Sie ist's!

Dunois

Johanna, fürchte nichts!

Die Freunde stehen mächtig dir zur Seite.

La Hire

Flieht dort nicht Lionel?

Dunois

Laß ihn entfliehn!

Johanna, die gerechte Sache siegt.   2510

Reims öffnet seine Tore, alles Volk

Strömt jauchzend seinem Könige entgegen —

La Hire

Was ist der Jungfrau? Sie erbleicht, sie sinkt!

Johanna schwindelt und will sinken

Dunois

Sie ist verwundet — Reißt den Panzer auf —

Es ist der Arm, und leicht ist die Verletzung.   2515

La Hire

Ihr Blut entfließt!

Johanna

Laßt es mit meinem Leben
Hinströmen!

Sie liegt ohnmächtig in La Hires Armen

Vierter Aufzug

Ein festlich ausgeschmückter Saal, die Säulen sind mit Festons
umwunden; hinter der Szene Flöten und Hoboen

Erster Auftritt

Johanna

Die Waffen ruhn, des Krieges Stürme schweigen,
Auf blut'ge Schlachten folgt Gesang und Tanz,
Durch alle Straßen tönt der muntre Reigen,   2520
Altar und Kirche prangt in Festes Glanz,
Und Pforten bauen sich aus grünen Zweigen,
Und um die Säule windet sich der Kranz;
Das weite Reims faßt nicht die Zahl der Gäste,
Die wallend strömen zu dem Völkerfeste.   2525

Und einer Freude Hochgefühl entbrennet,
Und ein Gedanke schlägt in jeder Brust,
Was sich noch jüngst in blut'gem Haß getrennet
Das teilt entzückt die allgemeine Lust.
Wer nur zum Stamm der Franken sich bekennet,   2530
Der ist des Namens stolzer sich bewußt;
Erneuert ist der Glanz der alten Krone,
Und Frankreich huldigt seinem Königssohne.

Doch mich, die all dies Herrliche vollendet,
Mich rührt es nicht, das allgemeine Glück;   2535
129

Mir ist das Herz verwandelt und gewendet,
Es flieht von dieser Festlichkeit zurück,
Ins brit'sche Lager ist es hingewendet,
Hinüber zu dem Feinde schweift der Blick,
Und aus der Freude Kreis muß ich mich stehlen,   2540
Die schwere Schuld des Busens zu verhehlen.

     Wer? Ich? Ich eines Mannes Bild.
   In meinem reinen Busen tragen?
   Dies Herz, von Himmels Glanz erfüllt,
   Darf einer ird'schen Liebe schlagen?   2545
   Ich, meines Landes Retterin,
   Des höchsten Gottes Kriegerin,
   Für meines Landes Feind entbrennen?
   Darf ich's der keuschen Sonne nennen,
   Und mich vernichtet nicht die Scham?   2550

Die Musik hinter der Szene geht in eine weiche, schmelzende Melodie über

     Wehe! Weh mir! Welche Töne!
   Wie verführen sie mein Ohr!
   Jeder ruft mir seine Stimme,
   Zaubert mir sein Bild hervor!

      Daß der Sturm der Schlacht mich faßte,   2555
   Speere sausend mich umtönten
   In des heißen Streites Wut!
   Wieder fänd' ich meinen Mut!

     Diese Stimmen, diese Töne,
   Wie umstricken sie mein Herz!   2560
   Jede Kraft in meinem Busen

Lösen sie in weichem Sehnen,
Schmelzen sie in Wehmutstränen!

Nach einer Pause lebhafter

Sollt' ich ihn töten? Konnt' ich's, da ich ihm
Ins Auge sah? Ihn töten! Eher hätt' ich   2565
Den Mordstahl auf die eigne Brust gezückt!
Und bin ich strafbar, weil ich menschlich war?
Ist Mitleid Sünde? — Mitleid! Hörtest du
Des Mitleids Stimme und der Menschlichkeit
Auch bei den andern, die dein Schwert geopfert?   2570
Warum verstummte sie, als der Walliser dich,
Der zarte Jüngling, um sein Leben flehte?
Arglistig Herz! Du lügst dem ew'gen Licht,
Dich trieb des Mitleids fromme Stimme nicht!

Warum mußt' ich ihm in die Augen sehn!   2575
Die Züge schaun des edeln Angesichts!
Mit deinem Blick fing dein Verbrechen an,
Unglückliche! Ein blindes Werkzeug fordert Gott,
Mit blinden Augen mußtest du's vollbringen!
Sobald du sahst, verließ dich Gottes Schild,   2580
Ergriffen dich der Hölle Schlingen!

Die Flöten wiederholen, sie versinkt in eine stille Wehmut

Frommer Stab! O hätt' ich nimmer
Mit dem Schwerte dich vertauscht!
Hätt' es nie in deinen Zweigen,
Heil'ge Eiche, mir gerauscht!   2585
Wärst du nimmer mir erschienen,
Hohe Himmelskönigin!

Nimm, ich kann sie nicht verdienen,
Deine Krone, nimm sie hin!

Ach, ich sah den Himmel offen   2590
Und der Sel'gen Angesicht!
Doch auf Erden ist mein Hoffen,
Und im Himmel ist es nicht!
Mußtest du ihn auf mich laden,
Diesen furchtbaren Beruf!   2595
Konnt' ich dieses Herz verhärten,
Das der Himmel fühlend schuf!

Willst du deine Macht verkünden,
Wähle sie, die frei von Sünden
Stehn in deinem ew'gen Haus;   2600
Deine Geister sende aus,
Die unsterblichen, die reinen,
Die nicht fühlen, die nicht weinen!
Nicht die zarte Jungfrau wähle,
Nicht der Hirtin weiche Seele!   2605

Kümmert mich das Los der Schlachten,
Mich der Zwist der Könige?
Schuldlos trieb ich meine Lämmer
Auf des stillen Berges Höh';
Doch du rissest mich ins Leben,   2610
In den stolzen Fürstensaal,
Mich der Schuld dahinzugeben,
Ach! es war nicht meine Wahl!

Zweiter Auftritt

Agnes Sorel. Johanna

Sorel

kommt in lebhafter Rührung; wie sie die Jungfrau erblickt, eilt sie auf
sie zu und fällt ihr um den Hals; plötzlich besinnt sie sich, läßt sie los
und fällt vor ihr nieder

Nein! Nicht so! Hier im Staub vor dir —

Johanna will sie aufheben

Steh auf!

Was ist dir? Du vergissest dich und mich.   2615

Sorel

Laß mich! Es ist der Freude Drang, der mich
Zu deinen Füßen niederwirft — ich muß
Mein überwallend Herz vor Gott ergießen;
Den Unsichtbaren bet' ich an in dir.
Du bist der Engel, der mir meinen Herrn   2620
Nach Reims geführt und mit der Krone schmückt.
Was ich zu sehen nie geträumt, es ist
Erfüllt! Der Krönungszug bereitet sich,
Der König steht im festlichen Ornat,
Versammelt sind die Pairs, die Mächtigen   2625
Der Krone, die Insignien zu tragen;
Zur Kathedrale wallend strömt das Volk,
Es schallt der Reigen, und die Glocken tönen.
O, dieses Glückes Fülle trag' ich nicht!

Johanna hebt sie sanft in die Höhe. Agnes Sorel hält einen Augenblick
inne, indem sie der Jungfrau näher ins Auge sieht

Doch du bleibst immer ernst und streng; du kannst   2630
Das Glück erschaffen, doch du teilst es nicht.
Dein Herz ist kalt, du fühlst nicht unsre Freuden,
Du hast der Himmel Herrlichkeit gesehn,
Die reine Brust bewegt kein irdisch Glück.

Johanna ergreift ihre Hand mit Heftigkeit, läßt sie aber schnell wieder fahren

O, könntest du ein Weib sein und empfinden!   2635
Leg' diese Rüstung ab, kein Krieg ist mehr,
Bekenne dich zum sanfteren Geschlechte!
Mein liebend Herz flieht scheu vor dir zurück,
Solange du der strengen Pallas gleichst.

Johanna

Was forderst du von mir!

Sorel

                    Entwaffne dich!   2640
Leg' diese Rüstung ab! Die Liebe fürchtet,
Sich dieser stahlbedeckten Brust zu nahn.
O, sei ein Weib, und du wirst Liebe fühlen!

Johanna

Jetzt soll ich mich entwaffnen! Jetzt! Dem Tod
Will ich die Brust entblößen in der Schlacht!   2645
Jetzt nicht — o, möchte siebenfaches Erz
Vor euren Festen, vor mir selbst mich schützen!

Sorel

Dich liebt Graf Dunois. Sein edles Herz,
Dem Ruhm nur offen und der Heldentugend,
Es glüht für dich in heiligem Gefühl.   2650

O, es ist schön, von einem Helden sich geliebt
Zu sehn — es ist noch schöner, ihn zu lieben!

Johanna wendet sich mit Abscheu hinweg

Du hassest ihn! — Nein, nein, du kannst ihn nur
Nicht lieben — Doch wie solltest du ihn hassen!
Man haßt nur den, der den Geliebten uns   2655
Entreißt; doch dir ist keiner der Geliebte!
Dein Herz ist ruhig — Wenn es fühlen könnte —

Johanna

Beklage mich! Beweine mein Geschick!

Sorel

Was könnte dir zu deinem Glücke mangeln?
Du hast dein Wort gelöst, Frankreich ist frei,   2660
Bis in die Krönungsstadt hast du den König
Siegreich geführt und hohen Ruhm erstritten;
Dir huldiget, dich preist ein glücklich Volk;
Von allen Zungen überströmend fließt
Dein Lob, du bist die Göttin dieses Festes;   2665
Der König selbst mit seiner Krone strahlt
Nicht herrlicher als du.

Johanna

        O könnt' ich mich
Verbergen in den tiefsten Schoß der Erde!

Sorel

Was ist dir? Welche seltsame Bewegung!
Wer dürfte frei aufschaun an diesem Tage,   2670
Wenn du die Blicke niederschlagen sollst!
Mich laß erröten, mich, die neben dir

So klein sich fühlt, zu deiner Heldenstärke sich,
Zu deiner Hoheit nicht erheben kann!
Denn soll ich meine ganze Schwäche dir   2675
Gestehen? — Nicht der Ruhm des Vaterlandes,
Nicht der erneute Glanz des Thrones, nicht
Der Völker Hochgefühl und Siegesfreude
Beschäftigt dieses schwache Herz. Es ist
Nur einer, der es ganz erfüllt; es hat   2680
Nur Raum für dieses einzige Gefühl:
Er ist der Angebetete, ihm jauchzt das Volk,
Ihn segnet es, ihm streut es diese Blumen,
Er ist der meine, der Geliebte ist's.

Johanna

O, du bist glücklich! Selig preise dich!   2685
Du liebst, wo alles liebt! Du darfst dein Herz
Aufschließen, laut aussprechen dein Entzücken
Und offen tragen vor der Menschen Blicken!
Dies Fest des Reichs ist deiner Liebe Fest;
Die Völker alle, die unendlichen,   2690
Die sich in diesen Mauern flutend drängen,
Sie teilen dein Gefühl, sie heil'gen es;
Dir jauchzen sie, dir flechten sie den Kranz,
Eins bist du mit der allgemeinen Wonne,
Du liebst das Allerfreuende, die Sonne,   2695
Und was du siehst, ist deiner Liebe Glanz!

Sorel
ihr um den Hals fallend

O, du entzückst mich, du verstehst mich ganz!
Ja, ich verkannte dich, du kennst die Liebe,

Und was ich fühle, sprichst du mächtig aus.
Von seiner Furcht und Scheue löst sich mir   2700
Das Herz, es wallt vertrauend dir entgegen —

Johanna
entreißt sich mit Heftigkeit ihren Armen

Verlaß mich! Wende dich von mir! Beflecke
Dich nicht mit meiner pesterfüllten Nähe!
Sei glücklich, geh! Mich laß in tiefster Nacht
Mein Unglück, meine Schande, mein Entsetzen   2705
Verbergen —

Sorel

Du erschreckst mich, ich begreife
Dich nicht; doch ich begriff dich nie — und stets
Verhüllt war mir dein dunkel tiefes Wesen.
Wer möcht' es fassen, was dein heilig Herz,
Der reinen Seele Zartgefühl erschreckt!   2710

Johanna

Du bist die Heilige! Du bist die Reine!
Sähst du mein Innerstes, du stießest schaudernd
Die Feindin von dir, die Verräterin!

Dritter Auftritt

Vorige. Dunois. Du Chatel und La Hire mit der Fahne
der Johanna

Dunois

Dich suchen wir, Johanna. Alles ist
Bereit; der König sendet uns, er will,   2715
Daß du vor ihm die heil'ge Fahne tragest;
Du sollst dich schließen an der Fürsten Reihn,

Die Nächste an ihm selber sollst du gehn;
Denn er verleugnet's nicht, und alle Welt
Soll es bezeugen, daß er dir allein   2720
Die Ehre dieses Tages zuerkennt.

La Hire

Hier ist die Fahne. Nimm sie, edle Jungfrau!
Die Fürsten warten, und es harrt das Volk.

Johanna

Ich vor ihm herziehn! Ich die Fahne tragen!

Dunois

Wem anders ziemt' es! Welche andre Hand   2725
Ist rein genug, das Heiligtum zu tragen!
Du schwangst sie im Gefechte; trage sie
Zur Zierde nun auf diesem Weg der Freude.

La Hire will ihr die Fahne überreichen, sie bebt schaudernd davor zurück

Johanna

Hinweg! Hinweg!

La Hire

        Was ist dir? Du erschrickst
Vor deiner eignen Fahne! — Sieh sie an!   2730

Er rollt die Fahne auseinander

Es ist dieselbe, die du siegend schwangst.
Die Himmelskönigin ist drauf gebildet,
Die über einer Erdenkugel schwebt;
Denn also lehrte dich's die heil'ge Mutter.

Johanna mit Entsetzen hinschauend

Sie ist's! Sie selbst! Ganz so erschien sie mir.   2735
Seht, wie sie herblickt und die Stirne faltet,
Zornglühend aus den finstern Wimpern schaut!

Sorel

O, sie ist außer sich! Komm zu dir selbst!
Erkenne dich! Du siehst nichts Wirkliches!
Das ist ihr irdisch nachgeahmtes Bild,   2740
Sie selber wandelt in des Himmels Chören!

Johanna

Furchtbare, kommst du, dein Geschöpf zu strafen?
Verderbe, strafe mich, nimm deine Blitze,
Und laß sie fallen auf mein schuldig Haupt.
Gebrochen hab' ich meinen Bund, entweiht,   2745
Gelästert hab' ich deinen heil'gen Namen!

Dunois

Weh uns! Was ist das! Welch unsel'ge Reden!

La Hire erstaunt zu Du Chatel

Begreift Ihr diese seltsame Bewegung?

Du Chatel

Ich sehe, was ich seh'. Ich hab' es längst
Gefürchtet.

Dunois

Wie? Was sagt Ihr?

Du Chatel

Was ich denke, 2750
Darf ich nicht sagen. Wollte Gott, es wäre
Vorüber, und der König wär' gekrönt!

La Hire

Wie? Hat der Schrecken, der von dieser Fahne
Ausging, sich auf dich selbst zurückgewendet?
Den Briten laß vor diesem Zeichen zittern,   2755

Den Feinden Frankreichs ist es fürchterlich,
Doch seinen treuen Bürgern ist es gnädig.

Johanna

Ja, du sagst recht! Den Freunden ist es hold,
Und auf die Feinde sendet es Entsetzen!

Man hört den Krönungsmarsch

Dunois

So nimm die Fahne! Nimm sie! Sie beginnen   2760
Den Zug, kein Augenblick ist zu verlieren!

*Sie dringen ihr die Fahne auf, sie ergreift sie mit heftigem Widerstreben
und geht ab; die andern folgen*

Vierter Auftritt

Die Szene verwandelt sich in einen freien Platz vor der Kathedralkirche

*Zuschauer erfüllen den Hintergrund, aus ihnen heraus treten Ber-
trand, Claude Marie und Etienne und kommen vorwärts, in der
Folge auch Margot und Louison. Der Krönungsmarsch erschallt
gedämpft aus der Ferne*

Bertrand

Hört die Musik! Sie sind's! Sie nahen schon!
Was ist das Beste? Steigen wir hinauf
Auf die Plattforme, oder drängen uns
Durchs Volk, daß wir vom Aufzug nichts verlieren? 2765

Etienne

Es ist nicht durchzukommen. Alle Straßen sind
Von Menschen vollgedrängt zu Roß und Wagen.
Laßt uns hierher an diese Häuser treten;
Hier können wir den Zug gemächlich sehen,
Wenn er vorüberkommt!

Claude Marie

      Ist's doch, als ob 2770
Halb Frankreich sich zusammen hier gefunden!
So allgewaltig ist die Flut, daß sie
Auch uns im fernen lothringischen Land
Hat aufgehoben und hiehergespült!

Bertrand

       Wer wird
In seinem Winkel müßig sitzen, wenn 2775
Das Große sich begibt im Vaterland!
Es hat auch Schweiß und Blut genug gekostet,
Bis daß die Krone kam aufs rechte Haupt!
Und unser König, der der wahre ist,
Dem wir die Kron' itzt geben, soll nicht schlechter 2780
Begleitet sein als der Pariser ihrer,
Den sie zu Saint Denis gekrönt! Der ist
Kein Wohlgesinnter, der von diesem Fest
Wegbleibt und nicht mitruft: Es lebe der König!

Fünfter Auftritt

Margot und Louison treten zu ihnen

Louison

Wir werden unsre Schwester sehen, Margot! 2785
Mir pocht das Herz.

Margot

      Wir werden sie im Glanz
Und in der Hoheit sehn, und zu uns sagen:
Es ist Johanna, es ist unsre Schwester!

Louison

Ich kann's nicht glauben, bis ich sie mit Augen
Gesehn, daß diese Mächtige, die man   2790
Die Jungfrau nennt von Orleans, unsre Schwester
Johanna ist, die uns verloren ging.

Der Marsch kommt immer näher

Margot

Du zweifelst noch! Du wirst's mit Augen sehn!

Bertrand

Gebt acht! Sie kommen!

Sechster Auftritt

*Flötenspieler und Hoboisten eröffnen den Zug. Kinder folgen,
weiß gekleidet, mit Zweigen in der Hand, hinter diesen zwei Herolde.
Darauf ein Zug von Hellebardierern. Magistratspersonen in
der Robe folgen. Hierauf zwei Marschälle mit dem Stabe, Herzog
von Burgund, das Schwert tragend, Dunois mit dem Zepter,
andere Große mit der Krone, dem Reichsapfel und dem Gerichtsstabe, andere mit Opfergaben; hinter diesen Ritter in ihrem Ordensschmuck; Chorknaben mit dem Rauchfaß, dann zwei Bischöfe mit
der St. Ampoule, Erzbischof mit dem Kruzifix; ihm folgt Johanna
mit der Fahne. Sie geht mit gesenktem Haupt und ungewissen Schritten,
die Schwestern geben bei ihrem Anblick Zeichen des Erstaunens und der
Freude. Hinter ihr kommt der König unter einem Thronhimmel, wel-
chen vier Barone tragen. Hofleute folgen. Soldaten schließen.
Wenn der Zug in die Kirche hinein ist, schweigt der Marsch*

Siebenter Auftritt

Louison. Margot. Claude Marie. Etienne. Bertrand

Margot

Sahst du die Schwester?

Claude Marie

Die im goldnen Harnisch, 2795
Die vor dem König herging mit der Fahne!

Margot

Sie war's. Es war Johanna, unsre Schwester!

Louison

Und sie erkannt' uns nicht! Sie ahnete
Die Nähe nicht der schwesterlichen Brust.
Sie sah zur Erde und erschien so blaß,   2800
Und unter ihrer Fahne ging sie zitternd —
Ich konnte mich nicht freun, da ich sie sah.

Margot

So hab' ich unsre Schwester nun im Glanz
Und in der Herrlichkeit gesehn. — Wer hätte
Auch nur im Traum geahnet und gedacht,   2805
Da sie die Herde trieb auf unsern Bergen,
Daß wir in solcher Pracht sie würden schauen.

Louison

Der Traum des Vaters ist erfüllt, daß wir
Zu Reims uns vor der Schwester würden neigen.
Das ist die Kirche, die der Vater sah   2810
Im Traum, und alles hat sich nun erfüllt.
Doch der Vater sah auch traurige Gesichte;
Ach, mich bekümmert's, sie so groß zu sehn!

Bertrand

Was stehn wir müßig hier? Kommt in die Kirche,
Die heil'ge Handlung anzusehn!

Margot

                     Ja, kommt!   2815
Vielleicht, daß wir der Schwester dort begegnen.

Louison

Wir haben sie gesehen. Kehren wir
In unser Dorf zurück.

Margot

              Was? Eh' wir sie
Begrüßt und angeredet?

Louison

            Sie gehört
Uns nicht mehr an; bei Fürsten ist ihr Platz   2820
Und Königen — Wer sind wir, daß wir uns
Zu ihrem Glanze rühmend eitel drängen?
Sie war uns fremd, da sie noch unser war!

Margot

Wird sie sich unser schämen, uns verachten?

Bertrand

Der König selber schämt sich unser nicht,   2825
Er grüßte freundlich auch den Niedrigsten.
Sei sie so hoch gestiegen, als sie will,
Der König ist doch größer!

     Trompeten und Pauken erschallen aus der Kirche

Claude Marie

              Kommt zur Kirche!

Sie eilen nach dem Hintergrund, wo sie sich unter dem Volke verlieren

Achter Auftritt

Thibaut kommt, schwarz gekleidet;
Raimond folgt ihm und will ihn zurückehalten

Raimond

Bleibt, Vater Thibaut! Bleibt aus dem Gedränge
Zurück! Hier seht Ihr lauter frohe Menschen,   2830
Und Euer Gram beleidigt dieses Fest.
Kommt! Fliehn wir aus der Stadt mit eil'gen Schritten.

Thibaut

Sahst du mein unglückselig Kind? Hast du
Sie recht betrachtet?

Raimond

O, ich bitt' Euch, flieht!

Thibaut

Bemerktest du, wie ihre Schritte wankten,   2835
Wie bleich und wie verstört ihr Antlitz war!
Die Unglückselige fühlt ihren Zustand;
Das ist der Augenblick, mein Kind zu retten,
Ich will ihn nutzen.

Er will gehen

Raimond

Bleibt! Was wollt Ihr tun?

Thibaut

Ich will sie überraschen, will sie stürzen   2840
Von ihrem eiteln Glück, ja mit Gewalt
Will ich zu ihrem Gott, dem sie entsagt,
Zurück sie führen.

Raimond

Ach, erwägt es wohl!
Stürzt Euer eigen Kind nicht ins Verderben.

Thibaut

Lebt ihre Seele nur, ihr Leib mag sterben.　　2845

Johanna stürzt aus der Kirche heraus ohne ihre Fahne. Volk dringt zu, adoriert sie und küßt ihre Kleider, sie wird durch das Gedränge im Hintergrunde aufgehalten

Sie kommt! Sie ist's! Bleich stürzt sie aus der Kirche,
Es treibt die Angst sie aus dem Heiligtum.
Das ist das göttliche Gericht, das sich
An ihr verkündiget! —

Raimond

Lebt wohl!
Verlangt nicht, daß ich länger Euch begleite!　　2850
Ich kam voll Hoffnung und ich geh' voll Schmerz.
Ich habe Eure Tochter wiedergesehen,
Und fühle, daß ich sie aufs neu' verliere!

Er geht ab, Thibaut entfernt sich auf der entgegengesetzten Seite

Neunter Auftritt

Johanna. Volk. Hernach ihre Schwestern

Johanna

hat sich des Volks erwehrt und kommt vorwärts

Ich kann nicht bleiben — Geister jagen mich,
Wie Donner schallen mir der Orgel Töne,　　2855
Des Doms Gewölbe stürzen auf mich ein,
Des freien Himmels Weite muß ich suchen!

Die Fahne ließ ich in dem Heiligtum,
Nie, nie soll diese Hand sie mehr berühren!
— Mir war's, als hätt' ich die geliebten Schwestern, 2860
Margot und Louison, gleich einem Traum
An mir vorübergleiten sehen. — Ach!
Es war nur eine täuschende Erscheinung!
Fern sind sie, fern und unerreichbar weit,
Wie meiner Kindheit, meiner Unschuld Glück!   2865

Margot hervortretend
Sie ist's! Johanna ist's!

Louison eilt ihr entgegen
     O, meine Schwester!

Johanna
So war's kein Wahn — Ihr seid es — Ich umfass' euch.
Dich, meine Louison! Dich, meine Margot!
Hier in der fremden, menschenreichen Öde
Umfang' ich die vertraute Schwesterbrust!   2870

Margot
Sie kennt uns noch, ist noch die gute Schwester.

Johanna
Und eure Liebe führt euch zu mir her
So weit, so weit! Ihr zürnt der Schwester nicht,
Die lieblos ohne Abschied euch verließ!

Louison
Dich führte Gottes dunkle Schickung fort.   2875

Margot
Der Ruf von dir, der alle Welt bewegt,
Der deinen Namen trägt auf allen Zungen,

Hat uns erweckt in unserm stillen Dorf,
Und hergeführt zu dieses Festes Feier.
Wir kommen, deine Herrlichkeit zu sehn,   2880
Und wir sind nicht allein!

Johanna schnell

Der Vater ist mit euch!
Wo, wo ist er? Warum verbirgt er sich?

Margot

Der Vater ist nicht mit uns.

Johanna

Nicht? Er will sein Kind
Nicht sehn? Ihr bringt mir seinen Segen nicht?

Louison

Er weiß nicht, daß wir hier sind.

Johanna

Weiß es nicht!   2885
Warum nicht? — Ihr verwirret euch? Ihr schweigt
Und seht zur Erde! Sagt, wo ist der Vater?

Margot

Seitdem du weg bist —

Louison winkt ihr

Margot!

Margot

Ist der Vater
Schwermütig worden.

Johanna

Schwermütig!

Louison

                Tröste dich!

Du kennst des Vaters ahnungsvolle Seele!   2890
Er wird sich fassen, sich zufrieden geben,
Wenn wir ihm sagen, daß du glücklich bist.

Margot

Du bist doch glücklich? Ja, du mußt es sein,
Da du so groß bist und geehrt!

Johanna

              Ich bin's,

Da ich euch wiedersehe, eure Stimme   2895
Vernehme, den geliebten Ton, mich heim
Erinnre an die väterliche Flur.
Da ich die Herde trieb auf unsern Höhen.
Da war ich glücklich wie im Paradies —
Kann ich's nicht wieder sein, nicht wieder werden?   2900

Sie verbirgt ihr Gesicht an Louisons Brust. Claude Marie, Etienne und Bertrand zeigen sich und bleiben schüchtern in der Ferne stehen

Margot

Kommt, Etienne! Bertrand! Claude Marie!
Die Schwester ist nicht stolz; sie ist so sanft
Und spricht so freundlich, als sie nie getan,
Da sie noch in dem Dorf mit uns gelebt.

Jene treten näher und wollen ihr die Hand reichen; Johanna sieht sie mit starren Blicken an und fällt in ein tiefes Staunen

Johanna

Wo war ich? Sagt mir! War das alles nur   2905
Ein langer Traum, und ich bin aufgewacht?
Bin ich hinweg aus Dom Remi? Nicht wahr,

Ich war entschlafen unterm Zauberbaum,
Und bin erwacht, und ihr steht um mich her,
Die wohlbekannten traulichen Gestalten?   2910
Mir hat von diesen Königen und Schlachten
Und Kriegestaten nur geträumt — es waren
Nur Schatten, die an mir vorübergingen;
Denn lebhaft träumt sich's unter diesem Baum.
Wie kämet ihr nach Reims? Wie käm' ich selbst   2915
Hieher? Nie, nie verließ ich Dom Remi!
Gesteht mir's offen und erfreut mein Herz!

Louison

Wir sind zu Reims. Dir hat von diesen Taten
Nicht bloß geträumt: du hast sie alle wirklich
Vollbracht. — Erkenne dich, blick' um dich her!   2920
Befühle deine glänzend goldne Rüstung!

Johanna fährt mit der Hand nach der Brust, besinnt sich und erschrickt

Bertrand

Aus meiner Hand empfingt Ihr diesen Helm.

Claude Marie

Es ist kein Wunder, daß Ihr denkt zu träumen;
Denn was Ihr ausgerichtet und getan,
Kann sich im Traum nicht wunderbarer fügen.   2925

Johanna schnell

Kommt, laßt uns fliehn! Ich geh' mit euch, ich kehre
In unser Dorf, in Vaters Schoß zurück.

Louison

O, komm! Komm mit uns!

Johanna

Diese Menschen alle
Erheben mich weit über mein Verdienst!
Ihr habt mich kindisch, klein und schwach gesehn;   2930
Ihr liebt mich, doch ihr betet mich nicht an!

Margot

Du wolltest allen diesen Glanz verlassen!

Johanna

Ich werf' ihn von mir, den verhaßten Schmuck,
Der euer Herz von meinem Herzen trennt,
Und eine Hirtin will ich wieder werden.   2935
Wie eine niedre Magd will ich euch dienen,
Und büßen will ich's mit der strengsten Buße,
Daß ich mich eitel über euch erhob!

Trompeten erschallen

Zehnter Auftritt

Der König tritt aus der Kirche; er ist im Krönungsornat. Agnes Sorel, Erzbischof, Burgund, Dunois, La Hire, Du Chatel, Ritter, Hofleute und Volk

Alle Stimmen

rufen wiederholt, während daß der König vorwärts kommt

Es lebe der König! Karl der Siebente!

Trompeten fallen ein. Auf ein Zeichen, das der König gibt, gebieten die Herolde mit erhobenem Stabe Stillschweigen

König

Mein gutes Volk! Habt Dank für eure Liebe!   2940
Die Krone, die uns Gott aufs Haupt gesetzt,

Durchs Schwert ward sie gewonnen und erobert,
Mit edelm Bürgerblut ist sie benetzt;
Doch friedlich soll der Ölzweig sie umgrünen.
Gedankt sei allen, die für uns gefochten, 2945
Und allen, die uns widerstanden, sei
Verziehn, denn Gnade hat uns Gott erzeigt,
Und unser erstes Königswort sei — Gnade!

Volk

Es lebe der König! Karl der Gütige!

König

Von Gott allein, dem höchsten Herrschenden, 2950
Empfangen Frankreichs Könige die Krone.
Wir aber haben sie sichtbarerweise
Aus seiner Hand empfangen.

Zur Jungfrau sich wendend

Hier steht die Gottgesendete, die euch
Den angestammten König wiedergab, 2955
Das Joch der fremden Tyrannei zerbrochen!
Ihr Name soll dem heiligen Denis
Gleich sein, der dieses Landes Schützer ist,
Und ein Altar sich ihrem Ruhm erheben!

Volk

Heil, Heil der Jungfrau, der Erretterin! 2960

Trompeten

König *zur Johanna*

Wenn du von Menschen bist gezeugt, wie wir,
So sage, welches Glück dich kann erfreuen!
Doch wenn dein Vaterland dort oben ist,

Wenn du die Strahlen himmlischer Natur
In diesem jungfräulichen Leib verhüllst,　　　　　2965
So nimm das Band hinweg von unsern Sinnen
Und laß dich sehn in deiner Lichtgestalt,
Wie dich der Himmel sieht, daß wir anbetend
Im Staube dich verehren.

Ein allgemeines Schweigen; jedes Auge ist auf die Jungfrau gerichtet

Johanna plötzlich aufschreiend

Gott! Mein Vater!

Elfter Auftritt

Thibaut tritt aus der Menge und steht ihr gerade gegenüber

Mehrere Stimmen

Ihr Vater!

Thibaut

Ja, ihr jammervoller Vater,　　　　　2970
Der die Unglückliche gezeugt, den Gottes
Gericht hertreibt, die eigne Tochter anzuklagen.

Burgund

Ha! Was ist das!

Du Chatel

Jetzt wird es schrecklich tagen!

Thibaut zum König

Gerettet glaubst du dich durch Gottes Macht?
Betrogner Fürst! Verblendet Volk der Franken!　　　2975
Du bist gerettet durch des Teufels Kunst.

Alle treten mit Entsetzen zurück

Dunois

Rast dieser Mensch?

Thibaut

                    Nicht ich, du aber rasest,
Und diese hier, und dieser weise Bischof,
Die glauben, daß der Herr der Himmel sich
Durch eine schlechte Magd verkünden werde.   2980
Laß sehn, ob sie auch in des Vaters Stirn
Der dreisten Lüge Gaukelspiel behauptet,
Womit sie Volk und König hinterging.
Antworte mir im Namen des Dreieinen:
Gehörst du zu den Heiligen und Reinen?   2985

Allgemeine Stille; alle Blicke sind auf sie gespannt; sie steht unbeweglich

Sorel

Gott, sie verstummt!

Thibaut

                    Das muß sie vor dem furchtbarn
Namen, der in der Hölle Tiefen selbst
Gefürchtet wird! — Sie eine Heilige,
Von Gott gesendet! — An verfluchter Stätte
Ward es ersonnen, unterm Zauberbaum,   2990
Wo schon von alters her die bösen Geister
Den Sabbat halten — Hier verkaufte sie
Dem Feind der Menschen ihr unsterblich Teil,
Daß er mit kurzem Weltruhm sie verherrliche.
Laßt sie den Arm aufstreifen, seht die Punkte,   2995
Womit die Hölle sie gezeichnet hat!

Burgund

Entsetzlich! — Doch dem Vater muß man glauben,
Der wider seine eigne Tochter zeugt.

Dunois

Nein, nicht zu glauben ist dem Rasenden,
Der in dem eignen Kind sich selber schändet! 3000

Sorel zu Johanna

O rede! Brich dies unglückſel'ge Schweigen!
Wir glauben dir! Wir trauen fest auf dich!
Ein Wort aus deinem Mund, ein einzig Wort
Soll uns genügen — Aber sprich! Vernichte
Die gräßliche Beschuldigung — Erkläre, 3005
Du seist unschuldig, und wir glauben dir.

*Johanna steht unbeweglich; Agnes Sorel tritt mit Entsetzen
von ihr hinweg*

La Hire

Sie ist erschreckt. Erstaunen und Entsetzen
Schließt ihr den Mund. — Vor solcher gräßlichen
Anklage muß die Unschuld selbst erbeben.

Er nähert sich ihr

Faß' dich, Johanna! Fühle dich! Die Unschuld 3010
Hat eine Sprache, einen Siegerblick,
Der die Verleumdung mächtig niederblitzt!
In edelm Zorn erhebe dich, blick' auf,
Beschäme, strafe den unwürd'gen Zweifel,
Der deine heil'ge Tugend schmäht! 3015

*Johanna steht unbeweglich. La Hire tritt entsetzt zurück; die Bewegung
vermehrt sich*

Dunois

Was zagt das Volk? Was zittern selbst die Fürsten?
Sie ist unschuldig — Ich verbürge mich,

Ich selbst, für sie mit meiner Fürstenehre!
Hier werf' ich meinen Ritterhandschuh hin;
Wer wagt's, sie eine Schuldige zu nennen?   3020

Ein heftiger Donnerschlag; alle stehen entsetzt

Thibaut

Antworte bei dem Gott, der droben donnert!
Sprich, du seist schuldlos. Leugn' es, daß der Feind
In deinem Herzen ist, und straf' mich Lügen!

Ein zweiter stärkerer Donnerschlag; das Volk entflieht zu allen Seiten

Burgund

Gott schütz' uns! Welche fürchterliche Zeichen!

Du Chatel *zum König*

Kommt! Kommt, mein König! Fliehet diesen Ort! 3025

Erzbischof *zur Johanna*

Im Namen Gottes frag' ich dich. Schweigst du
Aus dem Gefühl der Unschuld oder Schuld?
Wenn dieses Donners Stimme für dich zeugt,
So fasse dieses Kreuz und gib ein Zeichen!

*Johanna bleibt unbeweglich. Neue heftige Donnerschläge. Der König,
Agnes Sorel, Erzbischof, Burgund, La Hire und Du Chatel gehen ab*

Zwölfter Auftritt

Dunois. Johanna

Dunois

Du bist mein Weib — Ich hab' an dich geglaubt   3030
Beim ersten Blick, und also denk' ich noch.
Dir glaub' ich mehr als diesen Zeichen allen,
Als diesem Donner selbst, der droben spricht.

Du schweigst in edelm Zorn, verachtest es,
In deine heil'ge Unschuld eingehüllt,   3035
So schändlichen Verdacht zu widerlegen.
— Veracht' es, aber mir vertraue dich;
An deiner Unschuld hab' ich nie gezweifelt.
Sag' mir kein Wort; die Hand nur reiche mir
Zum Pfand und Zeichen, daß du meinem Arme   3040
Getrost vertraust und deiner guten Sache.

*Er reicht ihr die Hand hin, sie wendet sich mit einer zuckenden Bewegung
von ihm hinweg; er bleibt in starrem Entsetzen stehen*

Dreizehnter Auftritt

Johanna. Du Chatel. Dunois, zuletzt Raimond

Du Chatel zurückkommend

Johanna d'Arc! Der König will erlauben,
Daß Ihr die Stadt verlasset ungekränkt.
Die Tore stehn Euch offen. Fürchtet keine
Beleidigung. Euch schützt des Königs Frieden —   3045
Folgt mir, Graf Dunois — Ihr habt nicht Ehre,
Hier länger zu verweilen — Welch ein Ausgang!

*Er geht. Dunois fährt aus seiner Erstarrung auf, wirft noch einen
Blick auf Johanna und geht ab. Diese steht einen Augenblick ganz
allein. Endlich erscheint Raimond, bleibt eine Weile in der Ferne
steht und betrachtet sie mit stillem Schmerz. Dann tritt er auf sie
zu und faßt sie bei der Hand*

Raimond

Ergreift den Augenblick. Kommt! Kommt! Die Straßen
Sind leer. Gebt mir die Hand. Ich will Euch führen.

*Bei seinem Anblick gibt sie das erste Zeichen der Empfindung, sieht ihn
starr an und blickt zum Himmel; dann ergreift sie ihn heftig bei der Hand
und geht ab*

Fünfter Aufzug

Ein wilder Wald, in der Ferne Köhlerhütten. Es ist ganz dunkel, heftiges Donnern und Blitzen, dazwischen Schießen

Erster Auftritt

Köhler und Köhlerweib

Köhler

Das ist ein grausam, mördrisch Ungewitter,　　　　3050
Der Himmel droht, in Feuerbächen sich
Herabzugießen, und am hellen Tag
Ist's Nacht, daß man die Sterne könnte sehn.
Wie eine losgelaßne Hölle tobt
Der Sturm, die Erde bebt, und krachend beugen　　3055
Die altverjährten Eschen ihre Krone.
Und dieser fürchterliche Krieg dort oben,
Der auch die wilden Tiere Sanftmut lehrt,
Daß sie sich zahm in ihre Gruben bergen,
Kann unter Menschen keinen Frieden stiften —　　3060
Aus dem Geheul der Winde und des Sturms
Heraus hört ihr das Knallen des Geschützes;
Die beiden Heere stehen sich so nah,
Daß nur der Wald sie trennt, und jede Stunde
Kann es sich blutig, fürchterlich entladen.　　　3065

Köhlerweib

Gott steh' uns bei! Die Feinde waren ja
Schon ganz aufs Haupt geschlagen und zerstreut.
Wie kommt's, daß sie aufs neu' uns ängstigen?

Köhler

Das macht, weil sie den König nicht mehr fürchten.
Seitdem das Mädchen eine Hexe ward   3070
Zu Reims, der böse Feind uns nicht mehr hilft,
Geht alles rückwärts.

Köhlerweib

    Horch! Wer naht sich da?

Zweiter Auftritt

Raimond und Johanna zu den Vorigen

Raimond

Hier seh' ich Hütten. Kommt, hier finden wir
Ein Obdach vor dem wüt'gen Sturm. Ihr haltet's
Nicht länger aus, drei Tage schon seid Ihr   3075
Herumgeirrt, der Menschen Auge fliehend,
Und wilde Wurzeln waren Eure Speise.
   Der Sturm legt sich, es wird hell und heiter
Es sind mitleid'ge Köhler. Kommt herein!

Köhler

Ihr scheint der Ruhe zu bedürfen. Kommt!
Was unser schlechtes Dach vermag, ist euer.   3080

Köhlerweib

Was will die zarte Jungfrau unter Waffen?
Doch freilich! Jetzt ist eine schwere Zeit,

Wo auch das Weib sich in den Panzer steckt!
Die Königin selbst, Frau Isabeau, sagt man,
Läßt sich gewaffnet sehn in Feindes Lager,   3085
Und eine Jungfrau, eines Schäfers Dirn',
Hat für den König, unsern Herrn, gefochten.

Köhler

Was redet Ihr? Geht in die Hütte, bringt
Der Jungfrau einen Becher zur Erquickung!

Köhlerweib geht nach der Hütte

Raimond   zur Johanna

Ihr seht, es sind nicht alle Menschen grausam;   3090
Auch in der Wildnis wohnen sanfte Herzen.
Erheitert euch! Der Sturm hat ausgetobt,
Und friedlich strahlend geht die Sonne nieder.

Köhler

Ich denk', ihr wollt zu unsers Königs Heer,
Weil ihr in Waffen reiset — Seht euch vor!   3095
Die Engelländer stehen nah gelagert,
Und ihre Scharen streifen durch den Wald.

Raimond

Weh uns! Wie ist da zu entkommen?

Köhler

Bleibt,

Bis daß mein Bub' zurück ist aus der Stadt.
Der soll euch auf verborgnen Pfaden führen,   3100
Daß ihr nichts zu befürchten habt. Wir kennen
Die Schliche.

Raimond zur Johanna

Legt den Helm ab und die Rüstung,
Sie macht Euch kenntlich und beschützt Euch nicht.

Johanna schüttelt den Kopf

Köhler

Die Jungfrau ist sehr traurig — Still! wer kommt da?

Dritter Auftritt

Köhlerweib kommt aus der Hütte mit einem Becher.
Köhlerbub'

Köhlerweib

Es ist der Bub', den wir zurückerwarten.   3105

Zur Johanna

Trinkt, edle Jungfrau! Mög' Euch Gott gesegnen!

Köhler zu seinem Sohn

Kommst du, Anet? Was bringst du?

Köhlerbub'

hat die Jungfrau ins Auge gefaßt, welche eben den Becher an den Mund
setzt, er erkennt sie, tritt auf sie zu und reißt ihr den Becher vom Munde

Mutter! Mutter!

Was macht Ihr? Wen bewirtet Ihr? Das ist die Hexe
Von Orleans!

Köhler und **Köhlerweib**

Gott sei uns gnädig!

Bekreuzen sich und entfliehen

Vierter Auftritt

Raimond. Johanna

Johanna gefaßt und sanft

Du siehst, mir folgt der Fluch, und alles flieht mich;   3110
Sorg' für dich selber und verlaß mich auch!

Raimond

Ich Euch verlassen! Jetzt! Und wer soll Euer
Begleiter sein?

Johanna

Ich bin nicht unbegleitet.
Du hast den Donner über mir gehört.
Mein Schicksal führt mich. Sorge nicht, ich werde   3115
Ans Ziel gelangen, ohne daß ich's suche.

Raimond

Wo wollt Ihr hin? Hier stehn die Engelländer,
Die Euch die grimmig blut'ge Rache schwuren —
Dort stehn die Unsern, die Euch ausgestoßen,
Verbannt —

Johanna

Mich wird nichts treffen, als was sein muß.   3120

Raimond

Wer soll Euch Nahrung suchen? Wer Euch schützen
Vor wilden Tieren und noch wildern Menschen?
Euch pflegen, wenn Ihr krank und elend werdet?

Johanna

Ich kenne alle Kräuter, alle Wurzeln;
Von meinen Schafen lernt' ich das Gesunde   3125

Vom Gift'gen unterscheiden — Ich verstehe
Den Lauf der Sterne und der Wolken Zug,
Und die verborgnen Quellen hör' ich rauschen.
Der Mensch braucht wenig, und an Leben reich
Ist die Natur.

Raimond faßt sie bei der Hand

      Wollt Ihr nicht in Euch gehn?   3130
Euch nicht mit Gott versöhnen — in den Schoß
Der heil'gen Kirche reuend wiederkehren?

Johanna

Auch du hältst mich der schweren Sünde schuldig?

Raimond

Muß ich nicht? Euer schweigendes Geständnis —

Johanna

Du, der mir in das Elend nachgefolgt,   3135
Das einz'ge Wesen, das mir treugeblieben,
Sich an mich kettet, da mich alle Welt
Ausstieß, du hältst mich auch für die Verworfne,
Die ihrem Gott entsagt —

Raimond schweigt

      O, das ist hart!

Raimond erstaunt

Ihr wäret wirklich keine Zauberin?   3140

Johanna

Ich eine Zauberin!

Raimond

      Und diese Wunder,
Ihr hättet sie vollbracht mit Gottes Kraft
Und seiner Heiligen?

Johanna

Mit welcher sonst?

Raimond

Und Ihr verstummtet auf die gräßliche
Beschuldigung? Ihr redet jetzt, und vor dem König,   3145
Wo es zu reden galt, verstummtet Ihr!

Johanna

Ich unterwarf mich schweigend dem Geschick,
Das Gott, mein Meister, über mich verhängte.

Raimond

Ihr konntet Eurem Vater nichts erwidern!

Johanna

Weil es vom Vater kam, so kam's von Gott,   3150
Und väterlich wird auch die Prüfung sein.

Raimond

Der Himmel selbst bezeugte Eure Schuld!

Johanna

Der Himmel sprach; drum schwieg ich.

Raimond

Wie? Ihr konntet
Mit einem Wort Euch reinigen, und ließt
Die Welt in diesem unglückfel'gen Irrtum?   3155

Johanna

Es war kein Irrtum, eine Schickung war's.

Raimond

Ihr littet alle diese Schmach unschuldig,
Und keine Klage kam von Euren Lippen!

Ich staune über Euch, ich steh' erschüttert,
Im tiefsten Busen kehrt sich mir das Herz!   3160
O, gerne nehm' ich Euer Wort für Wahrheit;
Denn schwer ward mir's, an Eure Schuld zu glauben.
Doch konnt' ich träumen, daß ein menschlich Herz
Das Ungeheure schweigend würde tragen!

Johanna

Verdient' ich's, die Gesendete zu sein,   3165
Wenn ich nicht blind des Meisters Willen ehrte!
Und ich bin nicht so elend, als du glaubst.
Ich leide Mangel, doch das ist kein Unglück
Für meinen Stand; ich bin verbannt und flüchtig,
Doch in der Öde lernt' ich mich erkennen.   3170
Da, als der Ehre Schimmer mich umgab,
Da war der Streit in meiner Brust; ich war
Die unglückseligste, da ich der Welt
Am meisten zu beneiden schien — Jetzt bin ich
Geheilt, und dieser Sturm in der Natur,   3175
Der ihr das Ende drohte, war mein Freund;
Er hat die Welt gereinigt und auch mich.
In mir ist Friede — Komme, was da will,
Ich bin mir keiner Schwachheit mehr bewußt!

Raimond

O, kommt, kommt, laßt uns eilen, Eure Unschuld   3180
Laut laut vor aller Welt zu offenbaren!

Johanna

Der die Verwirrung sandte, wird sie lösen!
Nur wann sie reif ist, fällt des Schicksals Frucht!

Ein Tag wird kommen, der mich reiniget.
Und die mich jetzt verworfen und verdammt,   3185
Sie werden ihres Wahnes innewerden,
Und Tränen werden meinem Schicksal fließen.

Raimond

Ich sollte schweigend dulden, bis der Zufall —

Johanna

ihn sanft bei der Hand fassend

Du siehst nur das Natürliche der Dinge,
Denn deinen Blick umhüllt das ird'sche Band.   3190
Ich habe das Unsterbliche mit Augen
Gesehen — Ohne Götter fällt kein Haar
Vom Haupt des Menschen — Siehst du dort die Sonne
Am Himmel niedergehen — So gewiß
Sie morgen wiederkehrt in ihrer Klarheit,   3195
So unausbleiblich kommt der Tag der Wahrheit!

Fünfter Auftritt

Königin Isabeau mit Soldaten erscheint im Hintergrund

Isabeau noch hinter der Szene

Dies ist der Weg ins engelländ'sche Lager!

Raimond

Weh uns! Die Feinde!

Soldaten treten auf, bemerken im Hervorkommen die Johanna und taumeln erschrocken zurück

Isabeau

Nun! Was hält der Zug?

Soldaten

Gott steh' uns bei!

Isabeau

Erschreckt euch ein Gespenst?

Seid ihr Soldaten? Memmen seid ihr! — Wie?   3200

Sie drängt sich durch die andern, tritt hervor und fährt zurück, wie sie die Jungfrau erblickt

Was seh' ich! Ha!

Schnell faßt sie sich und tritt ihr entgegen

Ergib dich! Du bist meine

Gefangene!

Johanna

Ich bin's.

Raimond *entflieht mit Zeichen der Verzweiflung*

Isabeau *zu den Soldaten*

Legt sie in Ketten!

Die Soldaten nahen sich der Jungfrau schüchtern; sie reicht den Arm hin und wird gefesselt

Ist das die Mächtige, Gefürchtete,

Die eure Scharen wie die Lämmer scheuchte,

Die jetzt sich selber nicht beschützen kann?   3205

Tut sie nur Wunder, wo man Glauben hat,

Und wird zum Weib, wenn ihr ein Mann begegnet?

Zur Jungfrau

Warum verließest du dein Heer? Wo bleibt

Graf Dunois, dein Ritter und Beschützer?

Johanna

Ich bin verbannt.

Isabeau erstaunt zurücktretend

Was? Wie? Du bist verbannt? 3210
Verbannt vom Dauphin?

Johanna

Frage nicht! Ich bin
In deiner Macht; bestimme mein Geschick!

Isabeau

Verbannt, weil du vom Abgrund ihn gerettet,
Die Krone ihm hast aufgesetzt zu Reims,
Zum König über Frankreich ihn gemacht?   3215
Verbannt! Daran erkenn' ich meinen Sohn!
— Führt sie ins Lager! Zeiget der Armee
Das Furchtgespenst, vor dem sie so gezittert!
Sie eine Zauberin! Ihr ganzer Zauber
Ist euer Wahn und euer feiges Herz!   3220
Eine Närrin ist sie, die für ihren König
Sich opferte, und jetzt den Königslohn
Dafür empfängt — Bringt sie zu Lionel —
Das Glück der Franken send' ich ihm gebunden;
Gleich folg' ich selbst.

Johanna

Zu Lionel! Ermorde mich   3225
Gleich hier, eh du zu Lionel mich sendest.

Isabeau zu den Soldaten

Gehorchet dem Befehle! Fort mit ihr!

Geht ab

Sechster Auftritt

Johanna. Soldaten

Johanna zu den Soldaten

Engländer! Duldet nicht, daß ich lebendig
Aus eurer Hand entkomme! Rächet euch!
Zieht eure Schwerter, taucht sie mir ins Herz,   . 3230
Reißt mich entseelt zu eures Feldherrn Füßen!
Denkt, daß ich's war, die eure Trefflichsten
Getötet, die kein Mitleid mit euch trug,
Die ganze Ströme engelländ'schen Bluts
Vergossen, euren tapfern Heldensöhnen   3235
Den Tag der frohen Wiederkehr geraubt!
Nehmt eine blut'ge Rache! Tötet mich!
Ihr habt mich jetzt; nicht immer möchtet ihr
So schwach mich sehn —

Anführer der Soldaten

Tut, was die Königin befahl!

Johanna

        Sollt' ich   3240
Noch unglücksel'ger werden, als ich war!
Furchtbare Heil'ge! Deine Hand ist schwer!
Hast du mich ganz aus deiner Huld verstoßen?
Kein Gott erscheint, kein Engel zeigt sich mehr;
Die Wunder ruhn, der Himmel ist verschlossen.   3245

Sie folgt den Soldaten

Siebenter Auftritt

Das französische Lager

Dunois zwischen dem Erzbischof und Du Chatel

Erzbischof

Bezwinget Euern finstern Unmut, Prinz!
Kommt mit uns! Kehrt zurück zu Euerm König!
Verlasset nicht die allgemeine Sache
In diesem Augenblick, da wir, aufs neu'
Bedränget, Eures Heldenarms bedürfen.   3250

Dunois

Warum sind wir bedrängt? Warum erhebt
Der Feind sich wieder? Alles war getan,
Frankreich war siegend und der Krieg geendigt.
Die Retterin habt ihr verbannt; nun rettet
Euch selbst! Ich aber will das Lager   3255
Nicht wiedersehen, wo sie nicht mehr ist.

Du Chatel

Nehmt bessern Rat an, Prinz! Entlaßt uns nicht
Mit einer solchen Antwort!

Dunois

           Schweigt, Du Chatel!
Ich hasse Euch; von Euch will ich nichts hören.
Ihr seid es, der zuerst an ihr gezweifelt.   3260

Erzbischof

Wer ward nicht irr' an ihr und hätte nicht
Gewankt an diesem unglücksel'gen Tage,

Da alle Zeichen gegen sie bewiesen!
Wir waren überrascht, betäubt; der Schlag
Traf zu erschütternd unser Herz — Wer konnte   3265
In dieser Schreckensstunde prüfend wägen!
Jetzt kehrt uns die Besonnenheit zurück;
Wir sehn sie, wie sie unter uns gewandelt,
Und keinen Tadel finden wir an ihr.
Wir sind verwirrt — wir fürchten, schweres Unrecht 3270
Getan zu haben. — Reue fühlt der König,
Der Herzog klagt sich an, La Hire ist trostlos,
Und jedes Herz hüllt sich in Trauer ein.

Dunois

Sie eine Lügnerin! Wenn sich die Wahrheit
Verkörpern will in sichtbarer Gestalt,   3275
So muß sie ihre Züge an sich tragen!
Wenn Unschuld, Treue, Herzensreinigkeit
Auf Erden irgend wohnt — auf ihren Lippen,
In ihren klaren Augen muß sie wohnen!

Erzbischof

Der Himmel schlage durch ein Wunder sich   3280
Ins Mittel, und erleuchte dies Geheimnis,
Das unser sterblich Auge nicht durchdringt —
Doch wie sich's auch entwirren mag und lösen,
Eins von den beiden haben wir verschuldet!
Wir haben uns mit höll'schen Zauberwaffen   3285
Verteidigt oder eine Heilige verbannt!
Und beides ruft des Himmels Zorn und Strafen
Herab auf dieses unglücksel'ge Land!

Achter Auftritt

Ein Edelmann zu den Vorigen, hernach Raimond

Edelmann

Ein junger Schäfer fragt nach deiner Hoheit,
Er fordert dringend, mit dir selbst zu reden, 3290
Er komme, sagt er, von der Jungfrau —

Dunois

Eile!

Bring' ihn herein! Er kommt von ihr!

Edelmann öffnet dem Raimond die Türe. Dunois eilt ihm entgegen

Wo ist sie?

Wo ist die Jungfrau?

Raimond

Heil Euch, edler Prinz!
Und Heil mir, daß ich diesen frommen Bischof,
Den heil'gen Mann, den Schirm der Unterdrückten, 3295
Den Vater der Verlaßnen bei Euch finde!

Dunois

Wo ist die Jungfrau?

Erzbischof

Sag' es uns, mein Sohn!

Raimond

Herr, sie ist keine schwarze Zauberin!
Bei Gott und allen Heiligen bezeug' ich's.
Im Irrtum ist das Volk. Ihr habt die Unschuld 3300
Verbannt, die Gottgesendete verstoßen!

Dunois

Wo ist sie? Sage!

Raimond

Ihr Gefährte war ich
Auf ihrer Flucht in dem Ardennerwald;
Mir hat sie dort ihr Innerstes gebeichtet.
In Martern will ich sterben, meine Seele   3305
Hab' keinen Anteil an dem ew'gen Heil,
Wenn sie nicht rein ist, Herr, von aller Schuld!

Dunois

Die Sonne selbst am Himmel ist nicht reiner!
Wo ist sie? Sprich!

Raimond

O, wenn euch Gott das Herz
Gewendet hat — So eilt! So rettet sie!   3310
Sie ist gefangen bei den Engelländern.

Dunois

Gefangen! Was!

Erzbischof

Die Unglückselige!

Raimond

In den Ardennen, wo wir Obdach suchten,
Ward sie ergriffen von der Königin
Und in der Engelländer Hand geliefert.   3315
O, rettet sie, die euch gerettet hat,
Von einem grausenvollen Tode!

Dunois

Zu den Waffen! Auf! Schlagt Lärmen! Rührt die Trommeln!
Führt alle Völker ins Gefecht! Ganz Frankreich

Bewaffne sich! Die Ehre ist verpfändet,   3320
Die Krone, das Palladium entwendet;
Setzt alles Blut, setzt euer Leben ein!
Frei muß sie sein, noch eh der Tag sich endet!

Gehen ab

Neunter Auftritt

Ein Wartturm, oben eine Öffnung

Johanna und Lionel

Fastolf eilig hereintretend

Das Volk ist länger nicht zu bändigen.
Sie fordern wütend, daß die Jungfrau sterbe,   3325
Ihr widersteht vergebens. Tötet sie,
Und werft ihr Haupt von dieses Turmes Zinnen!
Ihr fließend Blut allein versöhnt das Heer.

Isabeau kommt

Sie setzen Leitern an, sie laufen Sturm!
Befriediget das Volk! Wollt ihr erwarten,   3330
Bis sie den ganzen Turm in blinder Wut
Umkehren und wir alle mit verderben?
Ihr könnt sie nicht beschützen. Gebt sie hin!

Lionel

Laßt sie anstürmen! Laßt sie wütend toben!
Dies Schloß ist fest, und unter seinen Trümmern   3335
Begrab' ich mich, eh mich ihr Wille zwingt.
—Antworte mir, Johanna! Sei die meine,
Und gegen eine Welt beschütz' ich dich.

Isabeau

Seid Ihr ein Mann?

Lionel

Verstoßen haben dich
Die Deinen; aller Pflichten bist du ledig   3340
Für dein unwürdig Vaterland. Die Feigen,
Die um dich warben, sie verließen dich;
Sie wagten nicht den Kampf um deine Ehre.
Ich aber, gegen mein Volk und das deine
Behaupt' ich dich. — Einst ließest du mich glauben,   3345
Daß dir mein Leben teuer sei! Und damals
Stand ich im Kampf als Feind dir gegenüber;
Jetzt hast du keinen Freund als mich!

Johanna

Du bist
Der Feind mir, der verhaßte, meines Volks.
Nichts kann gemein sein zwischen dir und mir.   3350
Nicht lieben kann ich dich; doch wenn dein Herz
Sich zu mir neigt, so laß es Segen bringen
Für unsre Völker. — Führe deine Heere
Hinweg von meines Vaterlandes Boden,
Die Schlüssel aller Städte gib heraus,   3355
Die ihr bezwungen, allen Raub vergüte,
Gib die Gefangnen ledig, sende Geiseln
Des heiligen Vertrags, so biet' ich dir
Den Frieden an in meines Königs Namen.

Isabeau

Willst du in Banden uns Gesetze geben?   3360

Johanna

Tu' es beizeiten, denn du mußt es doch.
Frankreich wird nimmer Englands Fesseln tragen.
Nie, nie wird das geschehen! Eher wird es
Ein weites Grab für eure Heere sein.
Gefallen sind euch eure Besten, denkt   3365
Auf eine sichre Rückkehr; euer Ruhm
Ist doch verloren, eure Macht ist hin.

Isabeau

Könnt ihr den Trotz der Rasenden ertragen?

Zehnter Auftritt

Ein Hauptmann kommt eilig

Hauptmann

Eilt, Feldherr, eilt, das Heer zur Schlacht zu stellen!
Die Franken rücken an mit fliegenden Fahnen,   3370
Von ihren Waffen blitzt das ganze Tal.

Johanna begeistert

Die Franken rücken an! Jetzt, stolzes England,
Heraus ins Feld! Jetzt gilt es, frisch zu fechten!

Fastolf

Unsinnige, bezähme deine Freude!
Du wirst das Ende dieses Tags nicht sehn.   3375

Johanna

Mein Volk wird siegen, und ich werde sterben,
Die Tapfern brauchen meines Arms nicht mehr.

Lionel

Ich spotte dieser Weichlinge! Wir haben
Sie vor uns hergescheucht in zwanzig Schlachten,
Eh dieses Heldenmädchen für sie stritt!   3380
Das ganze Volk veracht' ich bis auf eine,
Und diese haben sie verbannt. — Kommt, Fastolf!
Wir wollen ihnen einen zweiten Tag
Bei Crequi und Poitiers bereiten.
Ihr, Königin, bleibt in diesem Turm, bewacht   3385
Die Jungfrau, bis das Treffen sich entschieden;
Ich laß' Euch funfzig Ritter zur Bedeckung.

Fastolf

Was? Sollen wir dem Feind entgegengehn,
Und diese Wütende im Rücken lassen?

Johanna

Erschreckt dich ein gefesselt Weib?

Lionel

      Gib mir   3390
Dein Wort, Johanna, dich nicht zu befreien!

Johanna

Mich zu befreien ist mein einz'ger Wunsch.

Isabeau

Legt ihr dreifache Fesseln an! Mein Leben
Verbürg' ich, daß sie nicht entkommen soll.

Sie wird mit schweren Ketten um den Leib und um die Arme gefesselt

Lionel zur Johanna

Du willst es so! Du zwingst uns! Noch steht's bei dir! 3395
Entsage Frankreich! Trage Englands Fahne,

Und du bist frei, und diese Wütenden,
Die jetzt dein Blut verlangen, dienen dir!

Fastolf dringend

Fort, fort, mein Feldherr!

Johanna

                    Spare deine Worte!
Die Franken rücken an. Verteid'ge dich!   3400

Trompeten ertönen. Lionel eilt fort

Fastolf

Ihr wißt, was Ihr zu tun habt, Königin!
Erklärt das Glück sich gegen uns, seht Ihr,
Daß unsre Völker fliehen —

Isabeau einen Dolch ziehend

                    Sorget nicht!
Sie soll nicht leben, unsern Fall zu sehn.

Fastolf zur Johanna

Du weißt, was dich erwartet. Jetzt erflehe   3405
Glück für die Waffen deines Volks!

Er geht ab

Elfter Auftritt

Isabeau. Johanna. Soldaten

Johanna

                    Das will ich!
Daran soll niemand mich verhindern. — Horch!
Das ist der Kriegsmarsch meines Volks! Wie mutig
Er in das Herz mir schallt und siegverkündend!

Verderben über England!   Sieg den Franken!   3410
Auf, meine Tapfern!   Auf!   Die Jungfrau ist
Euch nah; sie kann nicht vor euch her, wie sonst,
Die Fahne tragen — schwere Bande fesseln sie;
Doch frei aus ihrem Kerker schwingt die Seele
Sich auf den Flügeln eures Kriegsgesangs.   3415

Isabeau zu einem Soldaten

Steig' auf die Warte dort, die nach dem Feld
Hinsieht, und sag' uns, wie die Schlacht sich wendet.

Soldat steigt hinauf

Johanna

Mut, Mut, mein Volk!   Es ist der letzte Kampf!
Den einen Sieg noch, und der Feind liegt nieder!

Isabeau

Was siehst du?

Soldat

      Schon sind sie aneinander.   3420
Ein Wütender auf einem Barberroß,
Im Tigerfell, sprengt vor mit den Gendarmen

Johanna

Das ist Graf Dunois!   Frisch, wackrer Streiter!
Der Sieg ist mit dir!

Soldat

      Der Burgunder greift
Die Brücke an.

Isabeau

      Daß zehen Lanzen ihm   3425
Ins falsche Herz eindrängen, dem Verräter!

Soldat

Lord Fastolf tut ihm mannhaft Widerstand.
Sie sitzen ab, sie kämpfen Mann für Mann,
Des Herzogs Leute und die unsrigen.

Isabeau

Siehst du den Dauphin nicht? Erkennst du nicht   3430
Die königlichen Zeichen?

Soldat

     Alles ist
In Staub vermengt. Ich kann nichts unterscheiden.

Johanna

Hätt' er mein Auge, oder stünd' ich oben,
Das Kleinste nicht entginge meinem Blick!
Das wilde Huhn kann ich im Fluge zählen,   3435
Den Falk erkenn' ich in den höchsten Lüften.

Soldat

Am Graben ist ein fürchterlich Gedräng;
Die Größten, scheint's, die Ersten kämpfen dort.

Isabeau

Schwebt unsre Fahne noch?

Soldat

      Hoch flattert sie.

Johanna

Könnt' ich nur durch der Mauer Ritze schauen,   3440
Mit meinem Blick wollt' ich die Schlacht regieren!

Soldat

Weh mir! was seh' ich! Unser Feldherr ist
Umzingelt!

Isabeau
zuckt den Dolch auf Johanna

Stirb, Unglückliche!

Soldat schnell

Er ist befreit.

Im Rücken faßt der tapfere Fastolf
Den Feind — er bricht in seine dichtsten Scharen.   3445

Isabeau zieht den Dolch zurück

Das sprach dein Engel!

Soldat

Sieg! Sieg! Sie entfliehen!

Isabeau

Wer flieht?

Soldat

Die Franken, die Burgunder fliehn,
Bedeckt mit Flüchtigen ist das Gefilde.

Johanna

Gott! Gott! So sehr wirst du mich nicht verlassen!

Soldat

Ein schwer Verwundeter wird dort geführt.   3450
Viel Volk sprengt ihm zu Hilf', es ist ein Fürst.

Isabeau

Der Unsern einer oder Fränkischen?

Soldat

Sie lösen ihm den Helm; Graf Dunois ist's.

Johanna
greift mit krampfhafter Anstrengung in ihre Ketten

Und ich bin nichts als ein gefesselt Weib!

Soldat

Sieh! Halt! Wer trägt den himmelblauen Mantel, 3455
Verbrämt mit Gold?

Johanna lebhaft

Das ist mein Herr, der König!

Soldat

Sein Roß wird scheu — es überschlägt sich — stürzt —
Er windet schwer arbeitend sich hervor —

Johanna begleitet diese Worte mit leidenschaftlichen Bewegungen

Die Unsern nahen schon in vollem Lauf —
Sie haben ihn erreicht — umringen ihn —   3460

Johanna

O, hat der Himmel keine Engel mehr!

Isabeau hohnlachend

Jetzt ist es Zeit! Jetzt, Retterin, errette!

Johanna
stürzt auf die Knie, mit gewaltsam heftiger Stimme betend

Höre mich, Gott, in meiner höchsten Not!
Hinauf zu dir, in heißem Flehenswunsch,
In deine Himmel send' ich meine Seele.   3465
Du kannst die Fäden eines Spinngewebs
Stark machen wie die Taue eines Schiffs;
Leicht ist es deiner Allmacht, ehrne Bande
In dünnes Spinngewebe zu verwandeln —
Du willst, und diese Ketten fallen ab,   3470
Und diese Turmwand spaltet sich — Du halfst
Dem Simson, da er blind war und gefesselt,
Und seiner stolzen Feinde bittern Spott

Erduldete. — Auf dich vertrauend faßt' er
Die Pfosten seines Kerkers mächtig an,   3475
Und neigte sich und stürzte das Gebäude —

Soldat

Triumph! Triumph!

Isabeau

Was ist's?

Soldat

Der König ist

Gefangen!

Johanna springt auf

So sei Gott mir gnädig!

Sie hat ihre Ketten mit beiden Händen kraftvoll gefaßt und zerrissen. In
demselben Augenblick stürzt sie sich auf den nächststehenden Soldaten,
entreißt ihm sein Schwert und eilt hinaus. Alle sehen ihr mit starrem
Erstaunen nach

Zwölfter Auftritt

Vorige ohne Johanna

Isabeau

nach einer langen Pause

Was war das? Träumte mir? Wo kam sie hin?
Wie brach sie diese zentnerschweren Bande?   3480
Nicht glauben würd' ich's einer ganzen Welt,
Hätt' ich's nicht selbst gesehn mit meinen Augen.

Soldat auf der Warte

Wie? Hat sie Flügel? Hat der Sturmwind sie
Hinabgeführt?

Isabeau

Sprich, ist sie unten?

Soldat

Mitten

Im Kampfe schreitet sie — Ihr Lauf ist schneller   3485
Als mein Gesicht — Jetzt ist sie hier — jetzt dort —
Ich sehe sie zugleich an vielen Orten!
— Sie teilt die Haufen — Alles weicht vor ihr;
Die Franken stehn, sie stellen sich aufs neu'!
— Weh mir! Was seh' ich! Unsre Völker werfen   3490
Die Waffen von sich, unsre Fahnen sinken —

Isabeau

Was? Will sie uns den sichern Sieg entreißen?

Soldat

Grad auf den König dringt sie an — Sie hat ihn
Erreicht — Sie reißt ihn mächtig aus dem Kampf.
— Lord Fastolf stürzt — Der Feldherr ist gefangen.   3495

Isabeau

Ich will nicht weiter hören. Komm herab!

Soldat

Flieht, Königin! Ihr werdet überfallen.
Gewaffnet Volk dringt an den Turm heran.

Er steigt herunter

Isabeau das Schwert ziehend

So fechtet, Memmen!

Dreizehnter Auftritt

La Hire mit Soldaten kommt. Bei seinem Eintritt streckt das
Volk der Königin die Waffen

La Hire naht ihr ehrerbietig

Königin, unterwerft Euch
Der Allmacht — Eure Ritter haben sich   3500
Ergeben, aller Widerstand ist unnütz!
— Nehmt meine Dienste an! Befehlt, wohin
Ihr wollt begleitet sein!

Isabeau

Jedweder Ort
Gilt gleich, wo ich dem Dauphin nicht begegne.

Gibt ihr Schwert ab und folgt ihm mit den Soldaten

Vierzehnter Auftritt

Die Szene verwandelt sich in das Schlachtfeld

Soldaten mit fliegenden Fahnen erfüllen den Hintergrund. Vor ihnen
der König und der Herzog von Burgund; in den Armen beider
Fürsten liegt Johanna, tödlich verwundet, ohne Zeichen des Lebens.
Sie treten langsam vorwärts. Agnes Sorel stürzt herein

Sorel

wirft sich an des Königs Brust

Ihr seid befreit — Ihr lebt — Ich hab' Euch wieder! 3505

König

Ich bin befreit — Ich bin's um diesen Preis!

Zeigt auf Johanna

Sorel

Johanna! Gott! Sie stirbt!

Burgund

          Sie hat geendet!
Seht einen Engel scheiden! Seht, wie sie daliegt,
Schmerzlos und ruhig, wie ein schlafend Kind!
Des Himmels Friede spielt um ihre Züge;   3510
Kein Atem hebt den Busen mehr, doch Leben
Ist noch zu spüren in der warmen Hand.

König

Sie ist dahin — Sie wird nicht mehr erwachen,
Ihr Auge wird das Ird'sche nicht mehr schauen.
Schon schwebt sie droben, ein verklärter Geist,   3515
Sieht unsern Schmerz nicht mehr und unsre Reue.

Sorel

Sie schlägt die Augen auf, sie lebt!

Burgund erstaunt

               Kehrt sie
Uns aus dem Grab zurück? Zwingt sie den Tod?
Sie richtet sich empor! Sie steht!

Johanna
steht ganz aufgerichtet und schaut umher
              Wo bin ich?

Burgund

Bei deinem Volk, Johanna! Bei den Deinen!   3520

König

In deiner Freunde, deines Königs Armen!

Johanna

nachdem sie ihn lange starr angesehen

Nein, ich bin keine Zauberin! Gewiß
Ich bin's nicht.

König

Du bist heilig, wie die Engel;
Doch unser Auge war mit Nacht bedeckt.

Johanna

sieht heiter lächelnd umher

Und ich bin wirklich unter meinem Volk,   3525
Und bin nicht mehr verachtet und verstoßen?
Man flucht mir nicht, man sieht mich gütig an?
— Ja, jetzt erkenn' ich deutlich alles wieder!
Das ist mein König! Das sind Frankreichs Fahnen!
Doch meine Fahne seh' ich nicht — Wo ist sie?   3530
Nicht ohne meine Fahne darf ich kommen;
Von meinem Meister ward sie mir vertraut,
Vor seinem Thron muß ich sie niederlegen;
Ich darf sie zeigen, denn ich trug sie treu.

König

mit abgewandtem Gesicht

Gebt ihr die Fahne!   3535

Man reicht sie ihr. Sie steht ganz frei aufgerichtet, die Fahne in der Hand.
Der Himmel ist von einem rosichten Schein beleuchtet

Johanna

Seht ihr den Regenbogen in der Luft?
Der Himmel öffnet seine goldnen Tore,
Im Chor der Engel steht sie glänzend da,

Sie hält den ew'gen Sohn an ihrer Brust,
Die Arme streckt sie lächelnd mir entgegen.   3540
Wie wird mir — Leichte Wolken heben mich —
Der schwere Panzer wird zum Flügelkleide.
Hinauf — hinauf — die Erde flieht zurück —
Kurz ist der Schmerz, und ewig ist die Freude!

Die Fahne entfällt ihr, sie sinkt tot darauf nieder. — Alle stehen lange in
sprachloser Rührung. — Auf einen leisen Wink des Königs werden alle
Fahnen sanft auf sie niedergelassen, daß sie ganz davon bedeckt wird

NOTES

NOTES

TITLE : Schiller called his play a "romantic" tragedy because of the nature of his theme, and to characterize his treatment of it. The fictions he introduces are even more romantic than the elements derived from history and legend, and the play derives its romantic quality distinctly from the character of these fictions. To specify the points of which this is true would be to go far toward cataloguing the scenes of the drama ; take for example the requirements that are laid upon Joan as the condition of her retaining her power, and the scene of her death. The background is that of chivalry and romance, the figure of the heroine partakes of the miraculous, and the diction of the drama often exhibits a splendor far removed from that cold simplicity which ordinarily attaches to a portrayal of real action.

DRAMATIS PERSONÆ[1]: **1.** *Charles VII*, surnamed "the Well-Served" and "the Victorious," was born at Paris, 1403, and died near Bourges, 1461. At his accession in 1422 he found a rival in Henry VI of England, who claimed the throne by virtue of the treaty of Troyes. The English were masters of the country north of the Loire, including the capital, and in 1428 invested Orleans. But Orleans was delivered in the following year by Joan of Arc ; Charles was crowned at Rheims in 1429, and entered Paris in 1437. He finally regained from the English all France except Calais.

2. *Queen Isabeau.* Isabella of Bavaria was but fifteen years old when she married Charles VI, the father of Charles VII. Without guidance in the midst of a corrupt court, she learned to care only for luxury and pleasure. Her husband became deranged in 1392, and she was charged with the care of the king's person during his imbecility. She used this authority to satisfy her vicious inclinations and her vengeance. Finally she was exiled from court by her son, against

---

[1] Except for the persons mentioned in the following list, Schiller's characters are quite fictitious. In one or two cases their names may have been suggested to him by some historical personage, but they never had other existence in fact so far as we know.

whose life she had plotted with the duke of Burgundy and with the English.

3. *Agnes Sorel* (1409–1450), the favorite mistress of Charles VII. The king, who first saw her when she was about twenty years old, remained faithful to her until her death, and her influence over him was generally beneficial.

4. *Philip the Good*, duke of Burgundy and son of John the Fearless, was born at Dijon in 1396, succeeded his father in 1419, and died at Bruges in 1467. He signed the treaty of Troyes in 1420 as regent of France; was allied with England against Charles VII until 1435; and acquired Holland and other territories.

5. *Count Dunois*, surnamed the "Bastard of Orleans," was born at Paris, 1402, and died in a suburb of that city, 1468. He was a natural son of Louis, duke of Orleans, and celebrated for his military prowess and his gallantries. He defended Orleans in 1428, and conquered Normandy and Guienne from the English. He is introduced in Scott's *Quentin Durward*.

6. Étienne Vignoles *La Hire* (1390–1443) was a French general no less renowned for his savage cruelty than for his fearlessness. With sixteen hundred men, in company with Dunois, he forced the English to raise the siege of Montargis in 1427. Many stories of La Hire are current, a number of which seem to have been invented during the sixteenth century. His daily prayer is said to have been " My lord God, I pray thee to do for La Hire to-day what La Hire would do for thee if thou wert La Hire and he the good God."

7. Tannegui *du Chatel* (about 1369–1449) was a captain in Charles' army, and the reputed murderer of John the Fearless, duke of Burgundy, when in 1419 the latter came to interview the dauphin at the bridge of Montereau. Afterwards he was removed from the person of the king whom he had thus compromised, in order to prepare for the reconciliation with Philip the Good in 1435.

8. Regnault de Chartres was at the same time royal chancellor and *archbishop of Rheims*. The official influence of both these positions he used constantly against Joan of Arc.

9. John *Talbot*, earl of Shrewsbury, an English general born about 1373 and killed at the battle of Castillon, 1453. He was lord lieutenant of Ireland under Henry V, and fought with distinction in France; he was taken prisoner at Patay by Joan of Arc in 1429.

10. Sir John *Fastolf* (1378–1459) was an English soldier who in 1423 became lieutenant of Normandy and governor of Maine and

Anjou. During Lent of 1429, while convoying provisions consisting chiefly of herrings to the English before Orleans, he repulsed an attack of a largely superior French force (" the Battle of the Herrings "), but later in the same year he was defeated with Talbot at Patay. He is supposed by some to be the original of Shakespeare's Sir John Falstaff.

11. Jacques *Darc* (or *d'Arc*) was the real name of Joan's father, who was a peasant proprietor of Domremy. Schiller changes his first name to Thibaut either because of the greater euphony of the latter, or because the J in Jacques is a sound foreign to Germans which many cannot pronounce without trouble, and which might sound queer to an audience if it were correctly spoken.

12. *Joan* of Arc : see Introduction.

PROLOGUE. SCENE I

It was doubtless for artistic rather than for practical reasons that Schiller separated the four scenes of the prologue from the action of the drama proper. He felt, perhaps rightly, that the picture of Joan's rustic origin and environment would scarcely accord with the portrayal of the wider horizon of the ensuing story. Aside from such lack of unity, too, the poet could hardly have begun the first act of his tragedy with Joan, because of the lyric and unstirring nature of his theme. Certain critics believe that Schiller used the device of a prologue in order to disguise the excessive length of his play. Long, however, as the *Jungfrau* is when compared with many other German dramas, its whole content could easily have been brought within the conventional five acts ; the *Maria Stuart* exceeds it in size, as does Lessing's *Nathan der Weise* ; and Goethe's *Torquato Tasso* is almost as extensive.

Heiligenbild : this word, which means literally ' image (picture) of a saint,' refers to a statue of the Virgin Mary. Cf. **1063** where it is called **ein uralt Muttergottesbild.** Such a wayside shrine (**Kapelle**) is often met with in southern Europe.

Eiche : Schiller's reason for changing the beech-tree beneath which Joan loved to sit to an oak is sufficiently explained by **93–108**, where Thibaut speaks of the druid tree.

drei Töchter : Joan had three brothers, all older than she ; her one sister Catherine had died before the time of the action of the play.

Schäfer : the occupation of the suitors, like that of Joan (75), lends the desirable idyllic touch to the scene. This has already been suggested by the words eine ländliche Gegend.

1-4. France's danger, which is the pivotal point of all the outer action of the drama, is alluded to in the very opening words.

5. Engelländer : an extra syllable is sometimes introduced for metrical reasons ; cf. Bohemerweib 171, Ludewig 339, zehenmal 632, etc.

6. sieghaft : the uninflected form of the adj. neut. sg. nom. and acc. is of frequent occurrence in poetry. Cf. gütig 54, nächtlich 83, gespenstisch 104, etc.

9. Dagoberts : Dagobert was king of the Franks 628–638. He founded the abbey of St. Denis and reduced to writing the laws of the barbarian tribes in his kingdom. During his reign the empire of the Franks was extended from the Weser to the Pyrenees and from the western ocean to the frontiers of Bohemia.

10. den Sprößling : i.e. Henry VI of England.

11. Enkel : Charles VII.

14. Vetter : i.e. Philip the Good, the second cousin of Charles. As duke of Burgundy he stood at the head of the six secular peers of France.

15. Rabenmutter : because the ravens are supposed to desert their young. Cf. Job xxxviii, 41 : " Who provideth for the raven his food ? when his young ones cry unto God, they wander for lack of meat." — es : refers to Heer (13).

17. Rauch : the def. art. is regularly omitted with a noun limited by a preceding gen. or poss. Cf. des Feuers Raub 32, des Abenteuers Seltsamkeit 187, etc.

18. die noch friedlich ruhn : just the contrary was true ; cf. Introduction, p. xvi f.

20. weil : = während. Cf. Freut euch des Lebens, weil noch das Lämpchen glüht 'enjoy life while yet you may.'

21. das Weib : generic use of the article. Cf. Der Mensch ist sterblich 'man is mortal'; es lebe die Freiheit 'long live freedom !'

22. des Beschützers : gen. as sole object of bedarf. This construction is on the wane, but may still occur in stately writing : cf. Gedenke des Sabbattages 'remember the sabbath day'; schone meiner 'spare me'; etc.

29. fanden : instead of the more usual gefunden (haben), for the sake of the meter.

36. Acker: a masc. or neut. noun of measure usually stands in the sg., or what appears to be the sg., after a numeral. — **Landes:** partitive gen. instead of the more usual uninflected **Land.**

40. Laß schließen: after **laſſen, fühlen, hören,** and **ſehen** the active inf. often has passive force.

S.D. Arm in Arm: acc. absolute with perf. part.

PROLOGUE   SCENE 2

43. Jeannette: diminutive of **Jeanne** — the only place where the French form of **Johanna** is used by Schiller.

44. ſeh', erfreun: the pres. often takes the place of a fut. to denote confident expectation.

46. Was ſcheltet: **Um was** (or **warum) ſcheltet.**

50. wirbt: for the English perfect, denoting that which has been and still is, German uses the pres. generally with an adv. of time.

53. noch: 'nor'; here a conj. after an implied negation.

55–60. The diction of the *Jungfrau* is loftier in tone than that of any earlier drama of Schiller's, a fact which the material of the play goes far to justify, because it introduces us to the realm of the supernatural. But the poet often fails to allow the characters to speak in the manner demanded by their rôle, and in a few places clearly misses the tone of naturalness. The phrases of these lines sound odd on the lips of a simple peasant, and their imagery is scarcely one which would occur to a father when addressing his own child.

55. in Jugendfülle prangen: 'in all the splendor of your youth.'

57. die Blume deines Leibes: 'the flower of your beauty.'

58–59. Cf. Shakespeare's *Romeo und Julia*, ii, 2:

> Des Sommers warmer Hauch kann dieſe Knoſpe
> Der Liebe wohl zur ſchönen Blum' entfalten.

59. breche: like **reife 60,** a dependent subj. in a **daß** clause, indicating that what is stated is ardently hoped for or confidently expected.

64. in . . . Gefühls: 'in the emotional years of youth.'

68. und . . . Köſtliche: 'and precious things mature but slowly and silently.'

74. Trift: i.e. **Ort wohin getrieben wird.** Cf. **Gift** and **geben; Heft** and **heben; Schrift** and **ſchreiben;** etc.

75. ragend: this word, like **mit edelm Leibe 76,** bespeaks the heroic mold of Joan.

77. The fields in the deep valleys below are **klein** 'dwindling,' not (as some editors curiously suggest) because of the loftiness of Joan's mind, but because of her elevated position above the world.

80. will: the use of wollen with non-personal subjects which can have no will is especially idiomatic; was mir nicht gefallen will 'which doesn't please me at all.' Cf. das will nichts sagen 'that means nothing'; es will ohnehin regnen 'it is bound to rain anyway'; das Buch will studiert sein 'the book requires to be studied.'

83. vor dem Hahnenruf: for at cock-crow all spirits must disappear. Cf. *Hamlet*, i, 1:

> Der Hahn, der als Trompete dient dem Morgen,
> Erweckt mit schmetternder und heller Kehle
> Den Gott des Tages, und auf seine Mahnung,
> Sei's in der See, im Feur, Erd' oder Luft,
> Eilt jeder schweifende und irre Geist
> In sein Revier.

86. dem einsiedlerischen Vogel: i.e. the owl.

87. graulich düstre: when two or more adjectives occur together in verse, inflection is sometimes confined to the last. Graulich has here the form but not the force of an adverb. Such a case must be distinguished from those in which a true adverb occurs.

88. Kreuzweg: this word suggests the supernatural because of its connection with witchcraft and the ritual of Hecate, who was surnamed Trivia because she was worshiped at cross-roads, *in triviis*. Likewise cross-roads were once believed to be haunted, for they were the burial-ground of suicides. Cf. Heine's well-known

> Am Kreuzweg wird begraben,
> Wer selber sich brachte um.

89. Zweisprach: = Zwiegespräch.

93. Druidenbaume: i.e. an oak-tree under which a druid altar is supposed to have stood. The druids were priests who, before the introduction of the Christian religion into western Europe, were soothsayers and often magistrates among the Celtic tribes of Gaul, Britain, and Ireland. Mediæval superstition regarded them as wizards and emissaries of the Evil One.

As a matter of fact Joan's favorite tree was well known in the neighborhood not as the Druid Tree but as the Fairy Tree (*Arbre des fées*). According to the character of the *fées* in old French popular legend, this should have suited Schiller's purpose even better than 'druid'; but the modern literary conception of fairies is of a different sort, and this is what Schiller would expect the spectators in the theater to have in mind. Hence he could, perhaps, not afford to adhere to the original.

96. hat: cf. note to **50.**

115. Reims: Rheims was celebrated as the scene of the coronation of Clovis in the year 496, and as the customary place of coronation of French kings from Philip II (1179) to Charles X (1824). The archbishop of Rheims was the most powerful of the six ecclesiastical peers of France.

116 ff. Cf. the dream of Joseph, Genesis xxxvii.

118. drei weiße Lilien: the *fleur-de-lis* is meant, which has long been the distinctive heraldic bearing of the royal family of France.

124. Warnungstraum: this vision of Thibaut's is a good example of romantic irony — the suggestion of an impending event by indirection. Bellermann well says that Schiller could not ascribe the dream to Johanna, as no slightest imputation of pride must cling to her.

131. A parallel to Wolsey's statement to Cromwell (*Henry VIII*, iii, 1): "I charge thee, fling away ambition: by that sin fell the angels."

144. eigen: = eigentümlich.

145. Supply Reden wir before nichts.

149. As a parallel bit of superstition we remember the "root of hemlock digged i' the dark" of Macbeth's witches.

150. Tränke: (magic) 'potions.'

156. Cf. Matthew iv, 1: Da ward Jesus vom Geiste in die Wüste geführet, auf daß er von dem Teufel versucht würde. — selbst: 'even.'

PROLOGUE   SCENE 3

159. ob: this prep. is now rare and confined to stately diction. It is regularly followed by the dat.

161. was: cf. note to **46** above.

165. Vaucouleurs: a town in the department of Meuse, situated on the river Meuse 26 miles west by south of Nancy, a dozen miles north of Domremy. It was the starting-point of Joan's military career.

167. flücht'ges Volk: fugitives from Orleans could only have reached Vaucouleurs by traveling two hundred miles or more through the enemy's country. Schiller uses his poet's license here, as often

again during the progress of the play, to shape time and distance to
his will.

171. Bohemerweib: i.e. Zigeunerin. The gypsy was so called because the first of that wandering race to enter France were believed
to be Bohemians or Hussites driven from their native country. It is
interesting to note that when Joan came forward it was only about
ten years since the Hussite war broke out, and not long after the
first unquestionable record of gypsies in France. — **mich an:** i.e. auf
mich zu.

172. faßt mich ins Auge: see vocab. under fassen.

173. Gesell: 'my good fellow,' or 'good sir.'

176. Lanzenknechten: corruption of Landsknecht, which means originally Soldat im Dienste des Landes. Popular etymology connects the
first syllable with Lanze 'lance.' 'Take your wares to the soldiers.'

177. des Helmes: gen. object of brauchen instead of the more
usual acc.

185. Supply war after Haupts.

186. wog: from wiegen, not from wägen.

190. in Händen: the def. art. is omitted in certain prepositional
phrases: cf. mir zu Füßen, nach alter Weise, auf Erden, über Nacht, etc.

193. Mein ist der Helm: this phrase finds explanation in **425, 426,**
where she suggests it to be a sign from heaven.

194. Laßt ihr den Willen: 'let her have her way.'

197. Tigerwolf: not 'hyena' as the word suggests, but 'fierce
wolf.' The following incident reminds one of the story of David and
the lion, 1 Samuel xvii, 35, although there was current in Joan's time
the legend that she had once fought with a wolf. Quicherat in a foot-
note to the article "Joan" in the *Biographie universelle* says: " In the
winter of 1420 [note the date] wolves penetrated even to the midst of
Paris to devour the abandoned corpses of the inhabitants " — such
wolves, however, will not fight unless in packs. It may well be that
Joan came upon a wolf when it was preying alone, and that the normal
cowardice of the isolated wolf gave her the victory over an otherwise
dreaded enemy. But no Joan could fight the animal with its pack
behind it. Doughty as this deed is, it is matched if not outstripped
by that of Goethe's Dorothea who single-handed puts to rout einen
Trupp verlaufnen Gesindels. *Hermann und Dorothea*, vi, 108 ff.

203. Welch auch: 'whatever,' 'however . . . a.' Supply habe after
bedeckt: 'may have covered.'

206. jene Flüchtigen: refers to flücht'ges Volk **167.**

208. zwei Schlachten: no such battles had been fought before Joan departed from Domremy, but Schiller probably refers to the two defeats of Crevant and Verneuil with which the war had opened.

210. Note the trisyllabic pronunciation of **Loire** here and in **313**; but dissyllabic (iambic, not trochaic; i.e. Lo-ire, not Loi-re) in **816** and perhaps **871.** Cf. **Burgoyn** trisyllabic in *Maria Stuart.* These analogies, and the others of French words with *oi* in our text, bid us sooner scan **1125** as a solemn line with one foot too many than try to make **Loire** a monosyllable there — even though we have also to count the final **re** as an accented syllable.

212. Orleans: the capital of the department of Loiret. The river Loire, flowing first northward, then westward, protects by its broad sickle of waters this portion of France, and the Loire itself is commanded at its most northerly point by the city of Orleans, which was the military key to all the south of the kingdom. The famous siege of it, commenced by the English Oct. 12 1428, was raised in May of the following year in consequence of the relieving forces under Joan.

214. Geschütz: the use of cannon had not been at all general until a few years before this time. — **von allen Enden:** 'from all corners of the earth.'

215-236. The Homeric tone appears not only in the beginning and end of this passage, but also all through it, e.g. in the epithet **länder-gewaltig, 224,** and in the phrasing of **222, 223.** With the opening lines **(215-219)** cf. *Iliad,* ii, 87-90:

> Wie wenn Scharen der Bienen daherziehn, dichtes Gewimmels,
> Aus dem gehöhleten Fels in beständigem Schwarm sich erneuend;
> Jetzt in Trauben gedrängt umfliegen sie Blumen des Lenzes;
> Andere hier unzählbar entflogen sie, andere dorthin.

This passage Schiller unites with the well-known lines where Homer compares the rush of warriors to the fray with that of *flies* to a milk-pail (*Iliad,* ii, 469; xvi, 641).

The fictitious summing-up of all the lands that owed fealty to Philip of Burgundy is undoubtedly suggested by Homer's long list of ships, *Iliad,* ii, 494 ff. But, while a few especially characteristic words like **herbemelfenden** show that Schiller meant to imitate Homer's catalogue, it does not seem that he did so merely for classicism's sake; he wanted to stir the blood in these lines, he appreciated the value of the catalogue style for this purpose, and he kept within modern limits of length. Such catalogues have been often used in English poetry, even where probably no Greek model had penetrated; cf. the

Anglo-Saxon *Widsith*, with its 143 lines quite as flagrant as Homer's list
of ships, as an early example. While Macaulay in his *Battle of Lake
Regillus* is avowedly imitating Homer, in his *Horatius* he professes
to give the suppositious work of a Roman poet without special Greek
influence, and in his *Armada* he surely is not consciously imitating
the Greek. So too in Scott's catalogues of Border warriors and other
proper names (a feature so characteristic of Scott as to be singled
out for parody in the *Rejected Addresses*) we cannot well assume that
he meant to imitate the Greek. In our own day Walt Whitman
seems to use the device quite spontaneously.

It is not uninteresting to compare with Schiller's effective use of
the catalogue style Goethe's rather mechanical employment of it in
Hermann und Dorothea where the hero harnesses the stallions (v, 132–
141), or where the apothecary repeats the description of Dorothea's
costume (vi, 136–143).

222–223. und . . . Lager : 'and the camp is filled with the dull
confused hum of an unintelligible mixture of languages.'

224. Länder= Gewaltige : a similar poetic license in dividing compounds occurs in **247 Mauern= Zertrümmerer**; cf. also **736** and **989**.

225. Mannen : Mann has four plurals — Männer 'men,' Mannen
'vassals,' Mann 'men,' an older pl. retained after numerals (10,000
Mann), and Leute 'people.'

228. die : i.e. diejenigen, welche.

234. Die . . . schaun : 'whose coast faces the north.' Cf. Cæsar
De Bello Gallico, i, 1 : *spectant in septentrionem*.

237–238. These lines seem a reminiscence of *1 Henry VI*, iii, 3,
50–55. — **Zwists :** after an interj. the gen. is sometimes used to denote
the occasion of the feeling ; this usage is becoming rare even in
poetry.

246. Jesabel : cf. 2 Kings ix, 30 ff. The fact on which Schiller's
parallel rests is the historical identity of the modern name Isabel
with the Biblical Jezebel.

247. Salisbury : Thomas Montagu, earl of Salisbury, was commander-in-chief of the English army which began the siege of Orleans
in October 1428. He was killed by a chance cannon-shot soon after.
Cf. **1195–1197.**

254. was : 'whoever.' Cf. alles 'everybody,' das 'they,' jedes
'everybody.'

258. zählt : from *1 Henry VI*, i, 4, 60. — den schnellen Wandrer :
'the hurrying passers-by.'

261. königliche : 'majestic,' 'imposing.'

262. Notre Dame : no church of this name was in Orleans. It is thought by some that Schiller confused an English fort of this name with a cathedral, but it is more likely that he used an appellation which would suggest most broadly a church.

266. entzünde : cf. note to **59**.

267. Degen : formally identical with another word meaning at first, 'dagger,' afterward 'sword' (cf. **1699**); but without doubt of separate etymology — Eng. cognate *thane*.

268. Saintrailles : Jean Poton de Saintrailles or Xaintrailles, a captain in the army of Charles VII. He took Talbot prisoner at Patay.

269. Bastard : i.e. Dunois. The term is not to be thought of as opprobrious.

273. Chinon : a town of Touraine, on the river Vienne 26 miles southwest of Tours. It was in the great hall of the royal castle there that Charles first saw Joan.

276. bleiche Furcht : cf. *Iliad*, vii, 479 : da faßte sie bleiches Entsetzen.

282. Franke : i.e. Franzose.

285. hab' : subj. of indirect discourse.

286. zieh' . . . zu : see vocab. under zuziehen.

287. Baudricour : it was Sieur Robert de Baudricour, captain of the garrison at Vaucouleurs, who sent Joan to the king under escort of six men-at-arms in February 1429.

288. Kundschaft : i.e. Kundschafter.

289. seinen Fersen : for the more usual ihm auf den Fersen.

290. hält : = hält . . . an.

296. zu Vaucouleurs : it was of course from Orleans and not from the vicinity of Domremy that a messenger was sped to Paris to negotiate with Philip of Burgundy (cf. **1278**). Schiller's purpose in bringing the act nearer Joan's present environment is clear enough ; he wished merely to heighten the interest of the play.

298. tragen : vivid pres. for fut.

305–306. Biblical diction ; cf. Joel iii, 18 and Rev. xiv, 15.

306. die Jungfrau : refers to Joan, and not, as some believe, to the Virgin Mary. It is true that Sichel (= Mondsichel) may mean crescent moon as well as sickle, and in its first meaning is often used as a symbol of the Virgin ; but the application of the word in its literal significance is too direct to call for such mystification. We know that there was current at this time a prophecy that a maiden would save France.

310–313. As a matter of fact it took months to fulfil the letter of what these lines suggest.

320. hunderthändigen: cf. *Iliad*, i, 402.

321. Tempelschänder: popular belief ascribed Salisbury's sudden death to divine punishment for his profanation and plundering of sacred edifices.

328. die Dirn': used to-day (like Eng. *wench*) with derogatory sense.

336. Repeat the soll of **332** before **tragen.**

337. Hier . . . Macht: Orleans was unsuccessfully besieged by Attila, king of the Huns, in the year 451. Shortly afterward Aetius defeated him in the battle of Châlons. The paynim was again turned back from France in 732 when Charles Martel overcame the Saracens between Poitiers and Tours.

339. Ludewig: St. Louis, Louis IX of France, leader of the last two crusades.

340. ward Jerusalem erobert: during the first crusade, in 1099. The French were leaders in the crusade under Geoffrey of Bouillon.

346. der nie stirbt: for when one member of the royal line is dead another is that moment king; cf. the phrase which acclaims a new sovereign, *le roi est mort, vive le roi!*

347. heil'gen: the plow is 'sacred' in that it symbolizes the cultivation of the fields, from which a country derives prosperity and peace.

350. The rise of the cities into prominence and power was due partly to their own increasing importance and wealth, partly to royal favor which granted them charters and self-government in order to use them as a check against the avarice and treason of the nobles.

359. Cf. 1 Kings x, 18 ff., where Solomon's golden throne is described. The lions were symbols of royal power.

364–365. tönen, Söhnen: such rhymed couplets occur now and then throughout the play, either to mark the end of a scene or to lend point to more emotional utterance. Cf. **78–79**; **265–266**; **375–382**; **1134–1135**; etc. Rhymes also occur at intervals within speeches: **1102–1104**; **1108–1110** etc. The lyrical cast of many passages of the drama is thus accentuated.

370. zum König: after verbs of making, giving, appointing, choosing (machen, geben, wählen, ernennen), what would be in English the second or factitive object is usually put in the dat. with zu.

373. ſich die Kron' auffetzt : 'gets himself the crown.' For two and a half centuries there had been no French sovereign who was not crowned by the archbishop of Rheims.

375. das Nächſte : see vocab.

379. brenne : like zerſtampfe **380**, a concessive subjunctive. This is a special variety of the imperative subj., which concedes a proposition to get a basis for some further statement ; 'even should the fire burn.'

PROLOGUE SCENE 4

The essentially lyric tone of the monologue which comprises this scene serves Schiller a double purpose. First, it obviates a number of subordinate chapters which would otherwise be required to show us how Joan prepared for her departure ; second, it breathes the renunciation and missionary purpose of the maiden in a way that no other presentation, no matter how skillfully contrived, could possibly do. We catch something of the fine resolve of Johanna, she holds our spirit captive, and we thus fail to realize the gap which actually exists between the prologue and the drama proper. Lyric language, little suited to a drama of action though it may often be, still serves like music to bind together different phases of life-expression, by showing us the common bases underlying all of them. Johanna throughout is passionately devoted to God and country in whatever form they may appear to her — and how may this be more clearly brought out than in operatic monologue ?

383. geliebten : with personal pronouns the rule is weak inflection of the adj. except after the nom. and acc. sg.; but strong forms occur after mir, dir, ihm, and also after uns and euch when acc.

387. die ich wäſſerte : 'which I made to flourish.' Johanna could not have watered the broad meadow-lands adequately, but she may have brought water to them through irrigation.

395. Heiden : in Old German weak feminines took the ending –(e)n in the gen., dat., and acc. sg. The inflection is now obsolete except in auf Erden (cf. **408**), but is common in the classics as a poetic license. Cf. Sonnen **1108**.

397. eine andre Herde : i.e. the army of Charles VII.

401. Moſen : dat. of Moſes. The reference is to the story in Exodus iii, 1 ff.

404. den Knaben Iſais : 'Jesse's youthful son,' David. Cf. 1 Samuel xvi, 11–12.

405. Supply ḥat after **auserſeḥen.** The tense is varied for metrical reasons.

407. There is no contradiction here of the call which Johanna ascribed to the Virgin Mary. It was after the third mandate of the latter that the shepherdess overcame her irresolution, and then the voice of the Spirit spoke to her from the tree.

412. Mediæval asceticism demanded the foregoing of earthly love and joy on the part of those who would devote themselves to the service of heaven; and Shakespeare makes Joan assert this of herself, *1 Henry VI*, i, 2, 113–114. Schiller often reverts to Johanna's enforced spinsterhood, for it is the essence of the tragic conflict of the play that the woman must suffer for the prophetess.

413. **Locke :** not a poetic collective for the more usual **Locken,** but pl. to the form **der Lock.**

419. **Oriflamme :** the banner of St. Denis, supposed to have been a plain red *gonfalon* — i.e. a banderole of two or three points attached to a lance. It was carried before the king of France as a consecrated flag and as the special royal ensign.

422. **Umwälzen . . . Rad :** 'thou shalt reverse the wheel of his fortune,' so that the part of it which is now on top will be underneath.

427. **ſein Eiſen :** 'its steel,' i.e. the helmet's.

432. **ſteigt :** i.e. bäumt ſich, 'rears,' 'prances.'

SUMMARY

[B] The very first line of the Prologue makes clear to us France's danger, which is the pivot of all the external action of the drama. And later, especially in the third scene, we gain a vivid picture of the hopeless condition of the kingdom, as we listen to the narration of many facts in detail : the king's army has been beaten in two great battles, Paris is in the hands of the enemy, Orleans is under siege, fear has taken possession of the soldiers, and Charles is unable to put another army into the field. But most important of all is the heroine herself, who appears to us in the circle of her kinspeople. The honest father Thibaut would give his daughters in marriage to their suitors, for the times are tempestuous and a woman has double need of protection, but Johanna remains firm in her refusal of Raimond. Sincere affection binds her to her sisters, yet we see that Johanna is a being apart, and we suspect that some great thought must fill the soul of this silent and dreamy maiden so to estrange her from her environment. The riddle is soon solved, however, for Bertrand comes back from town bearing a helmet in his hands. Scarcely does Johanna behold it when she shows the first sign of lively interest that has escaped her. She wrests it from Bertrand's clasp without noting her father's protest; she listens intently to the news of the vast hostile army threatening Orleans, the second most important city in the realm. Her animated questions regarding the sole knight who still thinks of resistance betoken that there is forming within her a clear mental picture of the way in which she is to enter the action.

When Bertrand tells of the dire distress which reigns in Orleans she is seized with warlike spirit and sets the helmet on her head ; but when he speaks of the complete despondency of all, and of the intended surrender of the town to Burgundy, she pours out her soul in flaming words which rush on as if carried on the wings of the tempest and finally make clear her utter belief in her divine mission (302–313).

The peasants are astonished at the spirit which has taken hold of the maiden, but depart without remotely guessing at her purpose, and in a valedictory monologue Johanna again enunciates her conviction that her call is of God. The glorious promise, however, that she is to deliver France and crown her king, is conditioned by the fact that she must renounce her woman's birthright, the joys of love and maternity. Thus the groundwork of the action is presented to us in the Prologue, and we learn to know important levers of the later development of the drama in the gloomy distrust of the parent who regards his own child as a sorceress, and in the faithful and unselfish affection of Raimond.

Act I Scenes 1–2

Chinon : cf. note to **273**.

436. das tapfere Herz : despite the fact that Dunois' heart was 'stout,' it bled.

437. in . . . teilen : see vocab. under teilen. More usual is the phrase unter sich etwas teilen.

440. rost'gen : the keys to the town-gates are rusty from lack of use.

443. Orleans bedroht : i.e. daß Orleans bedroht sei.

449. der Sorel : the def. art. is ordinarily omitted before proper names unless the latter are preceded by an adjective, but a familiar der often stands before the names of friends, neighbors, acquaintances. So also der is used before the names of well-known historical

and fictitious characters, especially with the oblique cases ; and sometimes, as here, to give a shading of contempt.

450. waltete : pret. subj. in an unreal condition.

451. der Konnetabel : Arthur de Richemont, High Constable of
France and as such commander-in-chief of the king's military forces
(cf. Kronfeldherr **1139**), brother of the duke of Brittany and brother-
in-law of the duke of Burgundy.

452. ihn : i.e. den König.

455. sein Schwert : the badge of his office.

456. in Gottes Namen : 'so be it, then!'

458. meistern : not 'master,' in the sense of 'conquer,' but schul=
meistern ; see vocab.

459. in so teurer Zeit : 'in such times of scarcity.'

466. wo : temporal ; 'when.' — zu holen : 'to be got.'

470. René : in the first edition of the play there was a note by
Schiller which read : "René the Good, count of Provence, of the house
of Anjou ; his father and brother were kings of Naples, and after the
latter's death he too instituted a claim to this kingdom, but the undertaking failed. He sought to reëstablish the old Provençal poetry
and the Courts of Love, and he named a Prince of Love who was the
highest arbiter in matters of gallantry and love. In a similar romantic mood did he and his spouse become shepherds." René was not
really old at this time, as Schiller pretends, for he was born in 1409.
Shakespeare keeps René on hand in connection with Joan, but Schiller
evidently felt that this was not presenting René in his true light.

474. aus deinem Munde schüttelst : figure borrowed from a well-
known fairy tale, found in Grimm, of the maiden whose mouth
dropped a jewel with every word she spoke, and the other whose
mouth dropped a toad or snake. The thought is, Gold chains are not
so plentiful that they fall from the lips as easily as mere words.

476. dürfen nicht : 'must not be permitted to.'

478. den dürren Zepter blühn : cf. Numbers xvii, 8 for the story
of Aaron's rod. Cf. also the legend of Tannhäuser's staff : Pope
Urban tells the penitent poet who is seeking absolution that as little
as the staff can grow green, so little can Tannhäuser have of God's
mercy. The poet departs in despair, and on the third day the staff
begins to bud.

479. den . . . Lebens : the evergreen laurel is the symbol of successful poetic inspiration, because it was anciently sacred to Apollo.
In a poem Schiller sings Ewig ist nur die Phantasie jung.

483. nicht im Raume: 'not in space,' i.e. it has no existence in fact. They build castles in Spain. Cf. James Russell Lowell's "The Singing Leaves":

> But in the land
> That is neither on earth or sea,
> My lute and I are lords of more
> Than thrice this kingdom's fee.

498. Lombarden: the Lombards, dwellers in the cities of northern Italy, were the money-lenders during the Middle Ages. See Century Dictionary under *Lombard* and *Lombard Street*. Cf. also Der (das) Lombard = Leihhaus.

509. nur: sometimes used to give an elliptical negative an optative sense.

516. Doch . . . will: 'but [if you ask me] what great and royal plans he has,' — in contrast to this toying. (Nichols.)

518. Minne: the mediæval word for chivalric love, connected etymologically with Eng. *mind* and Lat. *memini* 'remember.' Cf. Minnedienst, Minnelied, Minnesänger. The word was revived in the latter half of the eighteenth century when fresh interest was felt in the study of the older German poetry.

519. Ritter: gen. modifying Heldenherzen.

520. zu Gerichte saßen: see vocab. under Gericht.

524. wie . . . Wolken: cf. Shelley's "a city such as vision builds in the . . . battlemented cloud."

526. Liebeshof: Courts of Love were instituted in mediæval Provence during fêtes at the houses of the nobles, and these mock tribunals, which were presided over by beautiful women, decided vexed questions of etiquette and courtship. We find frequent allusion to these *cours d'amour* in the poetry of the troubadours.

527. wallen: i.e. wallfahrten.

530. Fürst: instead of Fürsten for the sake of the meter.

533. nenne mich nach ihr: 'am named for her'; i.e. Liebeskind 'love-child,' referring to his origin.

540. jenen alten Büchern: i.e. the romances of chivalry. The Breton cycle of Arthur and the Round Table was familiar to every educated Frenchman since the illustrious mediæval poet Chrétien de Troyes had sung of them.

544. Cf. the well-known proverbs "Faint heart never won fair lady" and "None but the brave deserves the fair."

549. und hast du: i.e. und nachdem du hast.

552. Myrten: the myrtle was anciently sacred to Venus, and its leaves formed wreaths for bloodless victors ; it is used in modern times for bridal wreaths.

555. der selber hilflos ist: if the antecedent of a relative be repeated after it, the verb takes the person of the antecedent : der ich selber bin. But if the pers. pron. is not repeated the verb stands in the third person. Cf. **391** and **1427.**

Act I   Scenes 3-4

568. Rochepierre: a fictitious name suggestive in make-up : *roche* ' rock,' *pierre* ' stone.' The real commandant at this time was Goncourt.

573. erschien: in poetry the pret. indic. may take the place of the unreal pluperf. subj. in either the condition or the conclusion, to denote strong assurance or to make the narrative more graphic.

583. In fact, Xaintrailles outlived Charles VII.

585-586. A just judgment of Xaintrailles's value, especially to a king so unable to make war on his own account. Xaintrailles, La Hire's favorite companion in arms, was not only unsurpassed in ability as a leader and in personal prowess in the clash of weapons, — it was a feather in the cap of any Englishman to have met Xaintrailles in battle and successfully exchanged blows with him ; few suits of armor were proof against his ax, — but he had also the admirable gift of being able to raise an army and continue his king's war at a time when the king himself had so thoroughly given it up as to have made peace and forbidden Xaintrailles to fight any more. He could support an army by plunder without the help of the king's empty treasury or even the king's permission or moral countenance.

587. Douglas: Archibald Douglas, fourth earl of that name, had commanded a Scottish army sent to the support of the French against the English in 1423, and in the same year had been created duke of Touraine by Charles VII. He was killed at the battle of Verneuil in 1424.

589. heut noch: ' this very day.'

596. Plutarch relates that Pompey once boasted in the Roman senate that he had but to stamp his foot to fill Italy with troops.

598-599. An echo of *Julius Cæsar*, iv, 3, 72 (" coin my heart ") and iv, 3, 100-103, and especially of *Timon of Athens*, iii, 4, 91-100. *Timon of Athens*, Shakespeare's drama of an empty treasury suddenly assailed by urgent demands, may have suggested other passages in this act, e.g. **491-492** (*Timon*, ii, 2, 150).

598. Stücken : acc. of an aberrant weak pl. of Stück.

609. Schmelzt mein Silber ein : historically, Agnes Sorel had not yet come to Charles' court. It was his wife, Marie of Anjou, who furnished aid to Joan by selling her personal effects.

610. Leihet : curiously enough, this verb means both 'lend' and 'borrow' ; similar confusions in language are frequent. In his *Minna von Barnhelm* Lessing uses Schuldner for both 'creditor' and 'debtor.' Cf. the Eng. vulgarism *learn* in the sense of *teach* ; "drop *up* and see me," etc.

613. verloren : through the omission of auxiliary and subject the perf. part. often has imperative force. Other substitutes for the imperative are the infinitive (brusque command) ; the indicative (mild injunction) either pres. or fut. ; lassen with refl. pron. and inf. instead of the regular passive imperative.

616. edel wie ich selbst : a departure from fact. Agnes had been brought up with Isabelle, the wife of René of Anjou, but was not of noble birth.

618. Valois : the dynasty to which Charles belonged ; a branch of the Capetian family ; reigned 1328–1589.

620. Nowhere in the play does Schiller refer to Queen Marie — the inference being that Charles is a bachelor. Indeed, this is positively implied by **1967–1969**, which, if there were a queen, would amount to expressing in the king's presence a wish for the queen's death. The action is thus simplified and a romantic touch added to the relationship existing between the king and Agnes. The poet, it is true, fails to motivate sufficiently this lady's failure to marry the king. She is avowedly of purest blood, unusually wealthy, beautiful beyond compare, and wholly devoted to his interests ; and yet nur seine Liebe will sie heißen.

629. Danaiden : in Greek legend the Danaïdes were the fifty daughters of Danaus, by whose command they slew their husbands. According to later writers, they were condemned in Hades to pour water into sieves.

634–635. She had sacrificed for him her good name.

636. Glück : Reichtum und Besitz (cf. **625**).

642. nach deiner Krone : 'for your crown' ; i.e. to insure your coronation.

647. Pfühl : Ruhekissen ; an archaic word.

653. Clermont : this name was presumably chosen by Schiller in remembrance of the fact that here was proclaimed the first crusade.

664. Lords von England: i.e. the dukes of Bedford and Gloucester. Cf. Introduction, p. xiv.

668. ob: 'to see if.' — **Pair:** cf. note to **14**.

Act I Scene 5

680. könne: subj. of indirect discourse.

682. Cf. p. 192, Dramatis Personæ 7.

687. Montereau: a town situated at the junction of the rivers Yonne and Seine, 51 miles southeast of Paris. — **allwo:** poetic for wo.

688. Ich ... Handschuh: as a challenge to a duel.

689. deiner Hoheit dich begeben: 'waive your superiority in rank.' According to unwritten law the principals in a duel should be of equal station.

691. tät's ihm not: see vocab. under Not.

692. Cf. *1 Henry VI*, iii, 2, 63. The saying is here transferred from Joan to her enemies, in the same way as Schiller has elsewhere carried over from the one side to the other some of the things in which Shakespeare has given expression to his anti-Joan partisanship.

693. lüstete: = gelüstete; supply the subject es.

695. willens: such a predicate gen. is not uncommon with sein; cf. des Todes sein **1529, 1580**.

697. Parlamente: the Parliament of Paris was the chief tribunal of justice of the French monarchy, a sort of supreme court. It had its origin in the king's council, and at first was always near the person of the king; but from about 1300 it remained in Paris and was constituted in three divisions — the high court, the court of petition, and the court of investigation. Its abolition was a part of the general reorganization of France in 1790.

702. herrgewordnen Bürgers: i.e. Bürgers, der zum Herrn geworden ist.

705. Henry VI was crowned king of France at Paris Dec. 16 1431, long months after the death of Joan. Schiller's story of the scene is untrue to fact.

706. Saint Denis: a suburb of Paris two or three miles north of the fortifications, situated on the rivers Seine and Cloud. Its abbey-church is the historic burial-place of the kings of France.

715. Harry Lancaster: i.e. Henry VI.

717. Sankt Ludwigs: cf. note to **339**. — **Öhme:** Öhm is a rare form of Ohm, the contracted spelling of Oheim (= Onkel).

720. den Eid: the oath of fealty which was required of Burgundy as a vassal of the crown.

722. Das Kind: when used in the predicate, bang usually has the impersonal construction with the dat.

731. Banden: pl. of Bande and not to be confused with Banden **2273**.

735. den kranken Stamm: the house of Valois. — **reinem Zweig:** the scion of the house of Lancaster, Henry VI.

736. mißgebornen: cf. note to **224**.

738. Megäre: in Greek mythology Megaera ('the jealous') was one of the Eumenides (Furies; Erinyes), female divinities of horrid mien, tireless in pursuit of their victim.

745. er wird menschlich sein: Philip the Good did remove his soldiers from before Orleans at the earnest prayer of the besieged.

749. harte: unhistorical; the greatest strength of the English in northern France at this time was the fact that they were governing better than the native rulers.

750. ein edler Stein: i.e. Edelstein; Schiller often thus separates a compound word into its parts; cf. die äußern Werke for Außenwerke **562**.

754. geschehn: 'has been given.' Idiomatic use of geschehen where we would expect a passive form of tun or machen. Dunois does not mean that no blow has yet been struck (cf. **565**), but the king has been indolent and given no assistance.

760. wird: the use of wird instead of ist denotes an activity instead of a state or condition; '*is being* defeated.'

763. die: diejenigen, welche, as so often: cf. **228, 401**, etc.

766. As Chinon is south of the river Loire, this statement is geographically inaccurate. Other similar inconsistencies occur in **2271** and **2382**. Schiller, like Shakespeare, did not scruple to mold both geography and history to his purpose in matters where he could count upon the ignorance of his audience.

769. Das wolle Gott nicht: 'Heaven forfend.'

779. Lastertaten: cf. note to Dramatis Personæ 2, and line **15**.

780. die Furien: cf. note to **738**.

781. Wahnsinn: this word is probably not connected with Wahn 'illusion' **802** (Eng. *ween*) but with the cognate of Eng. *wane, want*. — **zwanzig Jahre:** as a matter of fact the insanity lasted thirty years (1392–1422), but the son perhaps wished to nullify the charge of hereditary insanity.

782. brei ältre Brüber : Charles who died in 1401, Louis in 1415, John in 1416.

784. Karls : modern usage would leave Karl uninflected.

790–795. She is made to prophesy what actually took place.

807. Supply wirb before erwachen.

808. beibe Völfer : the French and the English.

816. ftyg'fche : in Greek mythology the Styx was a mighty river, the tenth part of the water of Oceanus, flowing in the lower world. Once passed, it might never be recrossed. Should Charles go south of the Loire, Sorel believes he may lose forever the lands north of it.

822–824. An allusion to the judgment of Solomon; cf. 1 Kings iii, 16 ff. Charles argues that just as the unnatural woman who would let the babe be slain proved she was not its mother, so he would fail in real paternal affection for his country if he should permit the devastation of it to continue.

827. Schlechtfte : see vocab. — **Gut unb Blut :** such rhyming phrases are especially common in German ; Sang unb Klang, Rat unb Tat, Schutz unb Trutz, weit unb breit, gehn unb stehn, etc. Closely allied with them are alliterative expressions like Winb unb Wetter, Kinb unb Kegel, Stock unb Stein, Mann unb Maus, Leib unb Leben, etc. Cf. Pfanb unb Lanb **501,** Wehr unb Waffen **975,** Not unb Tob **1814 ;** ftählern, fteinern **180–181.**

828. The omission of feine before Liebe is unusual (cf. the omission of eine before Fahne **1076**) ; such a construction would not be permissible in prose diction.

829. Partei wirb alles : see vocab. under Partei.

839. Götter ober Götzen : ' true or false gods ' ; i.e. the objects of his devotion, whether right or wrong.

846. anbers : to be read with both weiß es nicht and will's nicht ; ' knows and wishes nothing else. '

850. fehre : optative subjunctive.

852. Supply ben Rücken gefehrt haft after Reich.

857. unfriegerifch gezeugt : possibly a reminiscence of Homer (*Iliad*, xiii, 777) : auch mich ja gebar nicht ganz unfriegrifch bie Mutter !

ACT I   SCENES 6–8

891. mit Freuden : in the older language abstracts formed a pl. more freely than now — survivals of this usage are the familiar zu Dienften, zugunften, zufchulben, vonnöten, in Ehren, von Gottes Gnaben, vonſtatten. The phrase mit Freuden may however be explained as a dat. sg., cf. note to **395**.

901. mit dem Rücken ſchauen : i.e. den Rücken kehren **851–852**.

902. rette : an unreal subj. in the condition may be followed by an indic. in the conclusion to denote strong assurance. Cf. Und wohnt' er droben auf dem Eispalaſt . . . ich mache mir Bahn zu ihm. Cf. note to **573**.

904. Es . . . ſein : ironical. " It won't take long," says Du Chatel, " for there's nothing much to move." Cf. **495–496**.

910. die Geſänge : it was in southern France (Provence) that the troubadours sang their love-songs. Cf. note to **526**.

915. Wiege : i.e. the place where his ' cradle' stood ; ' birthplace.'

918. ihn : i.e. Dunois. Cf. **874**.

932. gleich : = ſogleich ' immediately.'

ACT I   SCENE 9

938. Distinguish between ſtellt ihn vor den König and ſtellt ihn dem König vor ' introduces him to the king.'

939. Fähnlein : this, like Fahne **286**, means originally ' flag,' ' standard,' and then those who are grouped about it.

940. ſtoßen : a technical use of the word ; see vocab.

943. Vermanton : a Burgundian town some seventy miles east of Orleans.

944. Yonne : this river rises near the eastern border of Nièvre, flows northwest, and joins the Seine at Montereau ; 171 miles in length. Although the orthodox stage pronunciation of Yonne (according to Siebs) is ion'ne, Schiller seems to have pronounced it ion'.

947. Umrungen : formed as if from ringen ' struggle' which belongs to the strong conjugation, instead of from ringen ' curl' which is weak. The modern form is umringt. — von beiden Heeren : i.e. the one before and the one behind.

949. alles : cf. **1538** and note to **254**.

950. will ſchon : vivid pres. : ' all were on the point of.'

958. dunkeln Ringen : Joan was rather below the average height of woman, with peasant face and black hair, but of sturdy build — if we are to believe the testimony of a contemporary, Philip of Bergamo.

961. Was : cf. note to **46** ; was usually marks a sharper query than warum or weshalb.

962. fein: shorter form of feiner, gen. of er, after **mehr. — denn:** little used nowadays after a comparative except to avoid an awkward repetition of als. Schiller used it here, doubtless, to avoid the cacophony of als des Sands.

963. Jungfrau: not Johanna, but the Virgin.

965. Zuge: 'column,' i.e. 'company' or 'troops.'

967. felbft nicht wollend: 'involuntarily'; lit. 'even not willing.'

970. Der: 'he,' i.e. der Feind.

976. Gefilde: used poetically for Schlachtfelde, Kampfplatze.

983. die nicht gerechnet: 'without counting those.'

992. Ihr: 'her'; dat. after glaubt.

999. in dem Laufe der Natur: 'in the natural course of things.'

1002–1005. Cf. *1 Henry VI*, i, 2:

> Doch ihre Kunst zu prüfen,
> Reignier, nimm du als Dauphin meinen Platz,
> Befrag' sie stolz, laß streng die Blicke sein:
> So spähn wir aus, was sie für Kunst besitzt.

Act I Scene 10

1006–1009. Cf. *1 Henry VI*, i, 2:

Reignier. Bist du's, die Wunder tun will, schönes Mädchen?
Pucelle. Reignier, bist du's, der mich zu täuschen denkt?
  Wo ist der Dauphin? — Komm hervor von hinten:
  Ich kenne dich, wiewohl ich nie dich sah.

S.D. **mit Klarheit und Hoheit:** 'with a clear-eyed and dignified look.'

1007. Gott versuchen: Dunois is in a certain sense tempting God by acting a lie. As Johanna's diction throughout the play is biblical in coloring, it does not seem necessary to refer this phrase (as certain editors do) to the temptation of Christ, Matthew iv, 7, and to read in the heroine's words an allusion to her divine claims as a messenger of His. If a specific Biblical precedent is to be sought, Acts v, 9 is a likelier one, despite the difference in the divine name.

1011. von wannen: = woher, just as von dannen is used poetically for daher. — **Wissenschaft:** almost exclusively used to-day in the meaning of 'science'; die exakten Wissenschaften 'the exact sciences.' Here it is a synonym for Kunde, Kenntnis.

1012 ff.: borrowed from John i, 48 and from the customary explanation of that text, which is ordinarily understood to refer to a time when Nathanael was at prayer.

1013. jüngstverwichner: lit. 'recently passed,' i.e. 'last.' Cf. das jüngste Gericht 'the last judgment.'

1016. tatst: 'uttered.' Tun is capable of various meanings, depending upon the object of the action. Cf. einen Schluck tun 'take a swallow'; einen Schrei tun 'give a shriek'; einen Seufzer tun 'heave a sigh'; einen Gang tun 'execute a commission'; eine Frage tun 'put a question'; einen Sprung tun 'make a spring'; einen Fall tun 'get a fall'; etc.

1017–1041. According to Quicherat, Joan's authentication of her claims by telling the king a secret of his which she later refused to impart to her judges is a historic fact. This biographer says that her knowledge of the king's secret, her discovery of the buried sword at Fierbois (**1145–1155**), and her absolute foreknowledge of the arrow wound she was to receive at Orleans (an episode not used by Schiller; **1517–1523**) "rest on bases of evidence so solid that we cannot reject them without rejecting the very foundation of the history. I have no conclusion to draw. Whether science can find her account in the facts or not, the visions must be admitted, and the strange spiritual perceptions that issued from the visions. These peculiarities in the life of Joan seem to pass beyond the circle of human power." He who wishes a summing up of the various views regarding the historic Joan may most conveniently turn to the recent book of Murray, *Jeanne d'Arc* (McClure, Phillips & Co.), which contains a translation of the Quicherat documents cited on page x above; to Anatole France's *Vie de Jeanne d'Arc* (English translation in collected works of France, New York, John Lane, 2 vols.); and to Andrew Lang's *The Maid of France*, New York, Longmans, Green & Co.

1017. Laß die hinausgehn: 'send them away,' with a gesture towards the knights and councilors grouped about the throne.

1023. Dauphin: title given the heir apparent, derived from the province of Dauphiné, which was sold to France in 1249 on condition that the name be worn by the lineal male descendant of the crown.

1025. wenn . . . hafte: 'if your claim to the crown were unlawful.' There was room for a suspicion that the Dauphin was not the son of Charles VI. The evil life of Queen Isabeau had given currency to such a rumor. Schiller here models his king on Shakespeare's Henry V, combining most probably *Henry V*, i, 2, 13–28, with iv, 1, 309–311.

1026. eine andere: i.e. irgendeine andere. Charles had no particular act of guilt in mind.

1029–1031. These two object-clauses depend on fleheſt an of **1024.** — auszugießen ... Zorns : cf. Revelation xvi, 1 : Gehet hin und gießet aus die Schalen des Zorns Gottes auf die Erde !

1040. des Freundes Herz : generic use of the def. art.

1045–1046. An approximation to the recurrent Homeric formula which Voss in his translation renders Wer, und woher der Männer ? wo hauſeſt du ? wo die Erzeuger ? or Wer, wes Volkes biſt du, und wo iſt deine Geburtsſtadt ? But Homer furnishes no source that I remember for the word gottgeliebten, in which there is apparently a reflection of such gospel texts as Luke i, 28, 42 ; xi, 27. Schiller introduces Johanna here and elsewhere in the context with attributes taken out of the gospel records regarding the Savior.

1047 ff. With this long speech of Schiller's Johanna compare that of Shakespeare's Pucelle — *1 Henry VI*, i, 2 :

> Dauphin, ich bin die Tochter eines Schäfers,
> Mein Wiß in keiner Art von Kunſt geübt.
> Doch Gott gefiel's und unſrer lieben Frau
> Auf meinen niedern Stand ihr Licht zu ſtrahlen.
> Sieh, da ich meine zarten Lämmer hüte,
> Und biete dürrem Sonnenbrand die Wangen,
> Geruht mir Gottes Mutter zu erſcheinen,
> Und heißt durch ein Geſicht voll Majeſtät
> Mich meinen knechtiſchen Beruf verlaſſen,
> Mein Vaterland vom Drangſal zu befrein.
> Sie ſagte Beiſtand und Erfolg mir zu,
> In voller Glorie tat ſie mir ſich kund,
> Und, da ich ſchwarz war und verſengt zuvor,
> Goß ſie auf mich mit jenen klaren Strahlen
> Der Schönheit Segen, die ihr an mir ſeht.

1052. von Kind auf : for the omission of the art. cf. note to **190** and über Meer **1054.**

1056. Cf. *Henry V*, v, 2, 178–184.

1064. Pilgerfahrten : gen. after viel. This partitive gen. with pronominals is infrequent except in poetic diction. — geſchahn : ' were made ' ; cf. note to **754.**

1072. einsmals : poetic form for einſt, einmal.

1076. Fahne : for the omission of eine cf. note to **828.**

1082. Herren : instead of Herrn for metrical reasons ; cf. the plurals in herrn, **553, 1369,** etc.

1084–1086. In accordance with Old Testament precedent ; see Ex. iii, 11 ; iv, 10 ; vi, 12 ; Judg. vi, 15 ; 1 Sam. ix, 21 ; 2 K. viii, 13, where the German agrees with the English revised version ; Jer. i, 6.

1088. auf Erben: cf. note to **395**.

1089. Cf. note to **412**.

1090. Magd: this word, like English *maid*, is archaic in the meaning of 'maiden,' 'virgin,' and to-day signifies a servant, Dienst=magd.

1102–1104. We seem to hear in these lines a distant echo of Goethe's *Iphigenie auf Tauris*:

> Wie enggebunden ist des Weibes Glück!
> Schon einem rauhen Gatten zu gehorchen,
> Ist Pflicht und Trost.

The idea of woman's lifelong service is further elaborated in the well-known passage in *Hermann und Dorothea*, vii, 114–128.

1108. Himmel: pl., as often (by Hebraism) in the Bible.

1120. der Hohen: pl., 'of the lofty.'

1120–1127. These lines are bound closely together not only by rhyme, but by stichomythia, i.e. dialogue in alternate lines after the manner of the ancient Greek drama. By the use of this figure Schiller often gains an acceleration of the action, which would otherwise be retarded by speeches so inordinate in length as the preceding one of Johanna's.

1125. zurücke: retaining, for the meter's sake (yet in stage direction to Act iv Sc. 8 it occurs in prose), the old dative ending of Rück (modern Rücken) as object of zu.

1131. sie: object of schützen.

1139. der Kronfeldherr: identical with the Konnetabel of **451**.

1149. Fierboys: syllabication Fi-er-bo-ys, a village some twenty miles east of Chinon. Johanna had passed through it on her way to court.

1149–1150. Cf. *1 Henry VI*, i, 2:

> Ich bin bereit: hier ist mein schneidend Schwert,
> Fünf Lilien zieren es an jeder Seite,
> Das zu Touraine im Sankt=Kathrinen=Kirchhof
> Ich mir aus vielem alten Eisen aussersah.

— **Kathrinens:** the ending –ens (Mariens, Dortheens, Katharinens, etc.) is passing out of fashion, although still permissible.

1157–1162. Accounts differ as to what Joan's banner really was, in fact it is probable that she had more than one. In certain descriptions we learn of a pennant which she had made by divine command: this was a field of white linen sown with golden lilies, upon which

was painted the figure of God seated between two adoring angels. In
one hand he held a globe, his other hand was upraised in blessing.
At the edge of the banner were the words Jhesvs Maria.

1166–1167 : cf. Matt. iii, 14 (and with **1168** cf. verse 11 in Matthew).

1172 f. : cf. *Henry V*, ii, 4, 111–116; with **1181** ff. cf. *Henry V*, ii, 4,
103–109, and iii, 3 ; with **1191–1201** cf. *1 Henry VI*, i, 2, 55–57 ; all
through this scene Schiller has modified his sources in the direction
of being more romantic.

1172. Karin : the dat. and acc. in –(e)n are still used to a certain
extent in proper names, especially baptismal names.

1173. Ponthieu : an ancient countship in northern France which
in the later Middle Ages belonged in turn to England, Burgundy, and
France. The herald uses this minor title of Charles because the
English do not acknowledge his right to the throne as valid. — **das
Wort führt :** see vocab. under **führen.**

1177. Wappenrock : a sort of coat without sleeves, or with short
sleeves, worn by heralds and pursuivants, emblazoned with the arms
of their sovereign and considered as their distinctive garment.

1181. den des Blutes jammert : instead of the usual **den das Blut**
jammert. Cf. **2488.**

1193. in Fülle der Gesundheit : 'in the full vigor of his health.'

1197. La Tournelle : from French *tourelle* (turret). One of the
towers which commanded the bridge that spanned the Loire near
Orleans.

1200. seiner Leiche Zug : poetic for **sein Leichenzug.**

1208–1221. A comparison of these lines with parts of the letter
that Joan really wrote to the English in 1429 reveals how closely and
yet deftly Schiller followed its imagery. "King of England and you,
duke of Bedford, who style yourself regent of the kingdom of France
. . . render your account to the King of Heaven ; give to the virgin
who is sent hither by God the King of Heaven the keys to all the
good towns that you have captured and violated in France. She is
come here from God to demand payment for the blood royal. She is
all willing to make peace, if you will render your account to her, in
that you surrender France and pay for what you have taken. . . .
King of England, if you do not this then am I chief in war. . . . And
be not obstinate, for you will not keep the kingdom of France, by God
the King of Heaven, the son of Saint Mary. But King Charles shall
have it, the true king, for God the King of Heaven wishes it and it has
been revealed to him by the virgin ; he shall enter into Paris in good

company." Cf. Lowell's *Joan of Arc*, pp. 68–69. Note Schiller's
Liberalism in changing Joan's demand of payment for "the blood
royal" into a general demand of payment for "the blood that has
been shed." The influence of the times in which Schiller lived com-
bines with the influence of Shakespeare, the child of a country in
which all men were more nearly equal before the law than in most
countries, to produce this generalization of the charge.

1211. von wegen: archaic for *wegen.*

1222–1225. Cf. *King John*, i, 1, where the king addresses the
herald :

> Bring meinen [Fehdebruf] ihm, und scheid in Frieden so.
> Sei du in Frankreichs Augen wie der Blitz :
> Denn eh du melden kannst, ich komme hin,
> Soll man schon donnern hören mein Geschütz.

Summary

[B] In the Prologue we learn the critical situation of Johanna's native country only from hearsay ; in the first act the poet places us in
the midst of the struggle. Count Dunois speaks the opening words, in
which he complains of the king's inaction while robbers are at work
plundering royal France. The attitude of the sovereign, who soon
appears, justifies these bitter words. We are confronted by a desperate state of affairs : one city after another has surrendered to the
enemy, Orleans the last bulwark of central France is hard pressed,
the commander of the king's troops has resigned his office, and Du
Chatel announces that the soldiers are threatening to desert since
there is nothing left in the treasury with which to pay them. Still
Charles temporizes, and prepares a welcome for the troubadours who
have come to announce to him his election as Prince of Love, com-
forting himself with the thought that many rich and beautiful lands
are left him even if his war is lost. Councilors from stricken Orleans
demand a hearing — "They will insist on my help," he cries in desperation, "what can I do who am myself so weak ?" The deputa-
tion enter and announce the straits to which they are come : the royal
captain Saintrailles is dead, and the commander of the fortress has
promised to yield unless help arrives within twelve days. At the
same moment the king's Scotch troops are reported in mutiny for
arrears of pay. "Pledge half my kingdom if need be," orders the
king, but Du Chatel retorts that the troops are too familiar with
promises and will now take nothing but cash.

Sorel appears and for the moment changes the current of the king's brooding thoughts; but soon La Hire returns from his unsuccessful attempt to win the aid of Burgundy, and relates how even Charles' mother has branded him as the misbegotten son of a crazed father and has assisted at the coronation of the rival claimant Harry Lancaster. Then is Charles' courage broken; in spite of Dunois and Du Chatel he gives up all thought of struggling further. We are brought bit by bit to realize the futility of earthly help for the tottering realm; Schiller depicts masterfully in detail how one by one the props of empire are crumbling, and we come to feel the king's faint-hearted renunciation to be not only natural but necessary. Thus prepared, we are suddenly met by a wondrous change. Like lightning from a clear sky comes the news that a victory is won — the Maid has begun her work. Scarce have we caught our breath when Johanna appears in person and confirms the truth of her divine mission trebly: by her immediate recognition of the king, by her knowledge of his thoughts, and by the majesty of her every gesture. An English herald demanding the utter humiliation of the king arrives but to be curtly dispatched by Johanna's prophecy, and amid a tumult of cheering brought about through confidence of victory Johanna sets out to compass the relief of Orleans.

ACT II   SCENE 1

The English have been defeated before Orleans and have retreated across the river (cf. **1472**).

1228. ob: cf. note to **668**.

1235. Supply зu tun after **Feind**.

1236–1246. Cf. *1 Henry VI*, i, 5. All this speech of Lionel's corresponds in general to what *Talbot* says in Shakespeare. Schiller's conception of Talbot drives him to make another say these things, and make Talbot contradict them.

1243. Syllabicate Po-i-ti-ers (cf. **3384**). In 1356, near Poitiers, the English army of 8000 men defeated French troops under King John to the number of 60,000. Ten years earlier Edward III of England with 40,000 soldiers had routed the army of Philip VI at Crécy, although the Frenchman outnumbered him two to one.

1244. At Agincourt, in the year 1415, 15,000 Englishmen under Henry V gained a decisive victory over more than 50,000 Frenchmen under the Constable d'Albret.

1261. waren: instead of the less graphic wären; cf. notes to **573**, **902**.

1270–1271. Apparently a reminiscence of *Odyssey*, i, 57 : Obyffeus, fehnfuchtsvoll nur den Rauch von fern auffteigen zu fehen.

1277. als : = wenn nicht 'if not'; 'except.'

1279. When Orleans was on the point of arranging terms of surrender with Philip of Burgundy (cf. note to **296**), Bedford is reputed to have said he did not intend to beat the bush for another, and thus to have put an end to the negotiations.

1281. stünde : in older German the pret. of most strong verbs had two different radical vowels : ich fang, wir fungen; ich reit, wir riten. In modern German the vowel of the sing. has usually prevailed for the entire tense, but the secondary vowel still survives often in the pret. subj. — stürbe, stünde, etc.

1285. Bedford, the brother-in-law of Burgundy and regent of France, had promised Philip not less than seven provinces if he would espouse and further the English cause.

1292. und fechte : ellipsis for und was fechte ich.

1294. 's : i.e. dienen.

1298. begegnet : behandelt.

Act II   Scene 2

1308. A familiar superstition is that the moonlight falling on a sleeping person causes insanity.

1310. Eintracht : = Einigkeit ; Zwietracht = Uneinigkeit ; cf. **662**.

1318. Mir ist alles gleich : ' it's all the same to me.'

1331–1334. Shakespeare, *King John*, last seven lines (v, 7, 112–118).

1331. strömt' es . . . aus : i.e. wenn es . . . ausströmte.

1336. wehren : the inf. without zu is used as subject of verbs and as predicate after fein and heißen.

1338. freche Stirne : see vocab. under Stirn.

1341. in jene Hand : i.e. in the hand of Charles VII, for it was reputedly at his desire that John the Fearless had been struck down by Du Chatel.

1342. Wärt : = würdet . . . fein.

1346. halten : = zurückhalten 'hold back,' 'stop,' 'arrest,' 'check.'

1353. Haltet . . . zugut : see vocab. under halten.

1357. ewig : i.e. unheilbar 'irreparable.'

1358. Ein edles . . . besiegt: cf. *Iliad*, xv, 203: Gern wenden sich Herzen der Edeln.

1362. schlug: eine Wunde schlagen '*inflict* a wound.'

1366. mögen . . . verwehen: a Homeric figure (cf. *Odyssey*, viii, 408: und ward ein fränkendes Wort ja hingeschwatzt, schnell mögen hinweg es raffen die Stürme!)

1368. die: dem. 'that.' — **Furie:** cf. note to **738**. Just before this speech of Lionel's one manuscript of the *Jungfrau* has the words of Isabeau:

> So! So! In dieser herzlichen Umarmung
> Seh' ich die Brut, die meine Seele haßt, erstickt.

1373–1375. Cf. *1 Henry VI*, ii, 1, 17–18.

1373. habe: subj. of wish, as is also **errett'** **1375**.

S.D. einen um den andern an: 'from one to another.'

1391. geht mit Gott: see vocab. under Gott.

1401. Glied: in its biblical meaning of Grad der Geschlechtsfolge 'generation'; cf. Exodus xx, 5.

1404, 1406. In 1417 Charles had imprisoned his mother in Tours.

1410. die Ehre seiner Mutter: i.e. 'your own honor'; spoken in bitter irony; as is **1405**.

1419. die ihr: cf. note to **555**.

1425. "A good thing, verily," murmurs Talbot, "to recognize one's mother by her vengeance (instead of by her love)."

1426. Gleisner: i.e. Heuchler, Scheinheilige, Frömmler.

1432. schelten: ordinarily this verb = auszanken, schmähen, mit einem Spottnamen benennen, but here = nennen.

1435. das dritte Wort: 'every other word.'

1438. mit starkem Geist: 'with a steadfast spirit.'

1440. Supply irgend before **eine**.

1442. absterben: = entsagen; cf. the analogous Eng. phrase *be dead to*.

1453. Melun: a town on the Seine, twenty miles or more southeast of Paris.

ACT II SCENES 3–5

1467. Cf. *1 Henry VI*, i, 5, 21.

1473–1474. Cf. *Julius Cæsar*, iv, 3, 213.

1489. ihres Buhlen: such can hardly have been the common belief in the English camp, for then it would seem unlikely that Shakespeare should not mention the fact in the scandalous scene *1 Henry VI*, v, 4, in a play which makes such gross concessions to vulgar tradition.

1501. die Jungfrau: the Virgin Mary.

1526 ff. The fright of the soldiers is sufficiently indicated by the breathless effect of these irregular lines.

1529. des Todes: either the so-called gen. of characteristic, or, as most grammarians make it, gen. of the possessor.

1533. Supply hätte after **ausgespien.**

1540–1541. A parallel thought in the speech of Talbot in *1 Henry VI*, i, 5:

> Nicht halb so bang fliehn Schafe vor dem Wolf,
> Als ihr vor euren oft bezwungnen Knechten.

Act II Scenes 6–8

The meter of these scenes changes from the five-foot line of English tragedy to the six-foot line of Greek tragedy. Schiller rightly felt this new measure better adapted to the emotional temper of his present portrayal than pentameter would be. Little as the verses **1552–1686** do to quicken the progress of the play, they are essential to our better understanding of Johanna's character, to our deeper sympathy with her plans.

In making Montgomery somewhat of a coward, or at least capable of deep discouragement in war, Schiller is squaring accounts for several of Shakespeare's Frenchmen in different places. In making him a Welshman, Schiller probably means to bring him from the most superstitious part of the British Isles, and takes the picture of Owen Glendower in *1 Henry IV*, iii, 1, as evidence that the Welsh were then the most superstitious.

S.D. Prospekt: = die Aussicht; der Hintergrund der Bühne.

1555. die verderblich ... raset: cf. *Iliad*, xiii, 53: Wo der Rasende dort, wie ein brennendes Feuer, voranherrscht.

1563. Savern': next to the Thames, the longest river in England. It rises in Montgomeryshire, Wales, (whence the name of Schiller's character?) and empties into the Bristol Channel.

1565. Braut: commonly means not 'bride' (junge Frau), but 'betrothed.'

S.D. In a manuscript of the play sent by Schiller to the theater in Hamburg we have the stage direction Johanna erscheint auf einer Anhöhe, von Flammen beleuchtet.

1572–1573. There is an old Norse superstition about the spell that suddenly comes upon a warrior in battle (often when he justifiably wants to get away) and makes him unable to stir from the spot where he stands. See the account of *herfjöturr*, under *herr*, in the Icelandic Dictionary. In the Harðar Saga it is thus that Hörð comes to his death after having twice single-handed broken through the whole company of his enemies.

1574. wie auch: 'however much.'

1580 ff. All through Scene 7 there is slight Shakespearean sug-gestion derived from *Henry V*, iv, 4, but many details Schiller derived from Homer: e.g., **1582**, *Iliad*, xxi, 50–51; **1583**, *Iliad*, xxi, 65, 71; **1584–1590**, *Iliad*, vi, 46–50; **1601–1602**, *Iliad*, xxi, 103–104; S.D. before **1652**, *Iliad*, xxi, 115; **1653–1656**, *Iliad*, xxi, 106–109, with borrowing even of the most striking words; **1666–1667**, *Iliad*, xxi, 110 ff.; and probably other passages.

1580. zeugte: ordinarily = erzeugte 'begat,' but means here gebar 'bore.'

1584. Note the conspicuous alliteration of this line.

1590. lebend noch vernimmt: i.e. vernimmt, daß ich noch lebe; a construction already met with above, **443**.

1595. gefleckten: presumably used in the sense of gestreiften.

1597. du könntest: the normal order here, where we would ex-pect inversion, gives emphasis to the thought.

1601. alles Lebende: i.e. jedes lebende Geschöpf.

1609. The phraseology reminds us of Mark xii, 25: Wenn sie von den Toten auferstehen werden, so werden sie nicht freien, noch sich freien lassen, sondern sie sind wie die Engel im Himmel.

1612. bei . . . Gesetz: 'by all the sovereign laws of holy love.'

1616. harret: in prose diction followed by auf with acc.

1620. See vocab. for distinction between **lauter** as adj. and as adv.

1624. dir ruft: = ruft dir zu 'calls to thee.'

1625–1627. This speech of Montgomery's reflects somewhat dimly Priam's prayer to Achilles (*Iliad*, xxiv, 486–489). Johanna's reply (1628–1634) likewise suggests Euphorbus' threat (ibid. xvii, 34–37).

1631. worden: the omission of the augment is not infrequent in Schiller and Goethe: funden for gefunden, kommen for gekommen, etc.

1635. sterben: cf. note to **1336**.

1644. hängt . . . Gottes: Nichols suggests that this figure may have been derived from the representations of angels bringing down the royal arms, which accompanied coronation festivals such as that of Henry VI at Paris.

1646. Himmelwagen: Charles' Wain, the seven brightest stars (also called the Plow, the Great Dipper, the Northern Car, and the Butcher's Cleaver) in the Great Bear. *Charles' Wain* is a modern alteration of *carl's wain* (' farmer's wagon ').

1649. das heil'ge Meer: cf. Homeric ἅλς δῖα, which Voss translates die heilige Salzflut.

1650. Länderscheide: poetic for Landesgrenze.

1663. sein . . . zuletzt: 'myself end by being its victim.'

1664. den Tag der frohen Heimkehr: cf Homeric νόστιμον ἦμαρ, a phrase which Goethe renders by des Vaterlandes Tag, *Iphigenie*, 866.

1667. erfüllen mein Geschick: cf. Homeric πότμον ἐπισπεῖν.

1673. Cf. *1 Henry VI*, ii, 1, 25–26.

1679. Unerbittlichkeit: the apparent inhumanity of Johanna's action is intelligible when we remember the specific injunction she had received (1081; 1600) to wipe out every enemy of France.

Act II   Scenes 9–10

1687–1690. With these lines cf. Talbot's threat in *1 Henry VI*, i, 5 :

> Hier kommt sie, hier : — Ich messe mich mit dir,
> Beschwör' dich, Teufel oder Teufelsmutter!
> Ich lasse Blut dir, du bist eine Heze,
> Und stracks geb' deine Seel' dem, so du dienst.

1709. Circe : in Greek mythology an enchantress who lived on the island of Aeaea. Odysseus in his wanderings came to her home, where she changed some of his companions into swine.

1711–1714. Cf. *1 Henry VI*, ii, 1, 16–18.

1713. den verächtlichen Schildknappen machst : 'playest the contemptible part of squire.'

1715. biet' ich's : i.e. biete ich Trotz.

1719, 1739. An evident parallel is Macaulay's *Ivry* :

> But out spake gentle Henry : " No Frenchman is my foe ;
> Down, down with every foreigner, but let your brethren go! "

1721. Ein andres : see vocab. under ander.

1724. Was : often used in brusque query for warum.

1730 ff. A careful comparison of the remainder of this scene with the following (from *1 Henry VI*, iii, 3) will prove instructive. Shakespeare achieves his goal in half as many lines as Schiller does. In

making Johanna's persuasions convert Burgundy to the French side
Schiller is borrowing from Shakespeare a woeful anachronism.

Blick' auf dein fruchtbar Vaterland, dein Frankreich,
Und sieh die Städt' und Wohnungen entstellt
Durch die Verheerung eines wilden Feinds.
Sowie die Mutter auf ihr Kindlein blickt,
Wenn Tod die zartgebrochnen Augen schließt,
So sieh, sieh Frankreichs schmachtendes Erkranken;
Die Wunden schau, die Wunden, unnatürlich,
Die ihrer bangen Brust du selbst versetzt!
O kehr' dein schneidend Schwert wo anders hin,
Triff, wer verletzt, verletz' nicht den, der hilft!
Ein Tropfe Bluts aus deines Landes Busen
Muß mehr dich reun als Ströme fremden Bluts;
Drum kehr' zurück mit einer Flut von Tränen,
Und wasche deines Landes Flecken weg.

Burgund

Entweder hat sie mich behext mit Worten,
Oder mit eins erweicht mich die Natur.

Pucelle

Auch schreien alle Franken über dich,
Geburt und echte Herkunft dir bezweifelnd.
An wen gerietst du, als ein herrisch Volk,
Das dir nicht traun mag, als Gewinnes halb?
Wenn Talbot einmal Fuß gefaßt in Frankreich,
Und zu des Übels Werkzeug dich gemodelt,
Wer außer Englands Heinrich wird dann Herr,
Und du hinausgestoßen wie ein Flüchtling?
Ruf' dir zurück, und merk nur dies zur Probe:
War nicht der Herzog Orleans dein Feind?
Und war er nicht in England Kriegsgefangner?
Allein, als sie gehört, er sei dein Feind,
So gaben sie ihn ohne Lösung frei,
Burgund zum Trotz und allen seinen Freunden.
So sieh dann! wider deine Landsgenossen
Kämpfst du mit denen, die dich morden werden.
Komm, kehre heim! kehr' heim, verirrter Fürst!
Karl und die andern werden dich umarmen.

Burgund

Ich bin besiegt; dies' ihre hohen Worte
Zermalmen mich wie brüllendes Geschütz,
Daß ich auf meinen Knien mich fast ergebe. —
Verzeiht mir, Vaterland und Landsgenossen!
Und, Herrn, empfangt die herzliche Umarmung.
All meine Macht und Scharen Volks sind euer;
Talbot, leb' wohl! ich trau' dir länger nicht.

1738. unfer . . . bich : cf. Brutus' words (*Julius Cæsar*, iii, 1) : Für euch sind unsre Schwerter stumpf, Anton.

1741. The duke's resemblance to Charles is undoubtedly fictitious, as they were but second cousins.

1743. Sirene : the sirens in Greek mythology were birds with women's heads, who by their singing fascinated those who sailed past their island, and then destroyed them.

1750. Erst . . . Streiche : so speaks Brutus again (*Julius Cæsar*, v, 1) : Erst Wort, dann Schlag.

1751. vor : denoting cause or motive, vor is generally used with words of emotion : vor Freude weinen ; vor Langerweile sterben.

1753–1755. One of Schiller's reprisals against Shakespeare ; the latter's view is given in *1 Henry VI*, iii, 3, 1–20.

1756. Asche : sg., where English employs the pl.

1765. schwesterliche Hand : Johanna calls herself Burgundy's sister, because she is the daughter of their common mother, France ; cf. **1734.**

1778. gibst . . . schuld : see vocab. under Schuld.

1781. Pfuhl : like Feuerpfuhl **2448**, the *lake* of fire and brimstone spoken of in Revelation xx, 10.

1792. bin gestanden : instead of habe gestanden as correct usage demands to-day.

Summary

[B] Orleans has been succored and the English army is in full retreat. "Satan is fighting for France ! The Maid is advancing irresistibly !" Such is the impression which Johanna's appearance has created ; it is clearly reflected in the furious chagrin of Talbot and Lionel who have been unable to turn back the impetuous flight of their troops, and the duke of Burgundy finds himself believing in the popular rumor that the Maid is a sorceress. Meanwhile we learn that there is discord in the English camp. The quarrel, it is true, is scarcely kindled when it is extinguished by Queen Isabeau, who would hold the allies together at any hazard because of the insane hatred she feels for her son, but it is easy to guess that the truce which this Mænad has brought about will not endure for long. The English leaders determine to renew the attack next day, and hope, when they can meet "the bugbear maid" face to face, to win an easy victory and thus dissolve the spell which she has cast upon their army. In this they

are deceived ; for suddenly Johanna and her followers throw themselves upon the hostile camp, and the feared cry of "God and Mary!"
destroys the last hope of the shaken foe. In vain does Talbot try to
allay the frenzy which possesses all ; the troops flee before the French
"weaklings, whom they have routed in a score of battles."

For the first time we behold the heroine herself in hand-to-hand
combat fighting with Montgomery. Filled with the spirit of her mission, she is conscious of nothing but the terrible injunction to slay
with her sword every living thing which the God of battles mysteri-
ously sends to confront her. But scarce has the lad fallen at her feet
when a new adversary appears in the shape of the duke of Burgundy.
Him she now conquers not by force of arms, but by dint of words, by
the majestic utterance of a soul which is aglow for her native land.
At first the duke struggles against conviction, terming Johanna a
wanton siren and accusing her of black art ; but after a little she
wins him, such is the power of her simple eloquence. Thus does the
Maid make progress in the accomplishment of her arduous task.

Act III   Scene I

Chalons : the last station of Charles on his way to the coronation
at Rheims. The town is on the river Marne some twenty miles southeast of Rheims.

1813. eine : to distinguish the num. from the def. art. the former
is spaced, or capitalized, or written with an accent over the first é.

1814. Not und Tod : cf. note to **827** ; transl. 'in days of deadly
need.'

1825. flüchtig schnelle : cf. note to **87**.

1826. Den : i.e. meinen.

1832. Freundin : i.e. Geliebte ; cf. French *amie*.

1835. faſſen : = auffaſſen.

1838. ſich in die Schranken ſtellt : 'enters the lists.'

1844. der heiligen Natur : heilig is throughout the *Jungfrau* a recurrent epithet for everything in connection with the worship of God
and the Virgin. Here the adjective has especial significance, for Dunois
is setting the weight of this word against all the loftiness of aristo-
cratic descent in a century when aristocracy meant something. This
emphasizing of the sacredness of Nature as above all conventional rank
is typical of Romanticism guided by Rationalism, and hence typical
of this play.

1846. Sie sollte : pret. subj. ' You do not mean to say that she would . . . ! '

1852–1855. We hear in these lines the special pleading of the democratic Schiller for his favorite cause : a spiritual aristocracy.

1854. Erreichten : pret. subj.

This scene was added to the play five or six weeks after its first presentation in Leipzig. Schiller's own words are interesting : In der Johanna hat sich eine neue Szene zwischen Dunois und La Hire zu Anfang des dritten Aufzugs gefunden, die mir sehr an ihrem Platz scheint. Was Dunois nachher bei Johannas Standeserhöhung sagt, erhält dadurch mehr Gewicht.

Act III   Scenes 2–3

1860. Er : i.e. der Herzog von Burgund.

1862. Chalons had long been garrisoned by Burgundian troops, but was now suddenly become *royal* because of the new allegiance of the duke.

1866. mir auf dem Fuß : i.e. mir auf den Fersen ' at my heels.'

1875. mit . . . gescheh' : ' no reference be made ' (to). Cf. note to **754.**

1876. Lethe : in Greek mythology the river of Oblivion, one of the streams of Hades.

1878. in : construe with heitre Tage.

1888. eine Hostie teilen : ' divide the host ' ; i.e. give each of you a piece of the consecrated altar-bread in solemn ratification of your agreement.

1890–1891. The sense is, May I share in eternal salvation only if my heart is as true as my hand-clasp (in token of agreement).

1893–1894. See **885** ff.

1904. sich mit Zweigen bekränzen : wear green twigs as a sign of reconciliation.

1925. schlug : i.e. erschlug ' slew.'

1933. Base : ' cousin,' as if Sorel were the wife of Charles. Base is little used nowadays, except dialectically to indicate a somewhat distant female relative ; its place has been taken by Cousine.

1934. Arras : at this time capital of Artois and one of the favorite residences of Philip — some eighty miles almost due north of Paris.

1937. den Stapel halten : Stapel is the legal right possessed by certain cities, that all merchandise which came thither must first be offered for sale a while in the market there before being carried elsewhere, so that the city should not be a mere place of transshipment for the import (and export) trade of inland towns. Hence the expression came to mean 'be put on public view.'

1941. Brügg : Bruges, capital of West Flanders, situated eight miles from the North Sea on canals, was a leading Hanseatic city. Its most brilliant commercial period was during the fifteenth century.

1945. Leumund : a popular etymology, as if contracted from (der) Leute Mund. Ruf und Leumund is a redundant phrase meaning ' repute.'

1947. Such heresy (i.e. disbelief in the virtue of woman) is its own worst punishment.

1952. im Guten wandeln : 'walk where goodness is.'

1953–1954. With these lines cf. Luke ii, 29 : Herr, nun lässest du deinen Diener im Frieden fahren usw.

1956–1957. Cf. **608–612.**

1956. edeln Steine : cf. note to **750.**

1966. mir : would in prose diction follow ist in **1965.**

1978. ein unglückliches Gestirn : this phrase is eloquent of mediæval belief in astrology. The stars were supposed to sway the destinies of men.

1986. diese : instead of La Hire.

1993. Phönix : the fabled bird which rose from its own ashes, revived in the freshness of youth.

2001. eurem : 'because of your.'

ACT III   SCENE 4

2026. als Priesterin geschmückt : referring to the wreath in her hair.

2035. It is possible to explain **Himmel** as the court of Charles, of which the king is the sun and Burgundy the moon, as being next in rank ; or to regard the phraseology of Johanna as being colored by the astrological conceptions so current in the Middle Ages (cf. note to **1978**). Perhaps it is best not to try to interpret too concretely the heroine's meaning. She has come from hours of fasting and from communion with God ; she finds Burgundy, who had been so ill a portent to the success of her chosen cause, but who now is radiant with friendliness : — under these circumstances such utterance does not seem unnatural.

2038. hab' begegnet: Schiller was none too careful in distinguishing between the tense-auxiliaries; cf. note to **1792**; sein is more common with begegnen.

2057–2061. These lines recall Portia's praise of mercy in the trial scene of the *Merchant of Venice*:

> Die Art der Gnade weiß von keinem Zwang,
> Sie träufelt, wie des Himmels milder Regen,
> Zur Erde unter ihr; zwiefach gesegnet:
> Sie segnet den, der gibt, und den, der nimmt.

But both poets lean, whether consciously or not, on Christ's words in the Sermon on the Mount (Matthew v, 45): Denn er läßt seine Sonne aufgehen über die Bösen und über die Guten, und läßt regnen über Gerechte und Ungerechte.

2062–2063. Cf. James i, 17: Alle gute Gabe und alle vollkommene Gabe kommt von oben herab, von dem Vater des Lichts, bei welchem ist keine Veränderung, noch Wechsel des Lichts und Finsternis.

2090. letzten: not *last*, but *least*.

2093. Ahn= und Stammherr: a redundant phrase (cf. note to **1945**); transl. 'ancestor.'

2099. von den niedern Hütten: a hint of the French Revolution.

2106. Hoch ... gesetzt: 'thou hast exalted thy seat high as the throne.' Schiller's language is here influenced by Isaiah xiv, 13–14.

2110. Philip's son Charles the Bold was slain in battle with the Swiss in the year 1477.

2112. Jungfrau: Mary of Burgundy, who married Maximilian I, emperor of Germany.

2113. Hirten der Völker: compare Homeric ποιμὴν λαῶν, *Iliad*, ii, 85, 243.

2115. zwei großen Thronen: Spain and Austria.

2137. Erden: cf. note to **395**.

2139. Schoß: may be here translated either 'bosom' or 'lap.' In the latter case it would seem an adaptation of the Greek idea that the knees of the gods were the seat of mercy and happiness; cf. Homeric θεῶν ἐν γούνασι κεῖται. One manuscript of the play has before this speech of Johanna the stage direction schlägt die Augen schweigend nieder und richtet sie langsam bedeutend zum Himmel auf.

2142. selig ... Geschlechter: cf. Luke i, 48: von nun an werden mich selig preisen alle Kindeskinder.

2147–2148. Joan's coat of arms was a silver sword upright on an azure field, a crown above, and on either side golden fleur-de-lis.

The patent of nobility included all her present family and their descendants; it was not given her, however, until some time after the coronation.

2155. erfor: pret. of the now little used erfiefen; a spurious pres. erfüren was developed from the pret. and the part. erforen.

2170. fchwindelnd: perhaps best to be taken as an adv. 'extravagantly.'

2172. ftille is not very appropriate to the life of La Hire.

2176. verföhnt: instead of verföhnft (cf. note to **555**); or perhaps a participle with ellipsis of hat.

2189. Man . . . bedenfen: 'first let us consider this woman's matter as women should.'

2195. des: archaic and poetic for deffen.

2203–2204. Cf. the lines from *1 Henry VI*, i, 2:

> Ich darf der Liebe Bräuche nicht erproben,
> Weil mein Beruf geheiligt ist von droben.

2205–2208. Closely as the sentiment of these lines accords with modern ideas, they breathe the spirit of the Renaissance rather than that of the Middle Ages, whose ascetic teaching denied the highest purity to the married woman. And is this not unchurchly doctrine in a churchman's mouth?

2230. This line, like **2935**, speaks of a possible return to Domremy and so does not accord with **1664, 1667**, yet Schiller is not inconsistent. Here Johanna is being urged by the great ones to a step that she is unwilling to take, and when they will not take no for an answer she makes excuses and argues with an "if" from such a standpoint as she expects them to recognize. It is the most ordinary thing in the world to argue from an opponent's premises, and to put forward with an "if," for the sake of showing that it leads to the same conclusion as would its opposite, a premise which one has private knowledge is contrary to fact.

2231–2232. This is what the historic Joan thought and said after the coronation, but was overborne by the insistence of the king and his friends. She claimed that her commission from her voices terminated there.

2242. wie fie: 'the like of which,' 'such as.'

2244. Freunde: = Geliebten 'lover'; cf. **1832**.

2248. Gefäß: 'vessel' in the biblical sense; cf. 2 Corinthians iv, 7: Wir haben aber folchen Schatz in irdifchen Gefäßen.

2251. Ihr Kleingläubigen: ‘O ye of little faith’; cf. Matthew vi, 30.

2260. Cf. Matthew xxvi, 24: Es wäre ihm besser, daß er noch nie geboren wäre.

2262. zürnend entrüsten: ‘provoke to wrath.’

2268. es jagt mich auf: ‘I feel an impulse rousing me.’

ACT III   SCENES 5–8

2273. Banden: for the usual Bande; see vocab.

2275–2276. ‘They would have us fight for our crown before the very gates of Rheims.’ Schiller uses here, as elsewhere in the play, his poet's license; Rheims is twenty miles distant from Chalons. Cf. note to **766.**

2277. Sie: ‘them,’ obj. of treibt.

2287. greift . . . Wolken: ‘reaches confidently up to heaven’; the figure is that of a hand upraised.

S.D. während daß verwandelt wird: ‘while the scenes are being shifted.’

2305. das Letzte: see vocab. — **ihn:** i.e. den Tag des Schicksals.

2306. Strahl: i.e. Blitzstrahl; transl. ‘by a thunderbolt.’

2309. Schiller anticipates the reconciliation of Paris with the Dauphin by several years.

2312. This line is a reminiscence of *Macbeth*, v, 5: Das Sonnenlicht will schon verhaßt mir werden. In Schiller's translation of Shakespeare's play the verse runs Ich fange an der Sonne müd' zu sein.

2320. Pallas Athene (Minerva) is referred to, the goddess of wisdom and war who sprang full-armed from the head of Zeus.

2321–2322. Proverbs iii, 19, viii, 30, etc. seem here to be fused with familiar sentiments of Plato.

2323–2326. O Reason, cries the despairing Talbot, where is thy boasted greatness? Bound to the tail of the mad horse of Folly, despite all thy impotent imploring, thou must plunge with the maddened beast into the foreseen abyss. Schiller may have been thinking of the fate of Queen Brunehaut, who at the age of eighty was dragged to death by a wild horse at the command of Clothaire II.

2335. Kugel: in mediæval art *Fortuna* was represented as turning a wheel or rolling a globe, thus symbolizing the instability of human fate.

2343. Lose schüttelt: ‘casts lots’ (to determine who shall die in battle).

2346 ff. Talbot, as the typical rationalist, must die with the words of a materialist; Schiller's time had already begun to identify rationalism and materialism.

2354. die Einsicht in das Nichts : 'the recognition of nothingness.'

2360. keinen schlechten Mann : 'a man of no mean station.'

2362 ff. It is not by accident that Fastolf is here the only one left to stand by Talbot in the moment of his death. Schiller has taken it upon him to be the redresser of slandered reputations, and here was the place where the injustice of *1 Henry VI*, i, 1, 131–134; iii, 2, 104–108; iv, 1, 13–23, could most strikingly be contradicted. I believe the general tendency of modern students is to say that Shakespeare was utterly unjust to Fastolf, and it is at least clear that Schiller thought so.

2362–2363. With these lines on dying Talbot cf. *1 Henry VI*, i, 1:

> ... dem ganz Frankreich mit vereinter Stärke
> Nicht einmal wagte ins Gesicht zu sehn.

Likewise ibid. iv, 7 :

> Nein, haltet ein! Was lebend Flucht gebot,
> Das laßt uns nun nicht schänden, da es tot.

2368–2370. Cf. *1 Henry IV*, v, 4 :

> Als dieser Körper einen Geist enthielt,
> War ihm ein Königreich zu enge Schranke;
> Nun sind zwei Schritte der gemeinsten Erde
> Ihm Raum genug.

2376. According to Greek notions it was the utmost disgrace to leave one's shield upon the field of battle.

2378. werden : 'be raised.'

Act III Scenes 9–11

S.D. **Ein Ritter in ganz schwarzer Rüstung :** the black knight wears the outward shape of Talbot and would seem to be his spirit returned to earth. Talbot while living had represented exactly the opposite point of view from that of Johanna — the crass materialism of his dying utterance (**2346–2356**) contrasting sharply with the utter surrender of Johanna's soul to another and higher world. Up till the present the Maid has abated no whit of her resolve to carry out the wishes of Heaven : to yield to no earthly passion, and to slay every enemy of France who confronts her. But she stands at the parting of the ways; in the next scene she is to meet Lionel and struggle with him for her right to pursue the divine mission, only to succumb to her woman's fate. In so far, then, as we are to view the present scene as a preparation for the succeeding one, we feel that the black knight symbolizes for us the lower forces of nature striving to win Johanna from her high purpose. It is true that she is warned by the knight to turn back and flee, but such admonition we soon see to be but the result of Satanic guile, for it summons forth the maiden's pride and leads her to utter what we know to be the vain boast that all the hosts of hell are powerless to divert her from her path. Such pride goes before the fall. Johanna is a woman, a little lower than the angels, and open to the wiles of evil; at the close of the scene we realize suddenly the rock on which her spirit is to break, we know that the tragic guilt of her fate is sweeping upon her.

2402–2405. Cf. *Iliad*, xxii, 15–17:

> O des Betrugs, Ferntreffer, du Grausamer unter den Göttern,
> Daß du hinweg von der Mauer mich wendetest. Viele fürwahr noch
> Hätten geknirscht in den Staub, eh Ilias Stadt sie erreichet!

2407–2409. Cf. *Iliad*, xxii, 8, 13:

> Warum doch, o Peleide, verfolgst du mich, eilendes Laufes? . . .
> Nie doch tötest du mich, dem durchaus kein Schicksal verhängt ist.

2421. auf des Sieges Flügeln : an allusion to the winged personification of Victory.

2423–2425. By these lines we are reminded of the words which Schiller puts into the mouth of the guest in *Der Ring des Polykrates*:

> Dein Glück ist heute gut gelaunet,
> Doch fürchte seinen Unbestand.
> . . . .
> Drum, willst du dich vor Leid bewahren,
> So flehe zu den Unsichtbaren,
> Daß sie zum Glück den Schmerz verleihn.
> Noch keinen sah ich fröhlich enden,
> Auf den mit immer vollen Händen
> Die Götter ihre Gaben streun.

2443. stehst mir Rede : see vocab. under Rede.

S.D. sie bleibt unbeweglich stehen : till this moment Johanna has been powerful to overcome every obstacle; from now on, however, we know that the beginning of the end is at hand. Throughout the scene the distant towers of Rheims, the end of her journey (**2435– 2436**), have glinted in the sun's rays, but of a sudden night descends

and the crash of thunder comes. Brave words are those that follow
(2446–2453), but we believe them not. If we are to compare the
black knight with some Shakespearean ghost, it would not be that of
Hamlet's father, for this is necessary to the motivation of the whole
play; nor yet Banquo's spirit or the visions which appear to Richard
III in his tent at Bosworth Field, for these are but the embodiments
of self-accusing conscience and change in nothing the sequence of
later events; rather should we think of the shade of Cæsar which
appears to Brutus and points the finger of defeat at all the Roman
plans.

2448. Feuerpfuhl: cf. note to **1781.**

2466. Was zauderst du: the sudden love of Johanna for Lionel
has often been felt to be out of place or even ridiculous; Schlegel,
Kotzebue, and Platen mocked at the episode. The first two derided
the fact that the fate of Johanna should hang on so slender a thread
as Lionel's insecurely fastened helmet, the last-named made fun of
the scene in a famous couplet:

> Eins doch find' ich zu stark, daß selbst die begeisterte Jungfrau
> Noch sich verliebt furchtbar schnell in den britischen Lord.

But it is easy to quibble. Johanna is at the meridian of her success,
her work seems done, and her woman's temper is tiring of strife and
carnage. Before Dunois and La Hire she is forearmed — but before
the shaft from Lionel's eyes she is helpless. Bellermann well quotes
Goethe's saying:

> Vielfach wirken die Pfeile des Amor; einige ritzen,
> Und vom schleichenden Gift kranket auf Jahre das Herz.
> Aber rasch befiedert, mit frisch geschliffener Schärfe,
> Dringen die andern ins Mark, zünden behende das Blut.

As Achilles is overcome by the face of the dying Penthesilea, as Hero
in the security of her temple grove surrenders to the intruding Lean-
der, so surely does Johanna find but slight resistance for the unex-
pected apparition of Lionel. In a confessedly romantic drama, one
which deals avowedly with forces from the world above and below
ours, why need we be disquieted by the idea of love at first sight?

2470. Rette dich: these words were not originally in the accepted
version of the play, but were taken over later from the manuscript
which Schiller sent to the Hamburg theater. The line as it was originally, without them, would seem to answer better to the emotional
sense of the utterance.

2471. will nichts davon wiſſen: 'will not have it.'

2492. Verbindung: sc. mit den Höllengeiſtern.

2504. With her sword she parts with the symbol of her victorious power (it was, in fact, a matter of popular belief that Joan's luck came to an end when she lost the sword). It seems odd, as Nichols suggests, that its absence is not noted by her friends.

SUMMARY

[B] The third act is knit close to the preceding one, for it opens with the complete reconciliation of Burgundy with the king. The wonderful power which Johanna exercises over all alike is shown by her persuading the duke to include Du Chatel in his forgiveness, that no drop of hatred may be in the lees of the cup of joy. Meanwhile, however, her childlike purity and her sweet spirit have awakened love in the hearts of Dunois and La Hire, and they voice their aspirations for her hand. At first with due humility she renounces all claim to human affection; but finally, aroused to her danger by their insistence, she pours out the vials of her righteous wrath upon the blind suitors who see in her only the woman although the decrees of heaven are being so visibly worked out before their very eyes. The painful silence which follows her denunciation is broken by the news that the enemy approaches. With a cry of relief Johanna hurries forth to the decisive struggle before the gates of Rheims.

Here we come upon the English leaders. Talbot is mortally wounded, and expires with a mocking sneer at the stupidity of the world, against which even the gods struggle in vain; Lionel takes hurried leave of the dying soldier and rushes to the battle-ground where Fate sits in judgment. Charles and his suite arrive just in time to witness the last death-pangs of Talbot, and the king utters a noble apostrophe to the heroic greatness of the departed general. But suddenly the French become aware that Johanna has been left upon the field surrounded by her foes, and Dunois and La Hire set out to find her. In a deserted corner of the field of battle we come upon Johanna now as she pursues the mysterious figure of a black knight. A shudder thrills the heroine as this emissary of some spirit-world attempts by ominous and mendacious words to turn her from the fulfillment of her vow. She soon regains her courage and resolutely aims a sword-stroke at him, when he vanishes from earth in the midst of thunder and lightning; but undismayed she cries out that her courage shall not waver should hell itself enter the lists against her.

At this moment of sure faith in her own power to resist, destruction sweeps down upon her. Lionel enters. With never a doubt Johanna crosses swords with him, and soon disarms him, but as she prepares to deal the death-stroke on his defenseless head she is so caught with the manful expression on this young hero's earnest and beautiful face that her arm sinks impotently down. Her vow is broken. Lionel, in his turn smitten by her beauty, misinterprets her cries of despair and is all at once filled by an overwhelming woe and a nameless desire to save her. The quick approach of the Bastard and La Hire wrings from Johanna the involuntary exclamation that she will die if Lionel falls at their hands. He wrests from her the sword as a pledge that they shall meet again, and flees before the entering Frenchmen. No longer mistress of her faculties, Johanna swoons in the arms of her friends.

ACT IV SCENES 1–3

The lyrical quality of the opening scene is emphasized by change of rhythm to suit the shifting mood of Johanna, by the use of rhyme, and particularly by the music which swells and dies away behind the scene in concord with the burden of thought in Johanna's words. We are alone with the heroine as she talks with us; there is no sound or sight to withdraw our attention from her; the whole world is tight shut out, the din and hurry of the dramatic action are forgotten — we scarce heed at times the words which Johanna speaks, nor have we need to, so caught are we in sympathy for her present dreaming.

2520. Reigen: auch Reihen, ursprünglich eine Art Tanz, wobei man in langer Reihe hintereinander über Feld zog.

2522. Pforten: i.e. Ehrenpforten; Triumphbogen. — **bauen sich:** werden gebaut. The reflexive and the impersonal constructions are often used instead of the passive.

2528. was: 'all those'; 'those who.' Cf. note to **254.**

2531. 'He is conscious of greater pride in the name' of Frenchman.

2545. 'Can (it) throb (faster) at (the thought of) an earthly love?'

2549. keuschen: the sun is 'chaste' because it is removed so far above the passion of the world below; or perhaps because actions which offend modesty tend to keep out of the sight of the sun.

2553. Jeder: i.e. jeder Ton.

2555. faßte: subj. of wish.

2571. ſie : i.e. die Stimme des Mitleids und der Menſchlichkeit. — **Walliſer :** i.e. Montgomery ; cf. Act ii, Sc. 7.

2573. Licht : i.e. God, thought of as the light which never wavers.

2582–2613. Much similarity of theme and diction exists between these four stanzas and the following verses from Schiller's *Kassandra* written in 1801 :

> Alles iſt der Freude offen,
> Alle Herzen ſind beglückt,
> Und die alten Eltern hoffen,
> Und die Schweſter ſteht geſchmückt.
> Ich allein muß einſam trauern,
> Denn mich flieht der ſüße Wahn,
> Und geflügelt dieſen Mauern
> Seh' ich das Verderben nahn.
>
> Von den Glücklichen gemieden
> Und den Fröhlichen ein Spott !
> Schweres haſt du mir beſchieden,
> Pythiſcher, du arger Gott !
> Dein Orakel zu verkünden,
> Warum warfeſt du mich hin
> In die Stadt der ewig Blinden
> Mit dem aufgeſchloßnen Sinn?
>
> Nimm, o nimm die traur'ge Klarheit,
> Mir vom Aug' den blut'gen Schein !
> Schrecklich iſt es, deiner Wahrheit
> Sterbliches Gefäß zu ſein.
> Meine Blindheit gib mir wieder
> Und den fröhlich dunkeln Sinn !
> Nimmer ſang ich freud'ge Lieder,
> Seit ich deine Stimme bin.

2582. Frommer Stab : the shepherd's staff is termed 'pious,' 'upright,' 'honest,' because it symbolizes patient care for the lowly, while by inference the sword is impious, in that it is often wantonly destructive.

2584. es : this pronoun is often used as impersonal subject to denote something mysterious or vast : cf. Schiller's Bahnlos liegt es hinter mir. (Thomas.)

2597. fühlend refers to Herz and not to Himmel or ſchuf.

2599. ſie, die : = diejenigen, die.

2616. Supply gewähren after Laß mich ; 'let me' do as I will.

2624. Ornat : i.e. Amtstracht.

2626. Inſignien : = Ehrenzeichen. The insignia of royalty carried by the peers at a French coronation are given below in Scene 6.

2633. Himmel: cf. note to **1108**.

2637. Bekenne dich zu: 'acknowledge,' i.e. 'prove that you belong to.'

2639. Pallas: cf. note to **2320**.

2646. siebenfaches Erz: recalls Horace's phrase *Illi aes triplex circa pectus erat.* If all armor in Joan's time was steel or iron, as I suppose, **Erz** implies that Joan had enough literary culture to allude to the usage of ancient writers; which is contrary to hypothesis. In a Protestant country, after the Reformation, a peasant woman might be supposed to have caught such language from the Bible; but Joan could hardly have known the Bible except from the curé's sermons, and I doubt whether she would have known it from that source in such detail as to think of **Erz** = armor.

2647. Festen: so far as the form is concerned this might come from either **die Feste** 'stronghold' or **das Fest** 'festival'; the context decides for the latter.

2669. Bewegung: not 'motion' but 'emotion.'

2673. fühlt: cf. note to **555**.

2693. Kranz: i.e. **Siegeskranz**.

2695. das Allerfreuende: like **die Sonne** Johanna's hyperbolic characterization of King Charles.

2732–2733. Cf. note to **1157** ff.

2749. Du Chatel is led by envy, perhaps, to attribute Johanna's success to an alliance with Satan. Cf. Summary to Act ii, p. 227.

2761. Attention has already been called to the fact that the first scene of Act iii was added after the play had appeared. Similarly, Schiller appended here an apostrophe by his heroine to her banner, striving thus to overcome the criticism that the scene as we have it ended too abruptly. The lines, however, did not find their way into the text.

Johanna

> Heil'ge Fahne meines Gottes!
> Zum letztenmal soll meine Hand dich fassen.
> Ich hoffte, dich mit reinem Herzen einst
> Und siegreich meinem König vorzutragen,
> Wenn er durch Reims als Sieger würde ziehn.
> Gekommen ist der Tag; wir sind zu Reims;
> Ich trag' die Fahne, doch mit schwerem Herzen,
> Und schuldbeladen sink' ich unter ihr dahin.

Act IV Scenes 4–9

2764. Plattform: this word has three meanings: 1. ein flaches Dach; 2. eine Rednerbühne; 3. ein erhöhter und geebneter Platz — eine Terrasse. Here the last meaning obtains; Plattform means the raised terrace outside the cathedral.

2770. Ist's: such inversion is common in ejaculatory sentences.

2781. der Pariser ihrer: = der der Pariser. Cf. Lessing's Der Ring ist des Majors seiner; this usage, common enough in the eighteenth century, is heard only in colloquial utterance to-day.

Scene 6. **Hellebardierern:** the halberdiers were soldiers of the body-guard of a sovereign, and the weapon borne by such attendants was commonly regarded as an official badge quite as much as an arm for actual service. The halberd was a broad blade with sharp edges, ending in a sharp point, and mounted on a handle from five to seven feet long. — **in der Robe:** in their robes of office. — **Marschälle:** the word marshal (marah 'horse,' skalh 'servant') originally meant 'farrier' or 'groom.' The functions of this office were, however, extended until the royal marshal became one of the highest military and civil officers. — **Reichsapfel:** a globe as symbol of world-wide dominion, commonly surmounted by a cross to represent ecclesiastical authority. — **Gerichtsstabe:** the token of judicial power. — **St. Ampoule:** an ampulla is a vessel for holding the consecrated oil or chrism used in various church rites and at the coronation of kings. The sainte ampoule was reputed to have been brought from heaven by a dove for the baptism of Clovis I (A.D. 496). It was broken at the Revolution, but a portion of its oil is said to have been preserved and used at the coronation of Charles X. — Supply den Zug after Soldaten schließen. — Since hinein belongs by its sense to a verb of motion, which sein is not, its use here seems to attest that ist is the auxiliary of an omitted participle — not necessarily the participle of a particular assignable verb, but yet a perfectly distinct ellipsis.

2808. Der Traum des Vaters: cf. 112 ff.

2812. Gesichte: 'visions'; Gesichter, 'faces.' Cf. 113.

2822. rühmend eitel: 'with idle boastfulness.'

2830. lauter: here adv. Cf. 1620 and vocab.

2836. bleich: a stronger word than blaß 2800; bleich denotes the pallor of a face ordinarily tinged with color.

2847. Heiligtum: 'holy place'; Heiligtum 2726 'holy thing.'

2854–2857. With these lines cf. Gretchen's complaint in the cathedral scene in Goethe's *Faust*:

> Wär' ich hier weg!
> Mir ist's, als ob die Orgel mir
> Den Atem versetzte,
> Gesang mein Herz
> Im tiefsten löste.
>
> Mir wird so eng!
> Die Mauernpfeiler
> Befangen mich!
> Das Gewölbe
> Drängt mich!—Luft!

2869. menschenreichen Öde: 'desert of people'; Johanna feels alone in the midst of the great throng.

2889. worden: cf. note to **1631**.

2896. heim erinnre: see vocab. under **heim**.

2914. lebhaft träumt sich's: Humphreys translates 'dreams are like reality.'

2915. Wie... Reims: 'what could possibly bring you to Rheims?'

2935. Cf. note to **2230**. Johanna's scheme of life is already upset, and in trying to form a new plan she quite naturally disregards what was destined to her in the career which she feels she has forfeited.

Act IV   Scenes 10–13

2957. Ihr... sein: cf. *1 Henry VI*, i, 6:

> Nicht länger rufen wir Sankt Dionys,
> Patronin ist nun Jeanne la Pucelle.

— dem heiligen Denis: apostle to the Gauls and patron saint of France, beheaded, according to the legends, at Paris A.D. 272.

2961 ff. These lines are Homeric in flavor; cf. *Odyssey*, vi, 149 ff.:

> Flehend nah' ich dir, Hohe, der Göttinnen, oder der Jungfrau'n!
> Bist du der Göttinnen eine, die hoch obwalten im Himmel:
> Artemis gleich dann acht' ich, der Tochter Zeus des Erhabnen,
> Dich an schöner Gestalt, an Größ' und jeglicher Bildung.
> Bist du der Sterblichen eine, die rings umwohnen das Erdreich;
> Dreimal selig dein Vater fürwahr und die würdige Mutter.

2973. Jetzt... tagen: 'now will the horrors be revealed!' mutters the suspicious Du Chatel; cf. **2749–2750. — tagen:** ans Tageslicht kommen.

2980. This utterance of Thibaut's is hardly true to life; for it is characteristic of Christian legend that God does reveal himself in and by persons of humble origin, and it would not be in Thibaut's character not to be familiar with the legends of the saints. — ſchlechte : 'humble'; cf. **827.**

2992. Den Sabbat halten : as used here, this phrase has the general meaning of 'hold high revel' and does not specifically refer to the Witches' Sabbath held on Walpurgis Night (April 30) on the Brocken; cf. the famous scene in Goethe's *Faust.*

2995. Punkte : presumably moles, Geburtsmale, which according to mediæval superstition were marks by which the devil knew his own.

3000. A possible allusion to earlier legal custom of not admitting to evidence testimony involving one's own guilt.

3020. The thunder seems a direct answer to Dunois's challenge. It was to Johanna but another sign that she had sinned against Heaven; her silence informs us that she regarded her father's denunciation as a manifestation of divine displeasure. In a letter to Goethe Schiller wrote: Der Schluß des vorletzten Aktes ist sehr theatralisch, und der donnernde deus ex machina wird seine Wirkung nicht verfehlen.

3022. der Feind : i.e. der Teufel; to her it has a double meaning.

3023. ſtraf' mich Lügen : this looks like an instance of two accusatives, but Lügen is probably an old gen. of cause ; chide me *for* lying.

3045. des Königs Frieden : 'the king's protection' was originally the exemption or immunity secured by severe penalties to all within the king's house, in attendance on him, or employed on his business. The original sense of Frieden is not that of 'peace' but 'jurisdiction,' 'protection.' Cf. e.g. Burgfrieden. The phrase may be translated 'safe-conduct.'

3046. Ihr habt nicht Ehre : ''twould be discreditable.'

3048–3049 : how far Raimond is from presuming on old familiarity, appears here by the fact that he does not venture to duzen Johanna (nor even in Act V, Scenes 2–4, after three days of confidential relations), but uses the respectful plural pronoun just as do Bertrand and Claude Marie when they see her in her greatness (**2922–2924**).

Summary

[B] The fourth act presents to us the tormented heroine at war with herself. At the moment of her highest outward success she is inwardly broken, for a sense of unutterable guilt lies heavy upon her

soul. When the knights come to lead her away to the coronation procession and to bring the standard to her, it seems as if the portrait of
the Virgin gazed angrily at her from under a gloomy brow. In such
unhappy mood Johanna is compelled to join the great pageant as it
moves slowly into the cathedral of Rheims, she is the cynosure of the
cheering and adoring multitude. With bowed head and uncertain
steps she plods onward, but suddenly she can endure no more. The
vaulted ceiling seems to crush down upon her, spirits torment her,
and she flees.

For a moment she finds consolation in the affection of her two
sisters, who are come from Domremy to the great festival at Rheims.
She dwells in thought on her home and the scenes of her childhood,
and as the familiar figures from her countryside group themselves
about her she believes she has but dreamt uneasily of the kings and
battles and warlike deeds of recent days. But soon the king emerges
from the church, accompanied by all his nobles and dressed in his
coronation robes, and almost his first words are directed at the maid
who has been the savior of France. The people crowd around and
listen as Charles asks if she be born of woman or if she be an angel
of light come down from heaven. Every eye is upon her as she cries
out in alarm that her father is approaching. We are not unprepared
for what follows; for we have already witnessed the faithful Raimond
hardly restraining Thibaut, who is convinced that his daughter is in
league with the devil and that the moment has come to unmask her.
And so he steps before the frightened Johanna, and she must keep
silence under his accusations, for in her heart she knows herself unworthy of her mission. She finds no reply to the query if she may
state in the name of the Trinity that she is of the company of the
saints and the pure in heart. All the crowd is horror-struck, and
when a loud clap of thunder seems to testify of her guilt the people
flee and even the king and his court withdraw from her and give her
up to her fate. Dunois alone rises above the rest and asks her to be
his wife; but Johanna shudders away from him, and, overcome by
fear, the knight yields to the importunities of Du Chatel and is half
led, half dragged away. Some time the girl stands deserted, but Raimond appears and urges to instant flight. With the first sign of feeling that she has exhibited, Johanna seizes him violently by the hand
and departs with him.

Aᴄᴛ V   Sᴄᴇɴᴇs 1–4

S.D. **Ein wilder Wald :** the Forest of Ardennes in northeastern France on the river Meuse.

3065. 'A bloody and terrible struggle may burst forth.' **Sich entladen** is said of the bursting of a storm ; also (but less often) of guns great and small, and of electricity. When it is used figuratively, as here, the metaphor is commonly that of a storm. The presence of the two opposed armies, whose contact is to bring the crash, makes one think involuntarily of an electric discharge (the electricity that was known in Schiller's time was mainly the static, whose discharge is so conspicuous), but this **Köhler** cannot be supposed ever to have seen a Leyden jar.

3066. ja : as additive particle this often follows the verb with the sense of 'you know' or 'of course.'

3069–3072. After making the charcoal-burner speak sixteen lines in lofty style in order to characterize the material surroundings of the scene (the sort of thing that Sheridan satirizes as "a description of the rising sun, and a great deal about gilding the eastern hemisphere"), the poet here makes him turn to homely and hardly correct language in order to characterize his personality.

3069. Das macht, weil : see vocab. under **machen ; das** is the obj. of **macht** and the following phrase the subject.

3070. ward : 'turned out to be.'

3080. schlechtes : cf. note to **2980.**

3086. Dirn' : like Eng. *wench*, formerly used without derogatory significance in the meaning of 'lass'; cf. note to **328.**

3099. Bub' : in its older meaning of **Knabe, Junge.**

3115. Mein Schicksal führt mich : Johanna's fatalism is insisted upon in the following lines by the frequent repetition of the idea of **Schicksal ; 3120 was sein muß ; 3147 Geschick ; 3156 Schickung ; 3183, 3187 Schicksal.** In *Wallenstein* Schiller used the word **Schicksal** more than twenty times, thus bringing down upon his head the witty saying of Caroline Schlegel, **er trieb das Schicksal.**

3126–3128. Johanna can find her way by consulting the stars, knows what weather is coming by studying the drift of the clouds, and can locate sources of water which would be hidden from others' eyes.

3130. in Euch gehn : see vocab.

3135. Elend: this word meant originally Verbannung, Fremde, Ausland, from old German *eli-lenti.* Later it gained the secondary meaning of Not, Trübsal, which is usual to-day. *Eli-* is related to Lat. *alius* (Eng. *else*); *lenti* is Land. Interesting in this connection is Alsace, Elsaß, which is derived from old German *elisâzo* Bewohner des andern Rheinufers.

3140. wäret: dubitative subj.; 'you mean to say that you are.'

3150. Johanna's sense of filial obligation may be thought exaggerated, but in older times the power of the parent over his child was almost absolute.

3169. Für meinen Stand: 'my station in life' as a peasant girl of Domremy.

3171. der Ehre Schimmer: this phrase does not refer to any thirst for honor which overcame Johanna and so brought about the struggle in her soul (**3172**). She would say merely that at that time when she was honored of all — in contrast to her present predicament — her heart was heavy, for she envied the world which was filled with happy love. The rock on which she stumbled was not immoderate ambition, but her woman's passion for Lionel.

3173. die unglückseligste: less usual than am unglückseligsten when the meaning is such as here.

3184. Ein Tag wird kommen, der mich reiniget: this prophecy is fulfilled in Scene 8.

3185. Und (diejenigen,) **die mich verworfen** (haben).

3188. Cf. note to **3140.**

3192. Cf. Matthew x, 29–30: Noch fällt derselben [Sperlinge] keiner auf die Erde, ohne euren Vater. Nun aber sind auch eure Haare auf dem Haupt alle gezählet. In such connection it is difficult to determine why Schiller used the pl. Götter. Likewise, the poet wrote Goethe in regard to Johanna's situation at this time that she was deserted by the *gods* in her hour of trouble. The use of Götter was a habit of Schiller's, and it was a bad habit. Nollen in his edition of *Maria Stuart* draws attention to the frequency of this plural Götter in that play, not only e.g. in the mouths of Elizabeth's courtiers (where of course it is quite in place) but in the mouth of the Puritan Paulet, to whom it ought to have been blasphemy. Perhaps the present case is even worse, since Johanna is not only orthodox but unacquainted with Greco-Roman literature; Paulet was at least familiar with the literary conception of Götter.

Act V Scenes 5–8

3197. ins engelländ'sche Lager : when last heard from (**1453**) Isabeau was starting for Melun to join the English troops ; with a detachment of them (**3228**) she is now returning to camp.

3198 S.D. : John xviii, 6. **3202** : John xviii, 5. **3202** S.D. : Mark xiv, 50. **3205** : Mark xv, 31. **3206** : Matt. xiii, 58, perhaps combined (as it is combined in almost everybody's memory) with Mark vi, 5–6. **3211–3212**, **3154** : Matt. xxvii, 14 ; John xix, 9–10. **3224** : John xviii, 24. **3243** : Mark xv, 34 (and then with **3244** cf. Mark xv, 36). **3269** : Luke xxiii, 4 etc. **3324–3325** : Mark xv, 13–14. **3332** : John xi, 50. At this point, as in Act I, Sc. 10 — and even more than there — details of the history of Jesus are borrowed and applied to Johanna. The cumulation of instances of Biblical borrowings is such that it justifies us in looking báck a little way : **3020** and **3023**, S.D., John xii, 29 ; **3170**, Matt. iv, 1–11 (and commentators, especially Lives of Christ), which suggests for **3113–3114** a combination of Matt. iii, 17 with John xii, 28–29 ; **3122**, Mark i, 13 ; **3147–3148**, John xviii, 11 ; **3150**, John xix, 11 ; **3157–3158**, Is. liii, 7 ; **3185–3187**, Zech. xii, 10 (in whose context the recurrent "in that day" corresponds to our **3184** ; perhaps Schiller was quite as much influenced here by Rev. i, 7 as by the original in Zechariah). Compare also **3053** with those texts which give the impression that on the night of Jesus' arrest the moon was clouded into darkness, John xiii, 30 and others ; and cf. notes to **3449, 3462**.

3216. Daran : 'by this act' ; Isabeau herself is in exile from the French court.

3236. Den Tag der frohen Wiederkehr : cf. note to **1664**.

3239. There may be causality back of the fact that the words **Anführer der Soldaten** are of the right measure to complete the line. In Ramsay's *Gentle Shepherd* the name of the speaker who is introduced is thus made to fill out the meter of certain passages which are a sort of dumb chorus to the play. Of course here the only way in which we could regard **Anführer der Soldaten** as belonging to the meter would be by assuming that Schiller for the moment forgot (or disregarded ?) the fact that the only words that would be heard on the stage were the spoken words ; yet this may not be impossible. For a pretty clear case of Schiller's throwing a stage direction into meter cf. the climax of *Wilhelm Tell*, where the direction **Das Horn**

von Uri wird mit Macht geblasen rolls out as a full line of the verse, to produce on the reader somewhat the same effect that the sound of the horn would produce on the spectator in the theater.

3253. siegend : = siegreich ' victorious.'

3259–3260. Cf. **2749–2750.**

3280. schlage sich ins Mittel : see vocab. under schlagen.

3283. But however the tangled skein can be unraveled.

3287. beides : jedes von den beiden.

3293–3307. Raimond's coming with the preconceived idea that he must first plead Johanna's cause before he can get any help from these people is thoroughly true to human nature. Little in this play is so Shakespearean.

3303. Ardennerwald : cf. note to Act V, Sc. 1, first S.D.

3308. A repetition of the thought of **2549.**

3309. Wo ist sie : the fourfold repetition of these words by Dunois tells us better than other words could of his consuming love and anxiety.

3321. Palladium : among the Greeks, an image of the protecting divinity of a city, on whose preservation the safety of the town was supposed to depend. The great example is the Palladium of Troy, believed to have fallen from heaven.

Act V   Scenes 9–14

3330. erwarten : a rare intr. use of the verb; = zögern, zaudern.

3349. Construe mir with bist, not with Feind ; cf. **1966** ; ' in my sight you are.'

3353 ff. These lines are but a restatement of **1210 ff.** Johanna's prophetic power and her former majesty have returned now that she has denied her love.

3369–3373. Cf. *Julius Cæsar*, v, 1, 12–15.

3378–3379. Lionel takes his words from dead Talbot's lips ; cf. **1540–1541.**

3384. Poitiers : cf. note to **1243.**

3385. Lionel's readiness to intrust Johanna's safety to Isabeau is not clear, for a moment's thought would have convinced him of the danger of the proceeding. Lionel understands Isabeau thoroughly ; cf. **1368.**

3402. The inverted order of these two phrases is due to omission of wenn, the sign of the condition.

3416 ff. The battle which is being waged below the tower is brought vividly before us by the dialogue between the queen and the watching soldier; suspense as to its outcome is written in the demeanor of the actors on the stage. We think involuntarily of similarly presented conflicts in *Ivanhoe*, in *Götz von Berlichingen*, in *Julius Cæsar*; of the portrayal of Mary's death in *Maria Stuart*, or the murder of the herald in Kleist's *Familie Schroffenstein*.

3421. Barberroß : we are reminded of the Barbary roan of King Richard; cf. Shakespeare's *Richard II*, v, 4. Barbary was formerly the general name for the regions along the northern coast of Africa west of Egypt. The breed of horses of that name was first brought into Europe during the Moorish invasion of Spain.

3422. Tigerfell : worn by the barb, not by Dunois. — **Gendarmen :** in modern usage this word means 'policemen.'

3425. Brücke : i.e. der Zugbrücke, der den Graben überspannt.

3435. Das wilde Huhn : collective sg. ; 'fowl'; cf. **258.**

3446. Engel : i.e. Schutzengel 'guardian angel.'

3449. A reminiscence of Matthew xxvii, 46 : Mein Gott, mein Gott, warum hast du mich verlassen ?

3452. Supply der before **Fränkischen.**

3462. Jetzt, Retterin, errette : the thought is that of Matthew xxvii, 40 : Der du den Tempel Gottes zerbrichst, und bauest ihn in dreien Tagen, hilf dir selber !

3468–3469. Cf. Judges xv, 14 ; Aber der Geist des Herrn geriet über ihn, und die Stricke an seinen Armen wurden wie Faden. Cf. the following verses of the same chapter for the story of Samson.

3478. A short line sounds better to be pronouncedly short, just as a decoration hung obliquely on a wall looks better for not being *almost* horizontal or vertical. A line lacking only one accented syllable, as here, is less euphonious than a line ending at a place where a good cæsura might have come — unless the missing beat is filled out by a pause or otherwise. Usually in our play it is so filled. **3420** cannot be scanned at all, even as an incomplete line, without making the soldier take the time of one accent to look before he answers; if Schiller had not intended this pause, he would have written siehest. And valuable emphasis is gained by a two-syllable pause at the exclamation point in **1855** and **3255**. Less valuable, but still motivated, is the pause in **3109** (the charcoal-burner is for a moment too horrified to speak or act) and **1751** ; and here, where no pause is admissible, the noise of the breaking chains would sound as the last syllable of the line. On the other hand, the defect in **2079** admits no such supplement (a pause at the beginning of the line would fail to produce the metrical effect); and the metrical correspondence of **3109** and **3478** makes against any metrical explanation of the one which does not fit the other. Perhaps **3109** is best treated with a silence of horror at the end.

3486–3487. Cf. the description of Hector's fighting in *Troilus and Cressida*, v, 5, 19–23. This part of *Troilus and Cressida* is Shakespeare's leading instance of a lost battle being restored by the sudden appearance of a warrior who has been missing from his accustomed place, and is thus parallel to our closing scenes; and note that the soldier's rough-hewn words in **3420** sound like a mixture of two phrases in this immediate context in *Troilus and Cressida*, viz. v, 4, 1 " Now they are clapper-clawing one another" and v, 5, 36 "and he is arm'd and at it." It seems at least quite probable that while writing the *Jungfrau* Schiller made a practice of getting hints from Shakespeare by rereading, in preparation for any part of his own work, such parts of Shakespeare as he remembered to be especially parallel to his intended scene. The explanation that Schiller had his memory full of Shakespeare at all times, and that the echoes of a certain part of Shakespeare are grouped in a certain part of the *Jungfrau* because the subject-matter made this part of Shakespeare naturally supply reminiscences available for this part of the *Jungfrau*, does not seem to suffice. The correspondence of **1924–1925** with *Coriolanus*, v, 6, 52–54, might be casual reminiscence or even accidental coincidence; the speedily-following reminder of *Coriolanus* in **1986–1987** might be explained by saying that **1924–1925** had brought *Coriolanus* to Schiller's thoughts; but when we afterward find *Coriolanus*, v, 6, 126–127, in **2349–2350**, where there is no connection of subject-matter, the suggestion gains force that Schiller had read the last part of *Coriolanus* before writing his own scene of the triumphal welcome of a previously hostile chieftain, and had a bit of it still in mind. So, too, when the quarrel of the generals has a line like **1288** corresponding to one in the quarrel of the generals in *Julius Cæsar*, it might be accidental; when we add to this such psychological touches as the fact that as soon as they have made peace they unite to assail a peacemaker, and the words which men so lately at strife use in the following council of war (**1473–1474**; *Julius Cæsar*, iv, 3, 213), a good memory is explanation enough; but when a little later, in a quite different connection, we have such identities with *Julius Cæsar* as **1738**, **1750**, the easiest thing to believe is that Schiller had been reading *Julius Cæsar* on account of the quarrel of the generals. If **2277–2278**, further off, is *Julius Cæsar*, v, 1, 9–11, as it perhaps may be, this is nothing against the view here presented. At any rate, while any list of such coincidences will probably include some that are accidental, it is clear that Schiller does largely echo such parallel scenes in different parts of Shakespeare, in addition to his general response to *1 Henry VI*. See note to **598–599** on *Timon of Athens*; with the words of Burgundy in changing front, compare not only Shakespeare's Burgundy but Shakespeare's Clarence, *3 Henry VI*, v, 1; with the dying Talbot, not Shakespeare's dying Talbot but Shakespeare's dying Warwick, *3 Henry VI*, v, 2; etc. It should by no means be understood, however, that Schiller plagiarized from Shakespeare; Schiller intended that his echoes of Shakespeare (whom he regarded as the special corypheus of the Romantic Drama) should, like his echoes of Homer, be recognized as such by the intelligent public, and that they should produce the effect of a special ornament by being recognized. He could count on more recognition of Shakesperean phrases among his friends than he can among ourselves to-day.

3495. Der Feldherr : i.e. Lionel.

3539–3540. We need not think of these lines as self-contradictory ; Johanna sees the Virgin now with the Christ-child in her arms, now with both arms outstretched to welcome her to heaven.

3542. Flügelkleide : this word does not suggest *wings*, but means the loose frock of a child with lappet sleeves. It symbolizes the innocence of Johanna at her apotheosis.

SUMMARY

[B] The fifth act shows us how the distracted Johanna comes to her own again. For three days she has wandered aimlessly about with Raimond ; uncomplaining she has borne the shame of being shunned as a witch, she has even suffered the bitterest hurt of all — that the last creature who has clung to her regards her as guilty of the sins with which she is charged. She is conscious that she has overcome the frailty of her own heart and that a firm reliance upon God's kindly guidance has come to replace it. Scarcely has she laid bare her innermost self to her companion and removed the scales from his impaired vision, when she is seized by the English troops who are preparing to renew the war, and thus becomes the prisoner of Queen

Isabeau. A hard ordeal now confronts Johanna, for the queen sends her to Lionel. But when she appears before him who has once seen her so weak, when he urges her passionately to yield herself to him and promises to protect her against the world, she is clothed again in the majesty of the prophetess, she sees in him nothing but the enemy of her people, and, although in chains, she offers him a treaty with her king.

Lionel abandons the Maid to the care of Isabeau and rushes forth to the battle, which we are told of by the soldier who views it from the barbican of the tower. At first the fortune of the struggle wavers, and Johanna drinks in every word of the sentinel with breathless interest; but at last the enemy is victorious, Dunois is grievously wounded, the king is surrounded and made captive. In this hour of agony Johanna sends a prayer of entreaty to God; in a trice her heavy chains are miraculously broken asunder, she has fled into the thickest of the fight and has turned the ebbing tide of battle. Lord Fastolf falls, Lionel is captured — so announces the watching soldier; the queen must yield herself a prisoner.

Johanna is mortally wounded, and for some while lies unconscious in the arms of the repentant king; when she recovers from her swoon, however, she finds about her her own people regarding her with rueful eyes which indicate how completely their attitude towards her is changed. With transfigured gaze upturned to the eternal joys which await her in heaven, she sinks back dead upon the standard with which she has led her French to victory.

VOCABULARY

ABBREVIATIONS

acc.	accusative	*neg.*	negative
adj.	adjective	*neut.*	neuter
adv.	adverb(ial)	*nom.*	nominative
art.	article	*num.*	numeral
aux.	auxiliary	*part.*	participle, participial
cf.	compare	*pers.*	person(al)
comp.	comparative	*pl.*	plural
cond.	conditional	*poss.*	possessive
conj.	conjunction	*pr.*	pronounce
dat.	dative	*pref.*	prefix
decl.	declined	*prep.*	preposition
def.	definite	*pres. ·*	present
dem.	demonstrative	*pret.*	preterit
f.	feminine	*pron.*	pronoun
fut.	future	*prop.*	proper
gen.	genitive	*recip.*	reciprocal
ḥ.	ḥaben	*refl.*	reflexive
imp.	impersonal	*rel.*	relative
indecl.	indęclinab.e	ſ	ſein
indef.	indefinite	S.D.	stage direction
indic.	indicative	*sep.*	separable
inf.	infinitive	*sg.*	singular
interj.	interjection	*subj.*	subjunctive
interrog.	interrogative	*subst.*	substantive(ly)
intr.	intransitive	*superl.*	superlative
lit.	literally	*tr.*	transitive
m., masc.	masculine	*vocab.*	vocabulary
n.	noun	*w.*	with

EXPLANATION

If the accent of a word is not marked it is on the first syllable.

If the plural of a noun is not indicated it is lacking. If the masc. or neut. gen. sg. is not given it ends in –ŝ. (—) and (ᵘ) represent the first class strong declension with and without umlaut; (–e) and (ᵘe) the second class; (–er) and (ᵘer) the third class; and (–n) or (–en) the weak declension.

The principal parts of all strong and irregular verbs are given. Thus ſeḥen (ie — a — e) denotes pres. inf. ſeḥen; 2d and 3d pers. sg. pres. indic. ſieḥſt, ſieḥt; pret. indic. ſaḥ; perfect part. geſeḥen. If the tense-auxiliary of an intransitive verb is not given it is ḥaben. Separable prefixes have the accent-mark; those of more than one syllable have also the hyphen.

The adverbial meaning of an uninflected adjective is not listed, if it differs from the adjectival meaning only by the addition of the suffix -*ly*.

VOCABULARY

A

ab *adv. and sep. pref.* off, from,
away, down

ab'brechen (i — a — o) *tr. and intr.*
break off, desist

das Abenteuer (—) adventure

aber *conj.* but, however

der Aberglaube (*gen.* –ns, *pl.* –n)
superstition

der Aberwitz folly, madness

ab'fallen (fällt, fiel, gefallen) *intr.*
(f.) fall off, drop

ab'fertigen *tr.* send away, dispatch

ab'geben (i — a — e) *tr.* give up,
surrender

ab'gehen (ging, gegangen) *intr.* (f.)
go away, depart; leave (the stage)

der Abgesandte (*decl. as adj.*) ambassador, messenger, envoy

abgewandt *part. adj.* turned away,
averted

ab'gewinnen (a — o) *tr.* gain, elicit,
win from

ab'gleiten (glitt, geglitten) *intr.* (f.)
glide off, glance off

der Abgrund (ᵘe) abyss, chasm;
ruin, destruction

ab'helfen (i — a — o) *tr.* relieve,
remedy

ab'lassen (läßt, ließ, gelassen) *intr.*
cease, desist

ab'legen *tr.* lay off, lay aside

ab'lehnen *tr.* decline, reject

ab'reißen (riß, gerissen) *tr.* tear off,
break off, pull down, demolish

ab'ringen (a — u) *tr.* wring from

die Absage (–n) refusal, renunciation

ab'sagen *intr. w. dat.* revoke, re-
tract, renounce, resign

der Abschen horror, disgust, loath-
ing

der Abschied (–e) departure; parting, farewell, leave-taking; Abschied nehmen take leave

ab'senden (sendete *or* sandte, gesendet *or* gesandt) *tr.* send off,
dispatch

ab'sitzen (saß, gesessen) *intr.* (f.) dis-
mount

ab'sterben (i — a — o) *intr.* (f.)
become indifferent to, be dead
to, renounce

ab'wenden (wendete *or* wandte, gewendet *or* gewandt) *tr.* ward
off, avert

ab'ziehen (zog, gezogen) *intr.* (f.)
depart, desert; *tr.* take away,
withdraw

ach *interj.* oh! alas!

die Achsel (–n) shoulder

acht *num. adj.* eight, eighth

die Acht attention, care

achten *tr.* deem, judge, regard, esteem

acht'geben (i — a — e) *intr.* give heed, take care

die Achtung esteem, respect

der Acker (̈) field; acre

der Ackersmann (-leute) plowman, farmer

adeln *tr.* ennoble

die Ader (-n) vein

die Adlerskühnheit boldness of an eagle

adorie'ren *tr.* adore, worship; kneel before

Agnes *prop. n.* Agnes

der Ahn (*gen.* -s *and* -en, *pl.* -en) grandfather, ancestor, forbear

ahnen *tr.* forebode, guess, divine, anticipate; *imp.* have a presentiment

der Ahnherr (*gen.* -n, *pl.* -en) ancestor

ahnungsvoll *adj.* foreboding, ominous

all *adj. and pron.* all, whole, each, every

allein' *indecl. adj.* alone; *adv.* only; *conj.* but, only

allerforschend *part. adj.* all-searching, all-fathoming

allerfreuend *part. adj.* all-rejoicing

allerorten *adv.* in all places, everywhere

alles *indef. pron.* all, everything; everybody

allgemein *adj.* common, general, universal

die Allgewalt supreme power, omnipotence

allgewaltig *adj.* all-powerful

die Allmacht omnipotence; (the) inevitable

allmäch'tig *adj.* omnipotent, almighty

der Allmäch'tige (*decl. as adj.*) (the) Omnipotent, Almighty

allmäh'lich *adj.* gradual; *adv.* little by little

allwo' *adv.* where, there where, even where

als *conj.* when, as; *after comp.* than; *after neg.* but, except

alsbald' *adv.* at once, straightway

alsdann' *adv.* then

also *adv.* so, thus, then, therefore

alt (*comp.* ̈er, *superl.* ̈est) *adj.* old, former, ancient, aged

der Altar' (-e *and* ̈e) altar

der Alte (*decl. as adj.*) old man, father; *pl.* old people, forefathers

das Alter (—) age, old age; *coll.* old people; **von alters her** from of old, from time immemorial

altern *intr.* (f. *and* h.) grow old, decline, age

der Älteste (*decl. as adj.*) oldest man; elder, senior

altverjährt *adj.* ancient, hoary

an *prep.* (*dat. and acc.*), *adv.*, *and sep. pref.* at, in, in the way of, on, by, to, towards, with, near, close to, along

an'befehlen (ie — a — o) *tr.* direct, order, enjoin, charge

an'beten *tr.* adore, worship

anbetend *part. adv.* in adoration

an'bieten (o — o) *tr.* offer

der Anblick (-e) sight, glimpse; view, spectacle

an'blicken *tr.* look at

die Andacht devotion; act of devotion, prayer

ander *adj.* other, second, different; ein andres ist beschlossen it has been ordained otherwise

anders *adv.* otherwise, else

an'dringen (a — u) *intr.* (ſ.) press forward, advance

aneinan'der *adv.* together; at close quarters, at it

an'erbieten (o — o) *tr.* offer, tender, proffer

an'fallen (fällt, fiel, gefallen) *tr.* attack

an'fangen (ä — i — a) *tr. and intr.* begin, commence, start

anfangs *adv.* in the beginning, at first

an'fassen (faßte, gefaßt) *tr.* seize, lay hold of

an'flehen *tr.* implore, beg, entreat

an'führen *tr.* lead, command; lead on, conduct

der Anführer (—) leader, commander

an'füllen *tr.* fill up, occupy

der Angebetete (*decl. as adj.*) adored one, idol

angeboren *part. adj.* congenital, native, inherited

an'gehören *intr. w. dat.* belong to

angenehm *adj.* agreeable, pleasant

das Angesicht (-e) face, countenance, visage; sight; presence

angestammt *part. adj.* traditional, hereditary, ancestral

an'greifen (griff, gegriffen) *tr.* attack

der Angriff (-e) attack; seizure

die Angst (ᵘe) anxiety, anguish

ängstigen *tr.* distress, vex, trouble, alarm, harass

ängstlich *adj.* anxious; disquieting, alarming

an'hören *tr.* listen to, hearken to, hear

Anjou (*pr.* angzhu′) [province of] Anjou

an'kennen (kannte, gekannt) *tr.* = anerkennen acknowledge, recognize, own

die Anklage (-n) accusation, arraignment, charge

an'klagen *tr. and refl.* accuse, complain of

an'kommen (kam, gekommen) *tr. and intr.* (ſ.) befall, seize, overtake, arrive

an'kündigen *tr.* announce, give notice of, proclaim, publish

die Ankunft (*pl. rare:* ᵘe) arrival

an'lächeln *tr.* smile upon

an'langen *intr.* (ſ.) arrive

an'legen *tr.* put on

an'maßen *refl. w. dat.* presume, arrogate

die Anmut grace, charm, comeliness

an'nehmen (nimmt, nahm, genommen) *tr.* accept, receive, take

an'reden *tr.* address, accost

an'rücken *intr.* (ſ.) approach, advance

an'rufen (ie — u) *tr.* call to, invoke; adjure, implore

an'sagen *tr.* state, declare; saget an! speak out! out with it!

an'schauen *tr.* view, gaze at, contemplate, behold

an'ſchließen (ſchloß, geſchloſſen) *refl. w. an* join, attach one's self to; belong to

an'ſehen (ie — a — e) *tr.* look at, see, behold

an'ſetzen *tr.* set up, raise

der Anſpruch (ᵘe) claim

die Anſtalt (–en) arrangement, preparation; Anſtalt machen make preparations for, provide for

der Anſtand (ᵘe) decency; (becoming) mien, demeanor, bearing

an'ſtaunen *tr.* stare at, gape at

an'ſtehen (ſtand, geſtanden) *intr.* suit, become, befit

an'ſteigen (ie — ie) *intr.* (ſ.) ascend, mount; rise

die Anſtrengung (–en) effort, exertion

an'ſtürmen *intr.* (ſ.) assault, make an onset

der Anteil (–e) interest, sympathy; part, share

das Antlitz (–e) face, visage, countenance

an'treten (tritt, trat, getreten) *tr.* approach

die Antwort (–en) reply, answer

antworten *tr.* answer

anweſend *part. adj.* present

die Anweſenden (*decl. as adj.*) those present

an'zeigen *tr.* announce, declare, inform, indicate

an'zünden *tr.* set fire to

der Apfel (ᵘ) apple

die Arbeit (–en) work, labor, toil, task

arbeiten *tr. and intr.* work

arbeitsvoll *adj.* laborious, toiling

Arden'nen [forest of] Ardennes

der Arden'nerwald Forest of Ardennes

das Ärgernis (–ſſe) vexation, offense; ein Ärgernis nehmen (an) be offended (by)

argliſtig *adj.* crafty, cunning, shrewd, wily

der Argliſtige (*decl. as adj.*) crafty wretch

arm (*comp.* ᵘer, *superl.* ᵘſt) *adj.* poor, wretched, miserable

der Arm (–e) arm; = Ärmel sleeve

die Armee' (*pl.* Arme'en) army

armſelig *adj.* shabby, needy; wretched, pitiable

der Ärmſte (*decl. as adj.*) meanest (one), most wretched (one)

Arras [city of] Arras

die Art (–en) kind, sort; species, race; aus der Art ſchlagen degenerate

der Arzt (ᵘe) doctor, physician; = Arznei cure, remedy

die Aſche (–n) ash, ashes

der Atem breath

das Atom' (–e) atom, particle

auch *adv.* also, too, even; really, indeed; ever; auch . . . nicht not . . . either; ſo . . . auch however; was . . . auch whatever; wenn . . . auch even if; welch . . . auch whatever; wie . . . auch as

die Aue (–n) lowland, meadow, pasture

auf *prep.* (*dat. and acc.*) on, upon; in, at, to, for, up; *sep. pref. and adv.* up, upon, upwards, open

auf'blicken *intr.* look up

auf'bringen (brachte, gebracht) *tr.* collect, gather; raise, levy, recruit; provoke, incense

der Aufbruch (ᵘe) setting out, departure, breaking up (camp)

auf'drängen *tr.* press upon, thrust upon, urge upon

aufeinan'der *adv.* upon one another

auf'fahren (ä — u — a) *intr.* (f.) start, start up

auf'geben (i — a — e) *tr.* abandon, surrender

das Aufgebot (-e) call, summons

aufgebracht *part. adj.* exasperated, incensed

aufgehäuft *part. adj.* heaped up

aufgehoben *part. adj.* uplifted; exalted

aufgerichtet *part. adj.* erect

auf'halten (ä — ie — a) *tr.* hold up, detain; prevent, stop, hinder

auf'hängen (hängte, gehängt *or* gehangen) *tr.* hang up, suspend

auf'heben (o *or* u — o) *tr.* raise, lift, take up

auf'jagen *tr.* start, rouse

der Auflauf (ᵘe) riot, uproar, tumult

aufmerksam *adj.* attentive

die Aufmerksamkeit (-en) attention

auf'nehmen (nimmt, nahm, genommen) *tr.* adopt, admit, include, receive

auf'nötigen *tr.* urge upon, force upon

auf'regen *tr.* stir up, excite

auf'reißen (riß, gerissen) *tr.* tear open, tear off

auf'ritzen *tr.* slit, cut into, rip, rend; unseal, uncover

der Aufruhr (-e) tumult, stir, commotion

auf'sagen *tr.* renounce, give up

auf'schauen *intr.* look up

auf'schlagen (ä — u — a) *tr.* open, raise

auf'schließen (schloß, geschlossen) *tr.* unlock, open; expose, reveal

auf'schreien (ie — i) *intr.* cry out, scream, shriek

auf'setzen *tr.* set upon, put on

auf'sparen *tr.* save up, lay by, keep, reserve

auf'springen (a—u) *intr.* (f.) spring up, jump up

auf'stehen (stand, gestanden) *intr.* (f.) stand up, get up, rise

auf'steigen (ie—ie) *intr.* (f.) mount, ascend, rise

auf'streifen *tr.* turn up, tuck up

auf'suchen *tr.* seek out, search for

der Auftrag (ᵘe) commission, errand, message

auf'treten (tritt, trat, getreten) *intr.* (f.) enter, appear

der Auftritt (-e) entrance, appearance; scene (of a play)

auf'tun (tat, getan) *tr.* open

auf'wachen *intr.* (f.) awake

auf'wärts *adv.* upwards

auf'werfen (i — a — o) *refl.* assume, set up (for), set one's self up (as)

der Aufzug (ᵘe) act (of a play); procession, pageant

auf'zwingen (a — u) *tr.* force upon, thrust upon

das Auge (*gen.* -s, *pl.* -n) eye; aus den Augen out of sight der **Augenblick** (–e) moment, instant

das **Augenlid** (–er) eyelid

aus *prep.* (*dat.*) out of, from, of, because of; *adv. and sep. pref.* out, forth, over, at an end

die **Ausbeute** (–n) yield, profit, gain

aus'brechen (i — a — o) *intr.* (f.) break out, burst (into)

aus'dauern *intr.* endure

aus'drücken *tr.* express

auseinan'der *adv.* apart; *interj.* fall back!

auseinan'der-rollen *tr.* unroll

aus'ersehen (ie — a — e) *tr.* single out, choose, select

aus'fallen (fällt, fiel, gefallen) *intr.* (f.) make a sortie, sally forth

aus'führen *tr.* carry out, effect, achieve, accomplish

der **Ausgang** (ᵘe) issue, result; close, conclusion; exit

ausgebreitet *part. adj.* outspread, outstretched

aus'gehen (ging, gegangen) *intr.* (f.) go out, proceed, issue

ausgeschmückt *part. adj.* adorned, decorated

aus'gießen (goß, gegossen) *tr.* pour out, empty, shed, spill, vent; diffuse, spread

aus'halten (ä — ie — a) *tr.* bear, endure, support, survive

aus'hängen (hängte, gehängt *or* gehangen) *tr.* hang out, display

aus'hauchen *tr.* breathe out

aus'lassen (läßt, ließ, gelassen) *tr.* let out, emit; discharge, vent

aus'liefern *tr.* deliver over

aus'löschen *tr.* blot out, wipe out, efface

aus'rasen *intr.* cease to rage, become calm, abate, subside

aus'reißen (riß, gerissen) *tr.* tear out

aus'richten *tr.* perform, accomplish, effect

aus'schließen (schloß, geschlossen) *tr.* shut out, exclude

außen *adv.* out, without, abroad

aus'senden (sendete *or* sandte, gesendet *or* gesandt) *tr.* send out

außer *prep.* (*dat.*) without, except; *conj.* except, unless; außer sich beside one's self

äußer *adj.* outer

äußerst *adj.* remotest, farthest; extreme

aus'speien (ie — i) *tr.* spew out, vomit out, fling out

aus'stellen *tr.* set out, expose; post, establish

aus'stoßen (ö — ie — o) *tr.* push out, thrust forth, expel, eject

aus'strecken *tr.* stretch out, extend

aus'strömen *tr.* pour out, discharge, empty

aus'teilen *tr.* distribute, dispense

aus'toben *intr.* spend one's rage, subside

aus'üben *tr.* practice, exercise; show, exhibit

aus'wandern *intr.* (f.) depart, emigrate

aus'werfen (i — a — o) *tr.* throw out

Azincourt (*pr.* aſinkur´) [village of; battle of] Agincourt

B

der **Bach** (ᵘe) brook, rivulet; fountain, stream

die **Bahn** (-en) path; course, career

bahnen tr. smooth, clear, level, pave

bald adv. soon

das **Band** (-e; archaic pl. Banden 2273) tie, union; bond, fetter

das **Band** (ᵘer) band, ribbon

die **Bande** (-n) band, company, gang

bändigen tr. restrain

bang(e) adj. fearful, timorous, uneasy, anxious, afraid

das **Banner** (—) banner, standard, flag

barba'risch adj. barbarous

das **Barberroß** (-sse) Barbary steed, barb

die **Barmher'zigkeit** mercy

der **Baron'** (-e) baron

die **Base** (-n) cousin

der **Bastard** (-e) illegitimate son, bastard

der **Bau** (-e) edifice, building, structure

Baudricour (pr. bohdrikur') prop.n. Baudricour

bauen tr. build; cultivate, till; refl. be building, be rising

der **Baum** (ᵘe) tree

die **Bayerfürstin** (-nen) Bavarian princess

be= insep. pref. be-

die **Beäng'stigung** anguish, anxiety

beben intr. shake, quiver, shudder, quake, tremble

der **Becher** (—) beaker, cup, goblet

bedacht' part. adj. deliberate, measured

bede'cken tr. cover

die **Bede'ckung** (-en) covering; protection, guard, escort

beden'ken (bedachte, bedacht) tr. consider, think over; refl. ponder, hesitate

bedeu'ten tr. mean, denote, signify

bedeu'tend part. adj. significant

Bedford [duke of] Bedford

bedrän'gen tr. distress, afflict, press hard

bedro'hen tr. threaten

bedür'fen (bedarf, bedurfte, bedurft) intr. w. gen., and tr., need, want; imp. there is need of

befeh'den tr. attack; be at war with

der **Befehl'** (-e) command, order

befeh'len (ie — a — o) tr. and intr. command, charge; commend, resign; rule, have sway

befe'stigen tr. fasten, make firm; place

befle'cken tr. defile, stain, besmirch, pollute

befrei'en tr. liberate, free

befrie'digen tr. content, satisfy, pacify

befüh'len tr. feel (of), touch

befürch'ten tr. fear, suspect, apprehend

bege'ben (i — a — e) refl. come to pass, happen; go, betake one's self; w. gen. renounce, forego, waive

begeg'nen *intr.* (ſ.) meet, encounter; (h.) **2038**; use, treat

begeh'ren *tr.* desire; look upon with desire, lust after

begei'ſtern *tr.* inspire

begei'ſtert *part. adv.* with enthusiasm

die **Begei'ſterung** (–en) animation, enthusiasm

die **Begier'** desire

begie'rig *adj.* eager

begin'nen (a — o) *tr. and intr.* begin, commence; do; undertake

die **Beglau'bigung** (–en) verification, testimony

beglei'ten *tr.* accompany, attend, escort

der **Beglei'ter** (—) companion, follower

beglü'cken *tr.* make happy

begra'ben (ä — u — a) *tr.* bury

begrei'fen (begriff, begriffen) *tr.* understand, grasp, comprehend; include

begren'zen *tr.* border, bound, inclose

der **Begriff'** (–e) idea, conception; im Begriff on the point (of), about (to)

begriff'en *part. adj.* engaged (in); auf dem Weg begriffen ſein be on the way, be in the act of going

begrü'ßen *tr.* greet, welcome; hail, salute

begü'tigen *tr.* appease, conciliate

behal'ten (ä — ie — a) *tr.* keep, preserve, retain

behaup'ten *tr.* assert, maintain; uphold, support, defend

behelmt' *part. adj.* helmeted

beher'zigen *tr.* take to heart, bear in mind; weigh, consider

bei *prep.* (dat.), *adv., and sep. pref.* by, near, at, at the house of, in the camp of, with, in, on, upon, among

beichten *tr.* confess

beide *adj. pl.* both, two, the two

beides *adj. neut. sg.* both; either

der **Beifall** (ᵘe) applause; approval

das **Beil** (–e) ax

beinah'(e) *adv.* almost

das **Beiſpiel** (–e) example, instance; nimm ein Beiſpiel! follow my example!

bei'ſpringen (a — u) *intr.* (ſ.) hasten to aid; succor, relieve, deliver

der **Beiſtand** (ᵘe) help

bei'ſtehen (ſtand, geſtanden) *intr.* help, aid, assist, support

beizei'ten *adv.* betimes

bekämp'fen *tr.* overcome, subdue, fight down

bekannt' *part. adj.* known

beken'nen (bekannte, bekannt) *tr.* acknowledge, confess; *refl.* avow, profess, hold (to), belong (to)

bekla'gen *tr.* deplore; bemoan, pity

bekrän'zen *tr.* crown, deck with garlands

bekreu'zen *refl.* cross one's self, make the sign of the cross

bekrö'nen *tr.* crown

beküm'mern *tr.* trouble, grieve, give concern

bela'gern *tr.* besiege

die Bela'gerung (-en) siege

belei'bigen *tr.* insult, offend, injure

die Belei'bigung (-en) insult, injury

beleuch'ten *tr.* illumin(at)e, light up

belobt' *part. adj.* praised, commended; illustrious

belü'gen (o — o) *tr.* deceive (with lies)

bemäch'tigen *refl. w. gen.* gain possession of, seize

bemer'ken *tr.* notice, perceive

bemü'hen *refl.* take pains, endeavor

das Bemü'hen effort, trouble, pains

benei'ben *tr.* envy

benet'zen *tr.* moisten, wet; bedew

berau'ben *tr.* despoil, plunder, rob

bereit' *adj.* ready, prepared

berei'ten *tr.* make ready, prepare; effect, compass; give

der Berg (-e) mountain

bergen (i — a — o) *tr.* conceal, hide; save, secure

Bertranb Bertrand [a peasant of Domremy]

der Beruf' (-e) vocation, function, mission

beru'fen (ie — u) *tr.* call, summon; appoint

berühmt' *part. adj.* famous, celebrated, renowned

berüh'ren *tr.* stir, move, touch, fill by the touch

besänf'tigen *tr.* mollify, appease

beschäf'tigen *tr.* occupy, busy

beschä'men *tr.* shame, mortify

der Bescheib' (-e) reply, answer

beschei'ben (ie — ie) *tr.* apportion, allot, destine

beschei'ben *adj.* modest, moderate, unpretentious

beschen'ken *tr.* make a present

beschie'ben *part. adj.* appointed, destined

beschimp'fen *tr.* dishonor, defame, disgrace

beschimp'fenb *part. adj.* insulting, disgraceful

beschlie'ßen (beschloß, beschlossen) *tr.* determine, resolve

beschlof'fen *part. adj.* decreed, ordained

der Beschluß' (*ffe) resolution, determination; einen Beschluß fassen resolve, determine

die Beschul'bigung (-en) accusation

beschüt'zen *tr.* guard, protect, defend

der Beschüt'zer (—) guardian, protector

beschwö'ren (u — o) *tr.* implore, entreat, plead; appeal to

besee'len *tr.* inspire

beset'zen *tr.* occupy, garrison; seize

besie'geln *tr.* ratify, confirm, seal

besie'gen *tr.* conquer, overcome, defeat

besin'nen (a — o) *refl.* recollect, bethink one's self, recall

der Besitz' possession

besit'zen (besaß, besessen) *tr.* possess

das **Befiß'tum** (¨er) possession, property

die **Befon'nenheit** prudence, self-possession, thoughtfulness, discretion

befpre'chen (i — a — o) *tr.* talk over, discuss; *refl.* commune

beffer (*comp. of* gut) *adj.* better

best (*superl. of* gut) *adj.* best; zum besten haben make sport of; am besten, aufs beste, zum besten, in the best way

beste'hen (bestand, bestanden) *intr.* exist, continue, endure; bestehen aus consist of; zusammen bestehen be compatible

bestei'gen (ie — ie) *tr.* ascend, mount

bestim'men *tr.* appoint, destine, decide, ordain

bestimmt' *part. adj.* fixed, definite; engaged; appointed; destined to; disposed of

bestreu'en *tr.* bestrew

betäu'ben *tr.* deafen; daze, stun, stupefy, bewilder

beten *intr.* pray

betö'ren *tr.* delude, dupe, hoax

betrach'ten *tr.* regard, observe

betre'ten (betritt, betrat, betreten) *tr.* set foot upon, tread; enter

betrof'fen *part. adj.* surprised, disconcerted, embarrassed, confused, alarmed

betro'gen *p. part. of* betrügen

betrü'ben *tr.* trouble, grieve, distress

betrü'gen (o — o) *tr.* deceive, betray, cheat

betrüg'lich *adj.* deceitful, false

das **Bett** (*gen.* -es, *pl.* -en) bed; channel (of a stream)

das **Bette** *see* Bett

beugen *tr. and refl.* bend, incline, bow

die **Beute** booty, prey, spoil; prize

bevor' *conj.* before, ere

bewa'chen *tr.* watch, guard

bewaff'nen *tr.* arm, equip

bewah'ren *tr.* keep, preserve, guard

bewäh'ren *tr.* attest, verify

bewe'gen (bewog *or* bewegte, bewogen *or* bewegt) *tr.* stir, move, agitate, excite, touch, prevail upon; *refl.* move, approach

bewegt' *part. adj.* agitated

die **Bewe'gung** (-en) motion, movement; agitation, disturbance; emotion; gesture

bewe'gungslos *adj.* motionless, still, rigid

bewei'nen *tr.* bemoan, lament, weep for

bewei'sen (ie — ie) *tr.* show, exhibit, display; prove; *intr.* testify, give witness

der **Bewer'ber** (—) wooer, suitor

bewir'ten *tr.* entertain, regale

bewoh'nen *tr.* inhabit, occupy

bewöl'ken *tr.* cloud

bewölkt' *part. adj.* overcast, cloudy

bewußt' *part. adj.* conscious, aware

bezah'len *tr.* pay, recompense

bezäh'men *tr.* tame, curb, restrain

bezeich'nen *tr.* designate, indicate, mark

bezeu'gen *tr.* attest, bear witness to, testify

bezwin'gen (a — u) *tr.* subdue, overcome; get the better of, master

biegen (o — o) *tr.* bend

die Biene (–n) bee

der Bienenkorb (#e) beehive

bieten (o — o) *tr.* offer, proffer, bid

das Bild (–er) picture, image; figure, form

bilden *tr.* form, fashion, mold; picture, depict

die Binde (–n) scarf, sash

binden (a — u) *tr.* bind

bindend *part. adj.* binding, obligatory

binnen *prep.* (*dat.*) within; before, ere

bis *prep.* (*acc.*), *adv., and conj.* to, up to, as far as, till, until; bis an as far as; bis auf except; bis daß before

der Bischof (#e) bishop

die Bitte (–n) request, petition

bitten (bat, gebeten) *tr. and intr.* ask, beg; pray, supplicate

bitter *adj.* bitter, sharp, rancorous

bitterschwer *adj.* extremely difficult

blank *adj.* shining, polished, bright

blasen (ä — ie — a) *tr.* blow, sound

blaß *adj.* pale, pallid, wan

bleiben (ie — ie) *intr.* (ſ.) continue, remain, stay, abide; stehen bleiben (continue to) stand; stop

bleich *adj.* faded, pale, wan, white

blenden *tr.* blind, dazzle

das Blendwerk (–e) delusion, illusion, mockery

der Blick (–e) look, glance, gaze

blicken *intr.* look, gaze

blind *adj.* blind, deluded

der Blitz (–e) flash, lightning; bolt

blitzen *intr.* flash; lighten

blöde *adj.* bashful, timid, diffident

bloß *adj.* bare, sole, mere, simple; *adv.* only, merely, nothing but, purely

die Blöße (–n) unprotected part, weak side

blühen *intr.* bloom, blossom; flourish

blühend *part. adj.* blooming, flourishing; flowery

die Blume (–n) blossom, flower

das Blut blood

bluten *intr.* bleed

das Blutgerüste (—) scaffold; (headsman's) block

blutig *adj.* bloody; sanguinary; cruel, heinous

blutrot *adj.* blood-red

der Boden (#) ground, soil; floor, foundation; zu Boden to the earth; in the dust; down

das Bohe'merweib (–er) gypsy woman

das Boot (–e *and* Böte) boat

bös (böse) *adj.* bad, evil, wicked

der Böse (*decl. as adj.*) evil-doer, malefactor

das Böse (*decl. as adj.*) evil, wickedness, ill

der Bote (*gen.* –n, *pl.* –n) messenger

die Botschaft (–en) message

Brabant' [province of] Brabant

der Brand (#e) fire, conflagration; firebrand

der **Brauch** (ꞈe) custom, usage

brauchen tr. want, need, use, employ

braun adj. brown, sere; tanned, swarthy

die **Braut** (ꞈe) betrothed (woman), bride; sweetheart, love

der **Brautkranz** (ꞈe) bridal wreath

brav adj. worthy, good, honest

brechen (i — a — o) tr. and intr. break, burst; pluck

breiten tr. widen, extend, spread

brennen (brannte, gebrannt) tr. and intr. burn

brillan'ten (pr. –janten) adj. jeweled, diamond

bringen (brachte, gebracht) tr. bring

der **Brite** (gen. –n, pl. –n) Briton

der **Britensohn** (ꞈe) son of Britain, Briton

britisch adj. British, English

die **Brücke** (–n) bridge; drawbridge

der **Bruder** (ꞈ) brother

brüderlich adj. brotherly, fraternal

der **Bruderzwist** (–e) discord between brothers

Brügg [city of] Bruges

der **Brunnen** (—) well, spring

die **Brunst** (ꞈe) heat, fire

brünstig adj. inflamed, ardent, eager, fervent

die **Brust** (ꞈe) breast, bosom; heart

der **Brustharnisch** (–e) cuirass, corselet, breastplate

die **Brustwehr** (–en) breastwork, rampart

die **Brut** (–en) brood, litter, young

der **Bube** (gen. –n, pl. –n) boy, lad; rascal, rogue, villain, knave

das **Buch** (ꞈer) book

der **Buhle** (gen. –n, pl. –n) lover, paramour

die **Buhle** (–n) love, mistress

buhlerisch adj. coquettish, amorous; wanton, lewd

die **Bühne** (–n) stage, boards

der **Bund** (ꞈe) covenant; alliance, league; bond

der **Bundesfreund** (–e) confederate, ally

das **Bündnis** (–sse) alliance, league; bond, tie

der **Bundsgenosse** (gen. –n, pl. –n) confederate

die **Bundsgenossin** (–nen) confederate

die **Burg** (–en) citadel, fort, stronghold, castle, walled town

bürgen intr. vouch for, be security

der **Bürger** (—) burgher, citizen, commoner; townsman

das **Bürgerblut** subjects' blood

der **Bürgerkrieg** (–e) civil war

Burgund' [duchy of; duke of] Burgundy

der **Burgun'dier** (—) Burgundian

burgun'disch adj. of Burgundy, Burgundian

der **Busch** (ꞈe) bush

der **Busen** (—) bosom, heart

die **Buße** (–n) penitence, penance

büßen tr. atone for, expiate

C

Chalons (pr. schalong') [city of] Châlons

Chatillon (pr. schatiljong') Chatillon [a Burgundian knight]

der **Cherub** (–s or –im) cherub

Chinon (*pr.* ſchinong′) [city of] Chinon

das Chor (″e) choir

der Chorknabe (*gen.* –n, *pl.* –n) choir-boy

die Circe (*pr.* tßirtße) Circe

Claude Marie (*pr.* kloßd marri′) Claude Marie [a peasant]

Clermont (*pr.* klermong′) [city of] Clermont

Crequi (*pr.* kreßti′) [town of] Crécy

D

da *adv.* there, here; then, in that case; *conj.* when, while; since, because, as, whereas

das Dach (″er) roof; house, dwelling, habitation; shelter, protection

dafür *adv.* for it, therefor, for that

dagegen *adv.* against it, against that; in reply, in return; on the contrary

Dagobert Dagobert [a Merovingian king]

daheim *adv.* at home

dahin *adv. and sep. pref.* thither, there, to it; along, on; gone; dead

dahin′=führen *tr.* lead thither

dahin′=geben (i—a—e) *tr.* abandon

dahin′=schmettern *tr.* smite down, fell

da′liegen (a — e) *intr.* lie there

damals *adv.* then, at that time

damit *adv.* therewith, with it, thereby; *conj.* that, in order that

die Dämmerung (–en) twilight, dusk, gloaming

dämpfen *tr.* muffle

danach *adv.* after that, according to it, for it

die Danaï′den *pl.* Danaids

dane′ben *adv.* thereby, near by

danie′der *adv.* down

der Dank thanks, gratitude

danken *intr. w. dat.* thank, give thanks; gedankt ſei allen thanks be to all

dann *adv.* then, thereupon

daran′ *adv.* thereon, therein, thereat, thereto, to it, in that

darauf′ *adv.* thereon, thereupon, upon it; then, thereafter

daraus′ *adv.* therefrom, from this, out of it; out of them

dar′bieten (o — o) *tr.* offer, proffer

darein′ *adv. and sep. pref.* thereinto, therein, into it

darein′=schlagen (ä — u — a) *intr.* strike (at random), lay about (one)

darin′ *adv.* therein, in it; within

dar′leihen (ie — ie) *tr.* lend, advance

darnach′ *see* danach

darne′ben *see* daneben

darnie′der *see* danieder

darnie′der=kämpfen *tr.* overcome, overthrow

daro′ben *adv.* above, up there

dar′stellen *tr.* depict, represent; *refl.* present one's self (*or* itself)

darum′ *adv.* thereabout; therefore, on that account

darun′ter *adv.* thereunder; amidst it, there

das Dasein existence, being

daselbst' adv. in that place

daß conj. that, so that, in order that; w. subj. of wish ah that; would that

der Dauphin (pr. do'phang) (-s) Dauphin

davon' adv. and sep. pref. therefrom, thereof, of it, from it, of that, of them; off, away

davon'=tragen (ä—u—a) tr. carry off, bear away

davor' adv. before it, from it

dazwi'schen adv. and sep. pref. between them, between there, at intervals

dazwi'schen=treten (tritt, trat, getreten) intr. (f.) step between, interpose

die Decke (-n) cover

decken tr. cover, deck

der Degen (—) sword, blade; knight, hero, champion

dein poss. pron. and adj. thy, thine, your, yours

das Deine (decl. as adj.) your duty, your part

die Demut humility, lowliness, meekness

der Denis (pr. deni') prop. n. St. Denis

denken (dachte, gedacht) tr. and intr. think, think of, imagine; remember; intend; refl. imagine, conceive

das Denkmal (ꭎer) monument, memorial

denn adv. then, therefore; conj. for, because; unless; after comp. than

dennoch conj. and yet, nevertheless, however

der (die, das) def. art. the; dem. pron. and adj. this, that, he, she, it; rel. pron. who, which, that

dereinst' adv. some time, some day

dersel'be (dieselbe, dasselbe) adj. the same

desto adv. (w. comp.) the, so much the, all the

deuten tr. interpret, explain; point (to); signify

deutlich adj. plain, distinct, clear

das Diadem' (-e) diadem, crown

dicht adj. tight, thick, dense, compact, close

dick adj. thick

dienen intr. w. dat. serve, wait upon

der Dienst (-e) service; favor

dieser (diese, dieses or dies) dem. pron. and adj. this, that, the latter

diesmal adv. this time, this once

das Ding (-e) thing, matter

die Dirne (-n) wench, lass, girl

doch adv. and conj. yet, however, still, but, nevertheless, though; I hope; really, indeed

der Dolch (-e) dagger

der Dom (-e) cathedral

Dom Remi (pr. dongrehmi') [village of] Domremy

der Donner (—) thunder

der Donnerkeil (-e) thunderbolt

donnern intr. thunder

der Donnerschlag (ꭎe) thunderclap

die Donnerwolfe (-n) thundercloud, storm-cloud

doppelzüngig *adj.* false-tongued, lying

das Dorf (⁀er) hamlet, village

dort *adv.* there, yonder

Douglas (*pr. as in English*) Douglas [a Scotch earl]

der Drang (⁀e) pressure, stress; impulse

drängen *tr.* press, throng, crowd; oppress; force, urge

das Drängen multitude, crowd, mob, throng

drauf *see* darauf

drehen *tr.* turn, twirl, wind, whirl

drei *num.* three

dreiein(ig) *adj.* triune

der Dreiein(ig)e (*decl. as adj.*) God in Three Persons, Holy Trinity, the Three in One

dreifach *adj.* threefold, treble

drein *see* darein

dreißig *num.* thirty

dreist *adj.* bold

drin *see* darin

dringen (a — u) *intr.* (f.) press onward, rush; penetrate

dringend *part. adj.* urgent, important

dritt *num. adj.* third; das dritte Wort every other word

droben *adv.* above, on high

drohen *tr., and intr. w. dat.*, threaten, menace; be about to

drücken *tr. and intr.* press, oppress, weigh upon

der Drui'denbaum (⁀e) druid oak

drum *see* darum

drunter *see* darunter

du (*pl.* ihr) *pron.* thou, you

Du Chatel (*pr.* dü schatell') Du Chatel [a royal officer]

dulden *tr.* be patient with, endure, submit

das Dulden patience, suffering, endurance

die Dummheit (-en) stupidity

dumpf *adj.* dull, hollow, gloomy

dunkel *adj.* dark; unknown, obscure, lowly; confused, mysterious

dunkeln *intr.* grow dark, grow dim, darken

dunkelnd *part. adj.* obscuring, dusky, darkening (the air)

dünken (dünkte *or* deuchte, gedünkt *or* gedeucht) *tr. and intr.* seem, appear; mich dünkt meseems, methinks

dünn *adj.* thin

Dunois (*pr.* dünoah') Dunois [a French nobleman]

durch *prep.* (acc.), *adv., sep. and insep. pref.* through; during; by, by means of

durchboh'ren *tr.* transfix, pierce, stab

durchdrin'gen (a—u) *tr.* penetrate

durchflam'men *tr.* flame through, animate

durch'kommen (kam, gekommen) *intr.* (f.) come through, pass

durchrin'nen (a — o) *tr.* run through, flow through

durchschau'en *tr.* see through, fathom

durchströ'men *tr.* flow through

dürfen (darf, durfte, gedurft) *intr. and mod. aux.* have permission, have a right, may; must; dare

dürr *adj.* sere, withered, weazened, lean

dursten *intr.* thirst

düster *adj.* dim, dark, gloomy, lurid

düsterleuchtend *part. adj.* with lurid glare

E

die Ebbe (–n) ebb, receding tide

eben *adj.* even, level, smooth; *adv.* just, just then, just now

ebenbürtig *adj.* equal, the peer of

die Ebene (–n) plain

das Echo (–s) echo

edel *adj.* noble

der Edelknecht (–e) squire, page

der Edelmann (–leute) nobleman, noble

die Edle (*decl. as adj.*) noblewoman, peeress

eh(e) *conj.* before, ere; sooner, rather

das Eheband (–e) marriage tie

eher *comp. adv.* sooner, before, rather

ehern *adj.* brazen, bronze

die Ehre (–n) honor

ehren *tr.* honor, respect

der Ehrenbogen (—) triumphal arch

ehrenvoll *adj.* honorable, worthy

ehrerbietig *adj.* respectful

ehrlich *adj.* honest

die Ehrsucht ambition

ehrvergessen *part. adj.* dishonorable, unprincipled

ehrwürdig *adj.* venerable, worthy, revered

die Eiche (–n) oak(-tree)

der Eid (–e) oath

die Eifersucht jealousy

eigen *adj.* own, proper; peculiar, strange; very, actual

das Eigentum (*"*er) possession, property

eigenwillig *adj.* opinionated, obstinate

der Eilbote (*gen.* –n, *pl.* –n) courier

eilen *intr.* (f. or h.) hasten, speed, hurry

eilfertig *adj.* hasty

eilig *adv.* hastily, with all speed

ein *indef. art., num. adj., and indef. pron.* a, an, one

ein= *sep. pref.* in, into

einander *indecl. recip. pron.* one another, each other

die Einbildung imagination, fancy

ein'dringen (a — u) *intr.* (f.) fall upon, attack; penetrate, pierce

der Eindruck (*"*e) impression

ein'fallen (fällt, fiel, gefallen) *intr.* (f.) fall in, join in; break in, interrupt; enter the mind, come into one's head; occur

ein'fassen (faßte, gefaßt) *tr.* inclose; border, edge

der Eingang (*"*e) entrance

eingeboren *part. adj.* native(-born)

eingefaßt *part. adj.* inclosed; edged

eingeschlagen *part. adj.* stamped, engraved

ein'halten (ä — ie — a) *intr.* cease, stop, pause

einheimisch *adj.* native

einher' *adv.* along, on, towards

einher'ziehen (zog, gezogen) *intr.* (f.) move about; march on

ein'holen *tr.* go to meet; escort in

ein'hüllen *tr.* wrap, veil, envelop

einig *adj.* one, united; agreed, in accord

einiger (einige, einiges) *indef. pron. and pron. adj.* some, several, any

ein'kaufen *tr.* buy, purchase

ein'kehren *intr.* (ſ.) enter (into), stop (at), put up (at)

einmal *adv.* one time, once, sometime; auf einmal all at once; truly

einmütig *adj.* of one accord, unanimous; *adv.* by common consent

ein'nehmen (nimmt, nahm, genommen) *tr.* take up, occupy

eins *indecl. num. adj.* one

ein'schiffen *tr.* embark, put on board

ein'schlagen (ä — u — a) *tr.* hammer in, stamp, engrave

ein'schließen (ſchloß, geſchloſſen) *tr.* include

ein'schmelzen (i—o—o; *also weak*) *tr.* melt (down)

ein'setzen *tr.* risk, stake; appoint, install

die Einsicht insight; perception, penetration

einsiedleriſch *adj.* hermit-, recluse-, solitary, shy

einsmals *adv.* one time, once

einst *adv.* once, formerly, some day

ein'stürzen *intr.* (ſ.) fall in, collapse

die Eintracht concord, harmony, peace

ein'treten (tritt, trat, getreten) *intr.* (ſ.) enter

der Eintritt (-e) entrance

ein'weihen *tr.* consecrate; initiate

ein'ziehen (zog, gezogen) *intr.* (ſ.) enter

einzig *adj.* unique; single

der Einzug (ᵘe) entry; Einzug halten make entry

das Eiſen (—) iron, steel; sword; armor

eiſern *adj.* iron; inflexible, cruel, ruthless

der Eispol frozen pole

eitel *adj.* vain, idle, empty

elend *adj.* wretched, miserable

das Elend wretchedness, misery; exile

der Elende (*decl. as adj.*) wretch

elft *num. adj.* eleventh

die Eltern *pl.* parents

emp= *insep. pref.* over against, in return

empfan'gen (ä — i — a) *tr.* receive, accept; welcome

empfin'den (a — u) *tr.* feel, be sensible of; experience

die Empfin'dung (-en) emotion, feeling

empö'ren *tr.* excite, agitate; *refl.* mutiny, revolt

empor'=richten *refl.* raise one's self up

empört' *part. adj.* aroused, rebellious

das Ende (*gen.* -s, *pl.* -n) end; close; quarter; direction; am Ende finally, at the last

enden *tr. and intr.* end, finish, cease, stop, have done

endigen *tr.* end, stop, complete

endlich *adv.* at last, after all, finally

eng *adj.* narrow, restricted, petty

der Engel (—) angel; **böser Engel** evil genius

der Engelknabe (*gen.* –n, *pl.* –n) cherub

der Engelländer *see* Engländer

engelländisch *see* englisch

die Engelsmajestät (–en) angelic majesty

das England *prop. n.* England

der Engländer (—) Englishman

engländisch *see* englisch

englisch *adj.* English

der Enkel (—) grandchild, grandson, descendant

der Enkelsohn (ᵉe) descendant; *pl.* posterity

ent- *insep. pref.* over against, in return; dis-, de-, en-, out

entbehren *intr. w. gen.* be deprived of, do without; miss, lack; spare

entblößen *tr.* bare, divest; uncover, disclose

entblühen *intr.* (j.) blossom, spring from

entbrennen (brannte, entbrannt) *intr.* (j.) kindle, take fire, burn

entdecken *tr.* discover; reveal

entehren *tr.* dishonor

enterben *tr.* disinherit

entfallen (entfällt, entfiel, entfallen) *intr.* (j.) fall from, slip from

entfalten *tr.* unfold, open; develop

entfernen *tr.* remove, put away, avert; *refl.* retire, flee, escape

entfernt' *part. adj.* distant, far removed

die Entfer'nung (–en) distance

entflam'men *tr.* enkindle; *intr.* (j.) be inflamed

entflie'hen (o — o) *intr.* (j.) flee, escape

entflie'ßen (entfloß, entflossen) *intr.* (j.) flow, gush

entfrem'det *part. adj.* alienated, estranged

entge'gen *postpositive prep.* (*dat.*) and *sep. pref.* against, toward, to, to meet

entge'gen=eilen *intr.* (j.) hasten toward

entge'gen=führen *tr.* lead against

entge'gen=gehen (ging, gegangen) *intr.* (j.) go to meet, proceed against

entge'gengesetzt *part. adj.* opposed, opposing

entge'gen=kämpfen *intr.* fight against, oppose

entge'gen=schicken *tr.* send against

entge'gen=stellen *tr.* put opposite, oppose to

entge'gen=strecken *tr.* stretch toward, extend

entge'gen=strömen *intr.* (j. *and* h.) stream forth to meet

entge'gen=treiben (ie — ie) *tr.* drive toward

entge'gen=treten (tritt, trat, getreten) *intr.* (j.) advance towards

entge'gen=wallen *intr.* (j.) stream out toward

entge'hen (entging, entgangen) *intr.* (j.) escape

die **Enthei'ligung** (-en) desecration, profanation

enthül'len tr. uncover, reveal, unveil

entkom'men (entkam, entkommen) intr. (f.) escape

entla'den (entlabet or entlädt, entlub or entladete, entladen) tr. unload, discharge; refl. burst forth

entlaf'fen (entläßt, entließ, entlaffen) tr. dismiss, release

entle'gen part. adj. distant, remote

entman'nen tr. unman

entrei'ßen (entriß, entriffen) tr. tear away, wrest; deprive of; rescue, deliver

entrich'ten tr. discharge, pay (off)

entrin'nen (a — o) intr. (f.) flee, escape

entrü'ften tr. provoke, enrage

entfa'gen intr. renounce, resign

die **Entfa'gung** (-en) renunciation

entfcha'ren refl. disband, scatter

entfchei'den (ie — ie) tr. decide, determine

die **Entfchei'dung** (-en) decision, verdict, issue

entfchie'den part. adj. decided, resolute, firm

entfchla'fen (ä — ie — a) intr. (f.) fall asleep

entfchla'gen (ä — u — a) refl. get rid of, dismiss, banish

entfchlie'ßen (entfchloß, entfchloffen) refl. resolve, determine

entfchlof'fen part. adj. resolute

entfeelt' part. adj. lifeless

das **Entfet'zen** horror, amazement

entfetz'lich adj. terrible, dreadful

entfetzt' part. adj. horrified, amazed

entfin'fen (a — u) intr. (f.) sink (down); ooze away, fail

entfprin'gen (a — u) intr. (f.) spring (from), arise, issue

entwaff'nen tr. disarm

entwei'hen tr. profane, violate

entwen'den (entwendete or entwandte, entwendet or entwandt) tr. filch, pilfer, steal

entwer'fen (i — a — o) tr. map out, sketch, devise, form

entwin'den (a — u) tr. wrench (from), wrest (from)

entwir'ren tr. unravel, unwind

entzau'bern tr. disenchant

entzie'hen (entzog, entzogen) tr. withdraw, deprive

entzü'cken tr. charm, fascinate, enrapture

das **Entzü'cken** ecstasy, bliss

entzün'den tr. enkindle; refl. catch fire, ignite

entzwei'en tr. divide, part, set at variance

er (pl. fie) pers. pron. he, it

er= insep. pref. out, forth, to the end

erbar'men tr. excite to pity; refl. take pity on

die **Erbar'mung** compassion

erbau'en tr. build, erect

das **Erbe** inheritance, heritage

erbe'ben intr. (f.) shake, quake, falter

erbeu'ten tr. capture

erbit'ten (erbat, erbeten) *tr.* solicit, ask for

erblei'chen (i — i) *intr.* (f.) grow pale

erbli'cken *tr.* catch sight of, behold, perceive

erbrau'fen *intr.* (f.) roar, resound

das Erbreich (-e) hereditary kingdom

die Erde (-n) earth, ground; soil, land

die Erdenfrau (-en) woman of earth, mortal woman

die Erdenkugel (-n) (terrestrial) globe

die Erdenluft ("e) joy of this world, mundane pleasure

erdul'den *tr.* suffer, bear, endure

erei'len *tr.* overtake

erfah'ren (ä — u — a) *tr.* experience; learn

erfech'ten (i — o — o) *tr.* gain (the victory), win in battle

erfle'hen *tr.* solicit, implore; crave

erfor'schen *tr.* investigate, examine, fathom

erfre'chen *refl.* dare, make bold, presume

erfreu'en *tr.* gladden, rejoice

erfreu'lich *adj.* gratifying, pleasing

erfül'len *tr.* fulfill, occupy; *refl.* come true, be fulfilled

erge'ben (i — a — e) *refl.* surrender

erge'hen (erging, ergangen) *intr.* (f.) go forth, be published, be issued

ergie'ßen (ergoß, ergossen) *tr.* pour out; *refl.* pour forth, be shed

erglü'hen *intr.* (f.) glow; redden, blush

ergrei'fen (ergriff, ergriffen) *tr.* seize, grasp; possess; move, stir, affect; pierce, transfix

ergrimmt' *part. adj.* enraged; fierce, grim

erha'ben *adj.* raised up, elevated, sublime, noble

erhal'ten (ä — ie — a) *tr.* receive; keep, maintain, preserve; support; save

erhe'ben (o *or* u — o) *tr.* lift up, elevate; *refl.* rise, be raised

erhei'tern *tr. and intr.* cheer, be of good courage, take heart

erho'ben *part. adj.* elevated, uplifted, exalted

erhö'hen *tr.* raise, elevate; increase

erin'nern *tr.* recall, remind; *refl.* remember

erja'gen *tr.* overtake, obtain (by hard exertion), gain

erkämp'fen *tr.* gain (by a struggle), win

erken'nen (erkannte, erkannt) *tr.* see, know, recognize; discern, perceive, distinguish; acknowledge

erkie'fen (erkor, erkoren) *tr.* choose

erklä'ren *tr.* declare, explain

erkor' *see* erkiesen

erkun'digen *refl.* inquire after

erkü'ren *variant of* erkiesen

erlau'ben *tr.* permit

die Erlaub'nis permission, leave

erle'digen *tr.* release, exempt, free (from)

erlei'den (erlitt, erlitten) *tr.* suffer, permit, endure erleuch'ten *tr.* light up, illumine

erleuch'tet *part. adj.* enlightened; inspired

erlie'gen (a — e) *intr.* (f. and h.) succumb, yield to

die Erlö'fung release

ermäch'tigen *refl.* gain possession of

ermah'nen *tr.* exhort

ermat'ten *intr.* (f.) grow feeble, become weary

ermat'tet *part. adj.* fatigued, worn out

ermor'den *tr.* murder

ermü'den *tr.* tire, fatigue, weary

ermun'tern *tr.* encourage

erneu'en *see* erneuern

erneu'ern *tr.* renew, repair, revive

ernie'drigen *tr.* humiliate, lower, degrade

die Ernie'drigung (-en) humiliation

ernst *adj.* earnest, serious, grave

der Ernst earnestness, gravity, seriousness

ernsthaft *adj.* earnest, serious, grave

die Ernte (-n) harvest, crop

ero'bern *tr.* conquer, subdue; capture

eröff'nen *tr.* open, begin; lead, head

erqui'cken *tr.* refresh

die Erqui'ckung (-en) refreshment

erre'gen *tr.* arouse, stir up, excite, raise

errei'chen *tr.* reach; arrive at, attain; equal

erret'ten *tr.* deliver, rescue, save, succeed in rescuing

die Erret'terin (-nen) savior, deliverer

die Erret'tung deliverance

errö'ten *intr.* (f.) blush, redden

erschaf'fen (erschuf, erschaffen) *tr.* create

erschal'len (erschallte or erscholl, erschallt or erschollen) *intr.* (f.) sound, resound; be heard

erschei'nen (ie — ie) *intr.* (f.) appear

die Erschei'nung (-en) appearance; vision, apparition; manifestation

erschöp'fen *tr. and intr.* exhaust, spend

erschre'cken *tr.* frighten, terrify

erschre'cken (erschrickt, erschrak, erschrocken) *intr.* (f.) be terrified, shudder

erschreckt' *part. adj.* terrified

erschüt'tern *tr.* convulse, shatter, overwhelm

ersin'nen (a — o) *tr.* invent, conceive

erst *num. adj.* first; chief; *adv.* first; only; just; but; not until

die Erstar'rung stupefaction

erstat'ten *tr.* repay, compensate, make good

erstau'nen *intr.* (f.) be astonished (at), be surprised (at)

das Erstau'nen amazement

der Erste (*decl. as adj.*) leader

erste'hen (erstand, erstanden) *intr.* (f.) rise

erstei'gen (ie — ie) *tr.* mount, ascend, climb, scale

erstenmal *adv.* zum erstenmal for the first time

erſtreiʻten (erſtritt, erſtritten) *tr.* win (by fighting)

erſtürʻmen *tr.* take by storm, assault

ertöʻnen *intr.* (ſ.) sound

ertraʻgen (ä — u — a) *tr.* bear, support, endure, tolerate

erwaʻchen *intr.* (ſ.) awake

erwäʻgen *tr.* weigh, ponder, consider

erwähʻlen *tr.* choose

erwarʻten *tr.* expect; await, wait for; *intr.* wait

erweʻcken *tr.* awaken, arouse

erwehʻren *refl.* ward off, free one's self from

erweiʻchen *tr.* soften, touch

erwerʻben (i — a — o) *tr.* acquire, earn, get

erwiʻdern *tr.* return; answer, reply

erworʻben *part. adj.* acquired, won

das Erz (-e) metal; armor

erzähʻlen *tr.* tell, narrate, relate, recount

der Erzbiſchof (ʺe) archbishop

erzeiʻgen *tr.* do, show, render, exhibit

erzeuʻgen *tr.* beget, produce, raise

erzürntʻ *part. adj.* incensed, exasperated

es (*pl.* ſie) *pers. pron.* it, he, she; *expletive* something; so; there

die Eſche (-n) ash-tree

Etienne (*pr.* ehtiennʻ) Étienne [a peasant of Domremy]

etwa *adv.* perhaps, possibly

etwas *indef. pron., pron. adj.,* and *adv.* something; somewhat

euer *poss. pron.* your, yours; **die Euren** your troops

eure(n)twegen *adv.* on your account, for your sake

ewig *adj.* eternal, everlasting; *adv.* ever, forever; **auf ewig** forever

F

fabelhaft *adj.* fabulous

die Fackel (-n) torch

der Faden (ʺ) thread

die Fahne (-n) flag, standard, banner; troop, company

der Fahnenträger (—) standardbearer, color-sergeant, ensign

das Fähnlein (—) pennon; troop, company

die Fähre (-n) ferry; ferry-boat

fahren (ä — u — a) *tr.* carry, convey; *intr.* (ſ.) fare, go; move; ride, drive; **fahrt wohl** farewell! adieu! **mit der Hand fahren** put one's hand; **fahren laſſen** let go

die Fahrt (-en) ride, drive; trip, passage, journey

der Falke (*gen.* -n, *pl.* -n) falcon, hawk

der Fall (ʺe) fall, decline

fallen (fällt, fiel, gefallen) *intr.* (ſ.) fall, tumble, drop

falſch *adj.* false, wrong, faithless, treacherous

die Falte (-n) fold; recess, corner

falten *tr.* fold, wrinkle; knit; **die Stirne falten** frown

fangen (ä — i — a) *tr.* seize, take, capture

die Farbe (-n) color, hue

färben *tr.* color, tint, shade

das Faß (ʺſſer) tun, vessel

faſſen (faßte, gefaßt) *tr.* grasp, seize, take; (= auffaſſen) comprehend, understand; *refl.* compose one's self, collect one's self; ins Auge (ins Geſicht) faſſen gaze at fixedly

Faſtolf Fastolf [an English commander]

fechten (i — o — o) *intr.* fight

der Fechtplatz (˝e) battle-ground

fehlen *intr.* fail, be lacking, be absent, miss, be missing

die Feier (—) celebration, festival

feierlich *adj.* solemn

feig *adj.* cowardly

der Feige (*decl. as adj.*) coward

die Feigheit cowardice

feil *adj.* for sale; venal, mercenary

fein *adj.* fine, delicate, nice; alles Feine all the niceties, every delicate point

der Feind (-e) enemy, foe; Satan, the Evil One

das Feindesblut enemy's blood

die Feindesbrut hostile brood

der Feindeshaufen (—) hostile throng, enemy's ranks

der Feindeshelm (-e) enemy's helmet

das Feindeslager (—) enemy's camp

die Feindin (-nen) enemy, foe

feindlich *adj.* hostile, inimical

feindſelig *adj.* hostile, cruel

das Feindsgeleit safe-conduct [from the enemy]

das Feld (-er) field, plain

der Feldherr (*gen.* -n, *pl.* -en) general, commander

der Feldruf (-e) battle-cry; call to arms

der Fels (Felſen) (*gen.* -en *or* -ens, *dat. and acc.* -en *or* —, *pl.* -en) rock, cliff

der Felſenweg (-e) rocky path

das Fenſter (—) window, casement

fern *adj.* far off, distant, remote; von fern from afar

fern'bleiben (ie—ie) *intr.* (ſ.) keep aloof

die Ferne (-n) distance; future

ferner (*comp. of* fern) *adv.* further

die Ferſe (-n) heel

fertig *adj.* ready, through; done; mit (jemanden) fertig werden get the best of (one), make an end of (one)

die Feſſel (-n) fetter, band, chain, bond

feſſeln *tr.* fetter, shackle; *past part. as adj.* immovable

feſt *adj.* fast, firm, fixed; tight; secure; impregnable

das Feſt (-e) feast; festival; festivity

feſtlich *adj.* festival

die Feſtlichkeit (-en) festivity

feſtlichſchön *adv.* festively beautiful, in festal beauty

das Feſton' (-s) festoon, wreath

feſtverſchloſſen *part. adj.* tightly locked

das Feuer (—) fire

das Feuerauge (*gen.* -s, *pl.* -n) fiery eye

der Feuerbach (˝e) stream of fire

der Feuerbrand (˝e) firebrand

der Feuerpfeil (-e) fiery shaft, fiery dart

der **Feuerpfuhl** (-e) lake of fire, fiery pit (hell)

feurig adj. burning, fiery, ardent

das **Fieber** (—) fever

Fierboys (pr. fierboah') [town of] Fierboys

finden (a — u) tr. find, discover; think; suit, understand; refl. come to one's self, be found, be

finster adj. dark, gloomy, black, somber

die **Finsternis** darkness, gloom

das **Firmament'** firmament

fixie'ren tr. stare at, gaze at, gape at

flach adj. flat; flache Hand palm (of the hand)

die **Flamme** (-n) flame, blaze

flammen intr. flame, blaze

flammend part. adv. in a flame

flattern intr. flutter, flit, float, wave

flechten (i — o — o) tr. braid, twist, wreathe, bind

der **Flecken** (—) spot, town, borough

flehen intr. beg, pray, beseech, implore

das **Flehen** supplication

flehend part. adj. prayerful, urgent; adv. in supplication

der, die **Flehende** (decl. as adj.) suppliant

der **Flehenswunsch** (ᵘe) entreaty

der **Fleiß** industry, diligence, care

fliegen (o — o) intr. (f. and h.) fly, float, wave

fliehen (o — o) intr. (f. and h.) flee, shun, avoid

das **Fliehen** flight

fließen (floß, geflossen) intr. (f. and h.) flow

die **Flöte** (-n) flute

der **Flötenspieler** (—) flute-player

der **Fluch** (ᵘe) curse

fluchen tr. and intr. curse

die **Flucht** (-en) flight

flüchtig adj. fugitive, transitory, momentary; careless, superficial

der **Flüchtige** (decl. as adj.) fugitive

der **Flüchtling** (-e) fugitive, deserter

der **Flug** (ᵘe) flight; im Fluge in flight, on the wing

der **Flügel** (—) wing; pinion

das **Flügelkleid** (-er) light drapery, childhood's dress

die **Flur** (-en) field, meadow

der **Fluß** (ᵘsse) river, stream

die **Flut** (-en) flood, flood-tide; waves, billows

fluten intr. flow, stream

flutend part. adv. like a flood, in streams

die **Folge** (-n) consequence, result; in der Folge subsequently, afterwards; hereafter, in the future

folgen intr. w. dat. (f.) follow

fordern tr. demand; summon, challenge

fort adv. and sep. pref. forth, on, away, off; interj. up! away!

fortan' adv. henceforth

fort'bauen tr. build up

fort'eilen intr. (f.) hurry off

fort'fahren (ä — u — a) intr. depart; continue, go on

fort'führen *tr.* carry off, lead away

fort'grünen *intr.* keep growing green, continue flourishing

fort'leben *intr.* live on, survive

fort'machen *refl.* hurry off, start

fort'reißen (riß, geriſſen) *tr.* tear away, carry onward

fort'rufen (ie — u) *tr.* call away, summon

fort'tragen (ä — u — a) *tr.* bear off, carry away

fort'treiben (ie — ie) *tr.* drive off, drive on, impel

fort'währen *intr.* continue, endure

fort'wirken *intr.* keep on working, operate

fort'zünden *refl.* continue to kindle

fragen *tr. and intr.* ask, inquire; nicht nach etwas fragen not care for something

fragend *part. adj.* querying, questioning

der Franke (*gen.* -n, *pl.* -n) Frenchman, Frank

der Frankenknabe (*gen.* -n, *pl.* -n) French boy

der Frankenkrieg (-e) French war

das Frankenlager (—) French camp

das Frankenreich *poet. for* Frankreich

fränkisch *adj.* French, Frankish

das Frankreich France

der Franzo'se (*gen.* -n, *pl.* -n) Frenchman

französisch *adj.* French

die Frau (-en) woman, wife; lady, mistress

frech *adj.* impertinent, bold, insolent, unabashed, brazen

frei *adj.* free, open; voluntary; alone; im Freien out of doors

freien *intr.* court, sue, woo

der Freier (—) suitor, wooer

freigeboren *part. adj.* free-born

die Freiheit (-en) freedom, liberty

freilich *adv.* certainly, to be sure, indeed

frei'machen *tr.* free, make free, liberate

fremd *adj.* foreign, strange, unknown

die Fremde foreign country

fremdgeboren *part. adj.* foreign-born, alien

der Fremdling (-e) stranger, foreigner

die Freude (-n) joy, gladness; mit Freuden gladly

der Freudenbecher (—) cup of joy

freudenhell *adj.* joyous, exultant

freudensatt *adj.* filled with joy

der Freudentag (-e) day of joy

freudig *adj.* glad, joyful

freuen *refl.* rejoice, be glad; *w. gen.* enjoy

der Freund (-e) friend; lover

das Freundesbündnis (*"ſſe*) confederation, league

die Freundeshand (*"e*) friendly hand

die Freundin (-nen) friend; lover

freundlich *adj.* friendly, amiable, kind; *adv.* in friendly fashion

die Freundschaft (-en) friendship

freveln *intr.* sin (against)

frevelnd *part. adj.* wanton

der Friede(n) (*gen.* -ns, *pl.* -n) peace; safeguard, protection

die **Friedensgegend** (–en) peaceful region, vale of peace

das **Friedenszeichen** (—) token of peace

friedlich adj. peaceful, peaceable, quiet

frisch adj. fresh, new; happy; bold; adv. and interj. up! come! courage!

frischgebrochen part. adj. newly plucked

die **Frist** (–en) spell, interval, respite, space, time

froh adj. glad, joyful, happy

fröhlich adj. joyful, cheerful, gay

fromm adj. pious, religious; dutiful, worthy; quiet, harmless

frommen intr. avail, be of use

die **Frucht** (ᵘe) fruit

fruchtbar adj. fruitful, fertile

früh adj. early

fügen tr. join, unite; refl. imp. occur, come to pass

fühlen tr. feel, perceive; know, recognize; refl. be conscious of, control one's self

fühlend part. adj. tender, sensitive

führen tr. lead, conduct; bring; manage, wield; direct, aim; das Wort führen speak for, represent

der **Führer** (—) guide, leader

die **Führerin** (–nen) guide, conductor, leader

die **Fülle** fullness, plenty, bounty, abundance

füllen tr. fill, make full

fünfzig (funfzig) num. fifty

funkeln intr. gleam, sparkle, glisten

für prep. (acc.) for, on account of; für sich to one's self, aside, absent-mindedly; was für (followed by nom.) what kind of, what

fürbaß archaic adv. on, by, past

die **Furcht** fear, fright

furchtbar adj. terrible, fearful

das **Furchtbild** (–er) specter, dread phantom, bugbear

fürchten tr. fear, dread; sich fürchten vor be afraid of

fürchterlich adj. terrible, awful

das **Furchtgespenst** (–er) frightful phantom

die **Furie** (–n) Fury

fürlieb' (variant of vorlieb) adv. fürlieb nehmen be contented (with), put up (with)

der **Fürst** (gen. –en, pl. –en) prince; leader, chief

die **Fürstenehre** princely honor

der **Fürstensaal** (–säle) prince's hall

der **Fürstenthron** (–e) princely throne

fürstlich adj. princely; adv. like a prince

der **Fuß** (ᵘe) foot; stehenden Fußes instantly; auf dem Fuße at one's heels

der **Fußbreit** foot-breadth; foot

der **Fußfall** (act of) kneeling, prostration

G

galant' adj. gallant', amorous

die **Galanterie'** (–n) gallantry

die **Galle** spleen, gall, anger, venom

ganz *adj.* whole, entire, all; *adv.* wholly, quite, very

gar *adv.* fully, quite, entirely, very; also, even

die Gaffe (–n) lane, (narrow) street

der Gaft (ᵘe) guest

der Gatte (*gen.* –n, *pl.* –n) husband, spouse

die Gattin (–nen) wife, spouse

die Gaukelkunſt (ᵘe) juggler's art

das Gaukelſpiel (–e) jugglery, trickery

der Gaukelſpieler (—) juggler, jester; jongleur, minstrel

die Gauklerin (–nen) juggler; sorceress

ge= *insep. pref.* with, together

gebä'ren (ie — a — o) *tr.* bear, give birth to

das Gebein' (–e) bones; remains, ashes, dust

geben (i — a — e) give, be; es gibt there is, there are; ſchuld geben impute to, accuse of; ſich zu-frieden geben acquiesce, comply; was gibt's? what is it? what's the matter?

das Gebet' (–e) prayer

gebie'ten (o — o) *tr.* command, order, govern, rule; Halt ge-bieten put a stop to, stay

der Gebie'ter (—) ruler, sovereign, master

gebie'teriſch *adj.* compelling, commanding; imperative

gebo'ren *part. adj.* born

gebre'chen (i — a — o) *imp.* lack, fail

gebro'chen *part. adj.* broken; gathered, plucked

gebun'den *part. adj.* bound, chained

die Geburt' birth

gedämpft' *part. adj.* muffled

der Gedan'ke (*gen.* –ns, *pl.* –n) thought

gedan'kenvoll *adj.* thoughtful, pensive

gedei'hen (ie — ie) *intr.* (ſ.) flourish, thrive

geden'ken (gedachte, gedacht) *intr.* think of; think, intend; remember

das Gedrän'ge (—) press, crowd, throng

gedul'dig *adj.* patient

geehrt' *part. adj.* honored

die Gefahr' (–en) danger

der Gefähr'te (*gen.* –n, *pl.* –n) companion

die Gefähr'tin (–nen) companion

gefal'len (gefällt, gefiel, gefallen) *intr. w. dat.* please; mir nicht gefallen will in no wise pleases me

gefan'gen *part. adj.* caught, captured

der Gefan'gene (*decl. as adj.*) captive, prisoner

das Gefäß' (–e) vessel; embodiment

gefaßt' *part. adj.* collected, calm

das Gefecht' (–e) combat, engagement, battle

gefeſ'ſelt *part. adj.* fettered, immovable

das Gefild'(e) fields; = Schlacht-feld battle-field

gefleckt' *part. adj.* spotted, soiled, smirched, striped das **Gefol'ge** (—) suite, following, retinue

das **Gefühl'** (-e) feeling, emotion

gegen *prep.* (acc.) to, towards; against, contrary to; in comparison with

die **Gegend** (-en) region, district, part

gegenü'ber *prep.* (dat.) opposite (to), in face of; regarding

gegenü'ber-stehen (stand, gestanden) *tr. and intr.* confront, be opposed to

die **Gegenwart** presence, present

gegenwärtig *adj.* present

der **Gegner** (—) opponent, rival, antagonist

gehar'nischt *part. adj.* in armor, panoplied

geheim' *adj.* secret, private, mysterious

das **Geheim'nis** (-sse) secret

geheim'nisvoll *adj.* mysterious

gehen (ging, gegangen) *intr.* (s.) go, walk, move; verloren gehen be lost; in sich gehen look into one's heart, repent

geheu'er *adj.* secure, safe; nicht geheuer uncanny, haunted

das **Geheul'** howling

gehirn'los *adj.* brainless, mad

das **Gehölz'** (-e) copse, thicket

das **Gehör'** hearing; audience

gehor'chen *intr. w. dat.* obey

gehö'ren *intr. w. dat.* belong (to)

gehor'sam *adj.* obedient

der **Gehor'sam** obedience

der **Geier** (—) vulture

der **Geisel** (—) hostage

die **Geisel** (-n) hostage

der **Geist** (-er) spirit, soul, mind; Holy Spirit

das **Geisterreich** (-e) spirit-world

geklei'det *part. adj.* clothed, attired, clad

das **Geklirr'** clashing, clank; din, tumult

das **Geläch'ter** laughter

gela'gert *part. adj.* bivouacked, encamped

gelan'gen *intr.* (s.) get, obtain, attain, arrive at; reach

das **Geläut'(e)** ringing, pealing

gelb *adj.* yellow

das **Geld** (-er) money

die **Gele'genheit** (-en) opportunity

geleh'rig *adj.* docile

das **Geleit'** (-e) escort

gelernt' *part. adj.* studied

geliebt' *part. adj.* beloved

der **Gelieb'te** (*decl. as adj.*) lover

die **Gelieb'te** (*decl. as adj.*) love, sweetheart, mistress

gelin'gen (a — u) *intr.* (s.) *imp. w. dat.* succeed

gelo'ben *tr.* pledge, vow

gelten (i — a — o) *intr.* hold good, be valid, be worth while, avail; be considered; be opportune, be time; gleich gelten be alike

das **Gelüb'de** (—) vow, oath

gelü'sten *tr. imp.* long for, lust after

das **Gelü'sten** desire, longing, appetite

gemäch'lich *adj.* slow; gentle, cool; convenient, comfortable

der **Gemahl'** (-e) spouse, consort, husband

die **Gemah'lin** (-nen) spouse, consort, wife

gemein' *adj.* common; mean, low, vulgar, base; in common

die Gemein'schaft (-en) companionship, society

das Gemisch' (-e) mixture, union

das Gemüt' (-er) mind, soul, heart; disposition, nature

der Gendarm (*pr.* zhangdarm') (*gen.* -en, *pl.* -en) policeman, soldier; *pl.* men-at-arms, cavalry

geneh'migen *tr.* assent to, sanction

geneigt' *part. adj.* willing, inclined, disposed; affectionate

der Genter (—) man of Ghent

genug' *adj.* enough

genü'gen *intr.* suffice, satisfy, be enough

genug'-tun (tat, getan) *intr. w. dat.* satisfy, fulfill

der Genuß' ("sse) enjoyment

gera'de *adj.* straight, direct, upright; *adv.* just, straightway; grad heraus out with it! frankly, to be frank

das Gerät' (-e) utensil, implement, thing, affair, article, tool; baggage, equipment

gera'ten (ä — ie — a) *intr.* (f.) fall upon; get (by chance); come

gerecht' *adj.* just, right, righteous

die Gerech'tigkeit justice

das Gericht' (-e) court, tribunal; sentence, judgment; zu Gerichte sitzen sit in judgment

der Gerichts'stab ("e) staff of justice

gering' *adj.* little, small, insignificant

das Gerin'ge (*decl. as adj.*) trifle

gern(e) *adv.* (lieber, am liebsten) willingly, gladly; *w. verbs* like to, be glad to

das Gerücht' (-e) rumor

gerührt' *part. adj.* stirred, moved; *adv.* with emotion

der Gesand'te (*decl. as adj.*) messenger, ambassador

der Gesang' ("e) song, poem

das Geschäft' (-e) business, affair, matter, concern

geschäf'tig *adj.* busy, active, diligent

gesche'hen (ie — a — e) *intr.* (f.) *imp.* happen, come to pass, take place

das Geschenk' (-e) gift, present

das Geschick' (-e) fate, destiny, lot

das Geschlecht' (-er) birth, family, race; sex; generation

geschlun'gen *part. adj.* locked, entwined

das Geschöpf' (-e) creature; servant

das Geschütz' (-e) cannon, ordnance, artillery

das Geschwa'der (—) swarm

geseg'nen (*obsolete*) see segnen

der Gesell'(e) (*gen.* -en, *pl.* -en) fellow, comrade

gesel'len *tr.* join (to); *refl.* accompany, associate with

die Gesell'schaft (-en) company, society

gesenkt' *part. adj.* lowered, bowed

das Gesetz' (-e) law; mandate, decree; term, condition

das Gesicht' (-er) face; visage, mien; (-e) vision, apparition

gesinnt' *part. adj.* minded, disposed

gespannt' *part. adj.* taut, intent; eager, intense; riveted

das Gespenst' (-er) ghost, phantom, specter

gespen'stisch *adj.* ghostlike, ghastly, uncanny

das Gesta'de (—) shore, beach; bank

die Gestalt' (-en) figure, shape, form; look, appearance

das Geständ'nis (-sse) confession

geste'hen (gestand, gestanden) *tr.* confess, own, acknowledge

das Gestirn' (-e) group of stars, constellation

das Gesuch' (-e) request

gesund' *adj.* sound, healthy, wholesome

das Gesun'de (*decl. as adj.*) the wholesome; sanity, healthiness

die Gesund'heit health

das Getö'se noise, clattering, din, turmoil

getreu' *adj.* faithful, leal, loyal

getrost' *adj.* confident, courageous; of good cheer

das Gewächs' (-e) vegetation; plant, herb

gewäh'ren *tr.* attest; grant, allow; sie gewähren lassen let her do as she pleases

die Gewalt' (-en) power, might; authority; violence, force

gewal'tig *adj.* powerful, strong

der Gewal'tige (*decl. as adj.*) ruler, despot, tyrant

gewalt'sam *adj.* violent; *adv.* by force

das Gewand' (ᵘer; *also poetical* -e) vesture, garment

gewär'tig *adj.* expectant

das Gewim'mel swarm, throng

gewin'nen (a — o) *tr. and intr.* win, gain, earn

gewiß' *adj.* certain, sure; safe

gewohnt' *part. adj.* accustomed (to)

das Gewöl'be (—) vault, arch

das Gewölk' (-e) mass of clouds; cloud, haze

das Gewühl' throng; tumult

gezie'men *imp.* become, befit, be proper

das Gift (-e) poison

giftig *adj.* poisonous, rancorous

das Giftige (*decl. as adj.*) the poisonous; venom, virulence

der Gipfel (—) top, summit; climax, pinnacle

der Glanz splendor, radiance

glänzen *intr.* shine, glitter

glänzend *part. adj.* bright, brilliant, gleaming, glistening

der Glaube(n) (*gen.* -ns, *pl.* -n) belief, faith, trust, confidence

glauben *tr.* believe

gleich *adj.* straight; even; like, kindred; regular, uniform, equable; same; *adv.* like, even; (= sogleich) immediately, at once; *conj.* though, although; just, exactly; gleich als just as if

gleichen (i — i) *tr.* make even; compare; *intr.* be equal; be like, resemble

gleichmessend *part. adj.* equal

gleichwie' *adv.* just as

gleichwohl' *conj.* yet, nevertheless

der Gleisner (—) hypocrite, dissembler

das Glied (-er) member, limb; joint; generation

die Glocke (-n) bell

Gloster [duke of] Gloucester

das Glück luck, fortune; success, happiness; outcome, fate

glücklich *adj.* lucky, fortunate; happy; successful; thriving, prosperous

glühen *intr.* glow, burn, desire

glühend *part. adj.* fervent, ardent, fiery

die Gnade (-n) grace, favor; mercy

das Gnadenbild (-er) miracle-working image, holy image

gnädig *adj.* gracious, merciful, kind, favorable

gnug *see* genug

das Gold gold

golden *adj.* golden

der Gott (ˮer) god; God; mit Gott with God's help; geht mit Gott God be with you, good-by, go in peace

der Götterarm arm of (a) god, divine help, hand of God

gotterfüllt *part. adj.* filled with the Spirit, divinely inspired

das Götterkind (-er) divine child, blessed child

die Götterkraft (ˮe) divine strength

der Götterschein (-e) halo, aureole

die Götterstimme (-n) divine voice

gottgeliebt *adj.* beloved of heaven

die Gottgesandte (*decl. as adj.*) heavenly messenger, one sent by God

gottgesendet (-gesandt) *part. adj.* sent by God

die Gottheit (-en) divinity

die Göttin (-nen) goddess

göttlich *adj.* divine; *adv.* in the eyes of God

gottsendet *see* gottgesendet

der Götze (*gen.* -n, *pl.* -n) graven image, idol

das Grab (ˮer) grave, tomb

graben (ä — u — a) *tr.* dig

der Graben (ˮ) ditch, trench, moat

die Grabschrift (-en) inscription on a tomb, epitaph

grad *see* gerade

der Graf (*gen.* -en, *pl.* -en) count, earl

der Gram grief

gräßlich *adj.* horrible

grau *adj.* gray, hoary; distant, remote; former

das Grauen horror; abomination

graulich *adj.* awful, dread

grausam *adj.* cruel, relentless

grausend *part. adj.* horrible

grausenvoll *adj.* frightful

greifen (griff, gegriffen) *tr. and intr.* seize, grasp; reach; choose, take

der Greis (-e) old man

grenzen *intr.* border, adjoin

der Greuel (—) outrage, horror, atrocity, abomination

grimmig *adj.* stern, fierce

grob *adj.* (*comp.* ˮer, *superl.* ˮst) large, coarse, rude, crude, clumsy

der **Groll** animosity, ill-will, rancor

groß (*comp.* "er, *superl.* "t) *adj.* great, large, big

der **Große** (*decl. as adj.*) lord, grandee, nobleman, peer

das **Große** (*decl. as adj.*) great event(s)

die **Größe** (-n) greatness; size

die **Großmut** generosity, mercy

großmutig *adj.* magnanimous

die **Grotte** (-n) grotto

die **Grube** (-n) pit, den, lair, hole

grün *adj.* green

das **Grün** green (grass), verdure

der **Grund** ("e) ground; foundation; reason, cause

gründen *tr.* base, found, establish

die **Gründerin** (-nen) founder

grünen *intr.* grow green; be green, flourish

die **Gruppe** (-n) group

der **Gruß** ("e) greeting

grüßen *tr.* greet, salute

gültig *adj.* valid

die **Gunst** ("e) favor, kindness

gut (*comp.* beffer, *superl.* best) *adj.* good, excellent, kind; good-natured; laßt's gut sein have done! let it pass! let well enough alone!

das **Gut** ("er) property, estate; goods, possession

gütig *adj.* good, kind, gracious

gütlich *adj.* kindly, friendly, well-disposed

gut'machen *intr.* make amends, make reparation

H

ha! *interj.* ah! ha!

das **Haar** (-e) hair

haben (hat, hatte, gehabt) *tr.* have, hold, possess; wir haben es we are dealing, we have to do

die **Habsucht** greediness, covetousness, cupidity, avarice

der **Hader** discord, strife, quarrel

haften *intr.* adhere to

der **Hahnenruf** (-e) cock-crow

halb *adj.* half; mein halbes half of my

der **Hals** ("e) neck, throat

der **Halt** (-e) halt, stop; Halt gebieten stay, put a stop to

halten (ä — ie — a) *tr. and intr.* hold, keep; hold back, check; stop, sojourn, rest, halt; keep, employ; regard, esteem, think; *refl.* hold out, hold one's ground; halt; Hof halten hold court, reside; einem zugut halten forgive one

die **Hand** ("e) hand; die flache Hand the palm

der **Händedruck** ("e) handclasp

handeltreibend *part. adj.* commercial, trading

die **Handlung** (-en) action, deed, ceremony

der **Handschlag** ("e) handclasp

der **Handschuh** (-e) glove, gauntlet

die **Handvoll** handful

hangen (ä — i — a) *intr.* hang

der **Harm** sorrow, woe, grief

harmlos *adj.* harmless, guileless, innocent

der **Harnisch** (-e) harness, armor

harren *intr.* stay, wait for, wait eagerly, wait patiently

hart (*comp.* ᵘer, *superl.* ᵘeſt) *adj.* hard; severe, harsh

das **Harte** (*decl. as adj.*) difficulty, cruelty

der **Haß** hate, hatred

haſſen (haßte, gehaßt) *tr.* hate

haſſenswert *adj.* execrable, odious

der **Hanfe** (*gen.* –ns, *pl.* –n) heap, pile; mass, throng; troop

häuſen *tr.* heap, pile, amass, accumulate

das **Haupt** (ᵘer) head, person; aufs Haupt thoroughly

der **Hauptmann** (–leute) captain

die **Hauptſtadt** (ᵘe) capital, chief city

das **Haus** (ᵘer) house, home

heben (o *or* u — o) *tr.* heave, lift, raise; uplift, inspire; *refl.* get up, rise

das **Heer** (–e) army

der **Heerbann** summons to the field (of battle)

der **Heerführer** (—) leader, general

das **Heergerät** (–e) army equipage, baggage

heften *tr.* fix (to), attach, fasten

heftig *adj.* vehement, violent; passionate; hasty; heavy

die **Heftigkeit** vehemence, violence

hegen *tr.* have, entertain, harbor, foster, cherish

der **Heide** (*gen.* –n, *pl.* –n) heathen, pagan

die **Heide** (–n) heath

die **Heidenzeit** (–en) heathen time

heil *interj.* hail; blessings on . . .

das **Heil** happiness, health, safety, welfare, weal, salvation; Heil mir happy am I, blessed am I

heilen *tr.* heal, cure; *intr.* (ſ.) heal, be cured

heilig *adj.* holy, sacred

der *or* die **Heilige** (*decl. as adj.*) saint; Holy Virgin

heiligen *tr.* hallow, sanctify, consecrate

das **Heiligenbild** (–er) image of a saint

das **Heiligtum** (ᵘer) sanctuary; holy relic, sacred object

heim *adv. and sep. pref.* at home, home, homeward; ſich heim er= innern go back (home) in memory

die **Heimat** native place, home

heimatlich *adj.* native

die **Heimatpforte** (–n) gate of (one's) home(-city)

heim'führen *tr.* lead home, marry

heimiſch *adj.* native, domestic

die **Heimkehr** return home

heiſchen *tr.* desire, require, demand

heiß *adj.* hot, passionate

heißen (ie — ei) *tr.* name, call; bid, desire, command; *intr.* be named, be called; mean, signify

heiter *adj.* cheery, merry, serene

der **Held** (*gen.* –en, *pl.* –en) hero

der **Heldenarm** (–e) heroic arm

das **Heldenherz** (*gen.* –ens, *pl.* –en) heroic heart

das **Heldenmädchen** (—) heroic girl

heldenmütig *adj.* heroic

der **Heldenruhm** fame of a hero

der **Heldensohn** (["]e) hero's son, hero

die **Heldenstärke** heroic strength

die **Heldentugend** (-en) heroic virtue, valor

die **Heldin** (-nen) heroine

helfen (i — a — o) *intr. w. dat.* help, assist, aid; **hilft nichts** it is of no avail

der **Helfershelfer** (—) accomplice; ally

hell *adj.* bright, clear, light; **am hellen Tage** in broad daylight

der **Hellebardier'** (-e) halberdier

der **Helm** (-e) helmet

der **Helmbusch** (["]e) plume, crest

hemmen *tr.* hinder, check, repress, prevent

der **Henker** (—) hangman, executioner

der **Hennegauer** (—) man of Hainault

her *adv. and sep. pref.* here, hither, along, on; (*may sometimes best be omitted in translation, as denoting simply motion towards the speaker*); **lange her** long since; **um . . . her** around, round about

herab' *adv. and sep. pref.* down

herab'-gießen (goß, gegossen) *tr.* pour down, empty

herab'-kommen (kam, gekommen) *intr.* (f.) come down, descend

herab'-reißen (riß, gerissen) *tr.* tear down, destroy

herab'-rufen (ie — u) *tr.* call down

herab'-senden (sendete *or* sandte, gesendet *or* gesandt) *tr. and intr.* send down

herab'-senken *tr.* lower, cast down

herab'-steigen (ie — ie) *intr.* (f.) descend

herab'-ziehen (zog, gezogen) *tr.* draw down

heran' *adv. and sep. pref.* hither, near, on, up (to), nearer

heran'-dringen (a — u) *intr.* (f.) press (toward)

heran'-schwellen (i — o — o) *intr.* (f.) roll (toward), rise (up to)

herauf' *adv. and sep. pref.* up, upwards

herauf'-steigen (ie — ie) *intr.* (f.) ascend

herauf'-stürmen *intr.* (f.) rush up

heraus' *adv. and sep. pref.* out here, out, forth

heraus'-geben (i — a — e) *tr.* give over, deliver

heraus'-schleichen (i — i) *intr.* (f.) steal forth

heraus'-stürzen *intr.* (f.) rush out

herb *adj.* harsh, sour

herbei' *adv. and sep. pref.* hither, on, up, near

herbei'-fliegen (o — o) *intr.* (f. and h.) fly hither

herbei'-führen *tr.* bring together, assemble; bring about, cause

herbei'-rufen (ie — u) *tr.* summon, call forth

her'blicken *intr.* look hither

der **Herbst** (-e) autumn; harvest

der **Herd** (-e) hearth, fireplace

die **Herde** (-n) herd, flock

herdenmelkend *part. adj.* dairying; pastoral

herein' *adv. and sep. pref.* in hither, in

herein'=bringen (brachte, gebracht)
tr. bring in

herein'=führen *tr.* lead in, admit

herein'=kommen (kam, gekommen)
intr. (f.) come in, enter

herein'=stürzen *intr.* (f.) rush in

herein'=treten (tritt, trat, getreten)
intr. (f.) step in

her'führen *tr.* lead hither

her'gehen (ging, gegangen) *intr.*
(f.) go along, walk on

her'kommen (kam, gekommen) *intr.*
(f.) come hither, approach,
draw near

hernach' *adv.* afterwards; hereafter

der Herold (–e) herald

der Herr (*gen.* –n, *pl.* –en) lord,
master, gentleman; Lord; *in
direct address* sir; sire

das Herrenrecht (–e) seignioral
right

herrgeworden *part. adj.* become
lord

herrisch *adj.* lordly, imperious

herrlich *adj.* glorious, magnificent, splendid, stately

das Herrliche (*decl. as adj.*) noble
deed, splendid act, grand
achievement

die Herrlichkeit (–en) glory, splendor

die Herrschaft (–en) rule, sway;
lordship, majesty

herrschen *intr.* rule, govern

der Herrschende (*decl. as adj.*)
ruler, sovereign, potentate

der Herrscher (—) ruler, sovereign

her'scheuchen *tr.* frighten away,
put to flight

her'senden (sendete *or* sandte, gesendet *or* gesandt) *tr.* send here

her'stellen *tr.* restore

her'treiben (ie — ie) *tr.* drive hither

herü'ber *adv. and sep. pref.* over
hither, across, to this side

herü'ber=kommen (kam, gekommen)
intr. (f.) come over

herü'ber=tragen (ä — u — a) *tr.*
carry over

herü'ber=ziehen (zog, gezogen) *tr.*
draw over, attract, lure

herum' *adv. and sep. pref.* about,
around

herum'=irren *intr.* (f.) wander
around

herun'ter *adv. and sep. pref.*
down, off

herun'ter=fallen (fällt, fiel, gefallen)
intr. (f.) fall down

herun'ter=reißen (riß, gerissen) *tr.*
tear down

herun'ter=steigen (ie — ie) *intr.* (f.)
descend

hervor' *adv. and sep. pref.* forth, out

hervor'=brechen (i — a — o) *intr.*
(f.) break out

hervor'=führen *tr.* lead on

hervor'=heben (o *or* u — o) *tr.* em-
phasize; *refl.* emerge

hervor'=kommen (kam, gekommen)
intr. (f.) come forth, come on

das Hervor'kommen advance, onward movement

hervor'=rufen (ie — u) *tr.* summon

hervor'=treten (tritt, trat, getreten)
intr. (f.) step forward, approach

hervor'=winden (a — u) *refl.* extri-
cate one's self, disengage one's
self

hervor'=zaubern *tr.* conjure up, summon forth

das Herz (*gen.* -ens, *pl.* -en) heart

der Herzensfreund (-e) bosom friend, intimate

die Herzensreinigkeit purity of heart

her'ziehen (zog, gezogen) *intr.* (f.) move hither, march, go in the procession

herzlich *adj.* hearty, cordial, loving, tender

der Herzog (*"*e *and* -e) duke

die Heuchelei' hypocrisy

heulen *intr.* howl

das Heulen howling, yelping

die Heuschreckwolke (-n) cloud of locusts

heut(e) *adv.* to-day; noch heute this very day

heutig *adj.* of to-day, to-day's; der heutige Tag this day, to-day

die Hexe (-n) witch, hag, crone

hie(r)her' *adv.* hither, here

hie(r)her'=schiffen *intr.* (f.) sail hither

hie(r)her'=spülen *tr.* wash (as of waves)

hier *adv.* here

hierauf' *adv.* then, thereon, thereupon, herewith

die Hilfe help, aid, assistance

hilflos *adj.* helpless

der Himmel (—) heaven, sky, firmament

himmelblau *adj.* sky-blue, azure

die Himmelsfrucht (*"*e) heavenly fruit

der Himmelsglanz heavenly radiance

die Himmelskönigin queen of heaven; Virgin Mary

die Himmelsstadt (*"*e) celestial city; city in the clouds

der Himmelstrich (-e) zone, clime

himmelstürmend *part. adj.* heaven-scaling, heaven-storming

der Himmelwagen [constellation of] Great Bear

himmlisch *adj.* heavenly, celestial

hin *adv. and sep. pref.* thither; away, gone; on, along; lost, departed; *may sometimes best be omitted in translation, as denoting simply motion away from the speaker*

hinab' *adv. and sep. pref.* down there, down, downwards

hinab'=führen *tr.* lead down

hinan' *adv.* up there, up

hinauf' *adv.* up

hinauf'=steigen (ie — ie) *intr.* (f.) climb up, ascend, mount

hinauf'=tragen (ä — u — a) *tr.* carry aloft

hinaus' *adv. and sep. pref.* out, out there, away

hinaus'=eilen *intr.* (f.) hasten out, hurry forth

hinaus'=gehen (ging, gegangen) *intr.* (f.) go out

hinein' *adv. and sep. pref.* in, into

hinein'=gehen (ging, gegangen) *intr.* (f.) go in

hin'fahren (ä — u — a) *intr.* (f.) depart; pass away, die

hin'fliehen (o — o) *intr.* (f.) flee, escape to

hin′geben (i — a — e) *tr.* give up, abandon

hin′gehen (ging, gegangen) *intr.* (ſ.) go

hin′kommen (kam, gekommen) *intr.* (ſ.) come; wo kam ſie hin what became of her

hin′nehmen (nimmt, nahm, genommen) *tr.* take, take away

hin′reichen *tr.* offer, extend

hin′ſchauen *intr.* look (toward), gaze

hin′ſchmelzen (i — o — o) *intr.* (ſ.) melt, dissolve

hin′ſehen (ie — a — e) *intr.* look

hin′ſenden (ſendete or ſandte, geſendet or geſandt) *tr.* send

hin′ſinken (a — u) *intr.* (ſ.) sink down

hin′ſtrömen *intr.* (ſ. and h.) stream forth, flow away

hinten *adv.* behind

hinter *adj.* what is behind, rear, hinder

hinter *prep.* (dat. and acc.), *adv.*, *sep. and insep. pref.* behind, after, back, beyond

hinterge′hen (hinterging, hintergangen) *tr.* deceive; elude

der Hintergrund (″e) background

hin′treten (tritt, trat, getreten) *intr.* (ſ.) walk along, proceed

hinü′ber *adv. and sep. pref.* over there, across, beyond

hinü′ber=ſchweifen *intr.* (ſ.) stray over

hinun′ter *adv.* down

hinweg′ *adv. and sep. pref.* away, aside, off

hinweg′=bringen (brachte, gebracht) *tr.* carry away

hinweg′=führen *tr.* lead away

hinweg′=mähen *tr.* mow down, sweep away

hinweg′=nehmen (nimmt, nahm, genommen) *tr.* take away

hinweg′=reißen (riß, geriſſen) *tr.* snatch away

hinweg′=treten (tritt, trat, getreten) *intr.* (ſ.) step away, march off

hinweg′=wenden (wendete or wandte, gewendet or gewandt) *tr.* turn away

hinweg′=ziehen (zog, gezogen) *intr.* (ſ.) pass across

hin′wenden (wendete or wandte, gewendet or gewandt) *tr.* turn

hin′werfen (i — a — o) *tr.* throw, fling down; hinwerfen nach sacrifice for

hinzu′ *adv. and sep. pref.* towards, near, hither, up (to)

hinzu′=treten (tritt, trat, getreten) *intr.* (ſ.) approach

hirnverrückend *part. adj.* bewildering

hirnverrückt *part. adj.* mad, crazy, frantic

der Hirt (gen. -en, pl. -en) herdsman, shepherd, peasant

hirtenlos *adj.* without a shepherd

das Hirtenmädchen (—) peasant girl, shepherdess

der Hirtenſtab (″e) shepherd's crook

die Hirtin (-nen) shepherdess

die Hitze heat; passion, ardor

die Hobo′e (-n) oboe

der Hoboïſt′ (gen. -en, pl. -en) oboe player

hoch (*comp.* höher, *superl.* höchst; hoher, hohe, hohes) *adj.* high, tall, lofty; great, excellent, noble; extreme, dire

hochbegabt' *part. adj.* richly endowed, highly gifted

hochbetrof'fen *part. adj.* astounded, amazed

das Hochgefühl (-e) glow of triumph, elation

der Hochmut pride, insolence, haughtiness

hochsinnig *adj.* high-spirited, arrogant

höchst (*superl.* of hoch) *adj.* most high, highest, utmost, direst, extreme

die Hochzeit (-en) wedding, nuptials, marriage ceremony; Hochzeit machen get married, be about to marry

der Hof (¨e) yard, courtyard; court; residence; farm, farmhouse

hoffen *tr.* hope

das Hoffen hoping, expectation

die Hoffnung (-en) hope, expectation

das Hoflager (—) (residence of the) court

die Hofleute *pl.* of Hofmann

der Hofmann (-leute) courtier

der Hofstaat (-en) royal household, court, retinue

die Hofstatt (¨e) *see* Hofstaat

die Hohe (*decl. as adj.*) majestic being, lofty figure

die Höhe (-n) height, top, climax, summit, zenith; in die Höhe up, aloft

die Hoheit (-en) highness; eminence; majesty, dignity

die Höhle (-n) cavern, lair

der Hohn scorn, derision, mockery

höhnisch *adj.* derisive

hohn'lachen *intr.* sneer, jeer

hohn'sprechen (i — a — o) *intr.* bid defiance

hold *adj.* kind, fond, gentle, gracious

holen *tr.* bring, fetch, get, procure

der Holländer (—) man of Holland

die Hölle hell

der Höllengeist (-er) spirit of hell, devil, demon

das Höllenreich (-e) infernal region

höllisch *adj.* devilish, infernal

horchen *intr.* hearken, listen; *w. dat.* listen to

Horeb Mt. Horeb

hören *tr. and intr.* hear

die Hostie (-n) host, communion-wafer

der Huf (-e) hoof

das Huhn (¨er) chicken, fowl

die Huld grace, favor

huldigen *intr. w. dat.* pay homage

die Huldigung (-en) homage

die Hülle (-n) covering, cloak

hundert *num.* hundred

hunderthändig *adj.* hundred-handed

der Hunger hunger

hüten *tr.* guard, tend

die Hütte (-n) hut, lowly dwelling

J

ich (*pl.* wir) *pers. pron.* I

ihr (Ihr) *pers. pron.* you, ye

ihr *poss. adj. congruent to* fie her, hers; its; their

Ihr *poss. adj. congruent to* Sie your

im *contraction of* in dem

immer *adv.* always, ever; anyhow; **immer noch** continually

immerdar *adv.* always, ever; **auf immerdar** forever

in *prep.* (*dat. and acc.*) in, at; into, to

indem' *adv.* meanwhile; *conj.* while, when

indes' (**indef'fen**) *adv.* meanwhile; *conj.* while

ineinan'der *adv.* into one another

ineinan'der=legen *tr.* join

der Inhalt contents

inne *adv.* within

in'ne=haben (hat, hatte, gehabt) *tr.* possess, be master of

in'ne=halten (ä — ie — a) *intr.* stop, cease

innerst *adj.* innermost

das Innerste (*decl. as adj.*) inmost being, very self, essence

in'ne=werden (i—a *or* wurde—o) *tr.* perceive

das Inselvolk (*"*er) islanders

der Inselwohner (—) islander

die Infig'nien (*neut. pl.*) insignia, tokens

das Instrument' (-e) instrument, document

irdisch *adj.* earthy, earthly, mundane

irgend *adv.* at any time, at all; some, any; **was irgend** whatever

irgendein *pron. adj.* some, any

irre *adj.* confused, perplexed; astray

irren *intr.* (f. *and* h.) err, go astray, wander, waver; *refl.* be mistaken

ir're=werden (i — a *or* wurde — o) *intr.* (f.) be confused, doubt

die Irrfahrt (-en) (erratic) wandering; vagary

der Irrtum (*"*er) mistake, error

die Irrung (-en) mistake, error; variance, aberration

Isabeau (*pr.* ifaboh') [queen] Isabeau

Isaï *prop. n.* Jesse

itzt *archaic for* jetzt

J

ja *adv.* yes, yea, aye; *additive particle* indeed, in fact; *after a verb* surely, of course, you know; I thought

jagen *tr.* chase; hunt; drive, pursue

der Jäger (—) huntsman

das Jahr (-e) year

der Jammer woe, pain, misery, calamity; lamentation

jammern *tr. and intr.* mourn, lament, grieve

jammervoll *adj.* miserable, wretched

jauchzen *intr.* exult, cheer, acclaim

jauchzend *part. adv.* exultantly

jawohl' *adv.* assuredly, truly

je *adv.* ever, at any time

Jeannette (*pr.* zhannet'te) little Jeanne, Jeannette

jedenfalls *adv.* at all events, by all means

jeder (jede, jedes) *adj. and pron.* each, every, every one

jedweder (jedwede, jedwedes) *archaic for* jeder

jemals *adv.* ever, at any time

jener (jene, jenes) *adj. and pron.* that, that one, the former

jenseits *adv. and prep.* (*gen.*) on the other side, beyond

die Jesabel Jezebel

der Jesusknabe boy Jesus, Christ-child

jetzo *archaic for* jetzt

jetzt *adv.* now, at present

das Joch (-e) yoke

Johan'na *prop. n.* Johanna, Jeanne, Joan

die Jugend youth; young people

die Jugendfülle exuberance of youth

jung (*comp.* ̈er, *superl.* ̈st) *adj.* young

die Jungfrau (-en) maiden, virgin, maid; Holy Virgin

jungfräulich *adj.* maidenly, virgin

der Jüngling (-e) lad, youth

jüngst (*superl. of* jung) *adj.* last; *adv.* recently, of late

die Jüngste (*decl. as adj.*) youngest (daughter)

jüngstverwichen *part. adj.* just past

das Juwel' (*gen.* -s, *pl.* -en) jewel, gem

K

kalt (*comp.* ̈er, *superl.* ̈est) *adj.* cold, frigid; stiff

der (*and das*) **Kamin'** (-e) chimney

der Kampf (̈e) battle, fight, struggle, conflict

kämpfen *intr.* strive, contend, struggle, fight

der Kampfplatz (̈e) field of battle

das Kampfspiel (-e) mock battle, tilting, joust, bout

die Kapel'le (-n) chapel, shrine

Karl *prop. n.* Charles

das Kästchen (—) casket, box

die Kathedra'le (-n) cathedral

die Kathedral'kirche (-n) cathedral church

Kath(a)ri'ne St. Catharine

der Kauf (̈e) purchase; sale; zu Kaufe stehen be for sale

kaufen *tr.* purchase, buy

kaum *adv.* scarcely, hardly

keck *adj.* lively; bold, daring

kehren *tr. and intr.* (f.) turn; change; *refl.* be moved

kein (keine, kein) *adj.* no, none, not any, not a

kennen (kannte, gekannt) *tr.* know, be acquainted with, recognize

kenntlich *adj.* distinguishable, conspicuous, recognizable; macht dich kenntlich identifies you

der Kerker (—) prison, dungeon

die Kette (-n) chain

ketten *tr.* bind

die Ketzerei' (-en) heresy

keusch *adj.* chaste, pure, modest

das Kind (-er) child, babe; von Kind auf from childhood up

kinderlos *adj.* childless

der Kindesblick (-e) childlike gaze

die Kindheit childhood

kindisch *adj.* childish

die Kirche (-n) church

der Kirchensprengel (—) diocese, parish

der Kirchhof (*"*e) churchyard

die Klage (-n) complaint

der Klang (*"*e) sound, note

klar *adj.* clear, distinct, plain

die Klarheit clearness, brightness; clear-eyed look

die Klaue (-n) claw, talon; gripe, clutch

das Kleid (-er) clothes, garment, dress

kleiden *tr.* clothe, dress

klein *adj.* little, small

kleingläubig *adj.* of little faith

der Kleinmut despondency

die Klinge (-n) blade, sword

klingen (a — u) *intr.* sound, clink

klug (*comp.* *"*er, *superl.* *"*st) *adj.* clever, wise, prudent

die Klugheit prudence, wisdom, cleverness

der Knabe (*gen.* -n, *pl.* -n) boy, son

knallen *intr.* crack, pop

das Knallen booming (of guns), report, crash

der Knecht (-e) servant, slave

die Knechtschaft servitude, bondage

das Knie (*pl.* Knie) knee

knien *intr.* kneel

die Knospe (-n) bud

knüpfen *tr.* tie, unite, bind

der Köhler (—) charcoal-burner

der Köhlerbube (*gen.* -n, *pl.* -n) charcoal-burner's boy

die Köhlerhütte (-n) charcoal-burner's hut

das Köhlerweib (-er) charcoal-burner's wife

kommen (kam, gekommen) *intr.* (j.) come, arrive; happen

der König (-e) king

die Königin (-nen) queen

königlich *adj.* regal, royal, kingly, majestic; *adv.* as king

das Königreich (-e) kingdom

die Königsbrust (*"*e) royal breast

die Königskrone (-n) royal crown

die Königskrönung (-en) coronation

der Königslohn (*"*e) royal reward

der Königssohn (*"*e) prince

der Königsstamm (*"*e) royal family, dynasty

das Königswort (-e) royal word

können (kann, konnte, gekonnt) *tr. and mod. aux.* can, be able

der Konnetabel (-s) constable, Lord High Constable

der Kopf (*"*e) head

der Korb (*"*e) basket; hive

das Kornfeld (-er) corn-field, grain-field

der Körper (—) body

körperlos *adj.* disembodied

kosten *intr. w. acc.* cost

köstlich *adj.* costly, precious; choice, excellent; dainty

krachen *intr.* crash, roar

das Krachen crash, roar, thunder

die Kraft (*"*e) strength, power; virtue

kraftbegabt *part. adj.* (gifted) with strength, sturdy

kraftvoll *adj.* strong, robust, vigorous

krampfhaft *adj.* convulsive

krank (*comp.* "er, *superl.* "st) *adj.* sick, ill

der Kranz ("e) wreath, garland

das Kraut ("er) herb

der Kreis (-e) circle

das Kreuz (-e) cross

der Kreuzweg (-e) cross-road

der Krieg (-e) war

der Krieger (—) warrior, soldier

die Kriegerin (-nen) warrior, champion

kriegerisch *adj.* warlike, martial, bellicose; *adv.* as if for war

die Kriegesgöttin (-nen) goddess of war

die Kriegesnot ("e) war's calamity

die Kriegespost (-en) news of war

der Kriegesruhm military glory

die Kriegestat (-en) martial deed

das Kriegesunglück misfortune of war

die Kriegeswolke (-n) war-cloud

die Kriegsdrommete (*poetical for* -trompete) (-n) war-trumpet

der Kriegsgesang ("e) battle-hymn

das Kriegsgetümmel (—) tumult of war

die Kriegsgewalt martial force, military authority

das Kriegsgewühl tumult of war

der Kriegsmarsch ("e) war-march

das Krokodil (-e) crocodile

der Kronbediente (*decl. as adj.*) servant of the crown, officer of the court

die Krone (-n) crown, coronet; top, summit

die Kroneinkunft ("e) crown revenue

krönen *tr.* crown

der Kronfeldherr (*gen.* -n, *pl.* -en) commander-in-chief

der Krönungsmarsch ("e) coronation march

der Krönungsornat (-e) coronation robes

die Krönungsstadt ("e) city of the coronation

der Krönungszug ("e) coronation procession

das Kruzifix' (-e) crucifix

die Kugel (-n) ball, bullet; globe

kühl *adj.* cool, indifferent

kühn *adj.* bold, daring

der Kummer (—) trouble, worry, grief

kümmern *tr.* worry, fret; concern; was kümmert's dich? how does that concern you?

kund *predicate adj.* known

die Kunde (-n) information

kund'machen *tr.* proclaim, make known

die Kundschaft (-en) information, notice; = Kundschafter pickets, spies

künftig *adj.* future; *adv.* for the future

die Kunst ("e) art, skill; artifice

die Kuppel (-n) cupola, dome

kurz (*comp.* "er, *superl.* "est) *adj.* short, brief, curt; vor kurzem recently

die Kurzweil pastime

der Kuß ("sse) kiss

küssen (küßte, geküßt) *tr.* kiss

die Küste (-n) coast, shore

L

lächeln *intr.* smile

das Lächeln (—) smile

lachen *intr.* laugh

lächerlich *adj.* ridiculous, absurd

laden (ä — u — a) *tr.* load; incur; lay upon; = einladen summon, invite

die Lage (-n) situation

das Lager (—) bed, couch; camp

lagern *intr.* be encamped

La Hire (*pr.* lahier') La Hire [a royal officer]

lähmen *tr.* lame, paralyze

das Lamm (¨er) lamb

Lancaster Lancaster [Henry VI of England]

das Land (¨er *or* -e) land, country

der Ländergewaltige (*decl. as adj.*) ruler over many lands

länderlos *adj.* landless, without estates

die Länderscheide (-n) boundary

die Landleute *pl. of* Landmann

ländlich *adj.* rural, rustic, country

der Landmann (-leute) farmer, peasant

der Landsmann (-leute) fellow-countryman

lang (*comp.* ¨er, *superl.* ¨st) *adj.* long

lang(e) *adv.* long, for a long time

langsam *adj.* slow

längst *adv.* long ago, long since

die Lanze (-n) lance

der Lanz(en)knecht (-e) soldier

der Lärmen (—) alarm, call to arms; Lärmen schlagen sound the alarm

lassen (läßt, ließ, gelassen) *tr.* let, leave, permit, allow; have, cause

die Last (-en) load, burden, weight

lästern *tr.* blaspheme

die Lastertat (-en) heinous deed, crime

La Tournelle (*pr.* latuhrnell') La Tournelle [a fortified tower]

der Lauf (¨e) course, orbit, career; gait; in vollem Lauf in full career, at top speed

laufen (äu — ie — au) *intr.* (f. *and* h.) run; Sturm laufen make an assault

die Laune (-n) whim, caprice, mood, humor

laut *adj.* loud, aloud; *adv.* loudly, openly

lauter *adj.* simple, pure, plain; *adv.* only, merely, nothing but

läutern *tr.* purify, cleanse

lebelang *adj.* lifelong

leben *intr.* live, be alive; lebe wohl *etc.* farewell; es lebe! long live!

das Leben (—) life, existence

das Lebende (*decl. as adj.*) (living) creature

leben'dig *adj.* living; lively, active; aroused; during one's life

der Leben'dige (*decl. as adj.*) living person

leben'digfühlend *part. adj.* sensitive, impulsive

lebensfroh *adj.* joyous

das Lebewohl' (-e) farewell, adieu

lebhaft *adj.* lively, quick, active; *adv.* vividly, excitedly, with animation

lecf *adj.* leaky

lebig *adj.* empty, free; single; exempt; lebig geben free, set free

leer *adj.* empty, deserted; vain

legen *tr.* lay, put, place; *refl.* be stilled

die Legion' (-en) legion

die Lehre (-n) teaching, lesson, moral

lehren *tr.* teach; fennen lehren make acquainted

der Leib (-er) body; form, person; stature; waist

leibeigen *adj.* menial

der Leibeigne (*decl. as adj.*) bondman, serf

die Leiche (-n) (dead) body, corpse

der Leichenzug (ᵘe) funeral procession

der Leichnam (-e) corpse

leicht *adj.* light, slight, easy; careless, indifferent, superficial; simple

leichtſinnig *adj.* careless, frivolous, thoughtless, wanton

leiden (litt, gelitten) *tr. and intr.* suffer, endure

das Leiden (—) suffering, sorrow

die Leidenſchaft (-en) passion

leidenſchaftlich *adj.* passionate, vehement

leider *interj.* alas! *adv.* unfortunately

leihen (ie — ie) *tr.* lend; borrow

leis (leiſe) *adj.* soft, light, gentle; leiſe hörend quick of hearing; at the faintest call

leiſten *tr.* do, perform, render, give; einen Eid leiſten take an oath, swear; Folge leiſten obey

leiten *tr.* lead, guide, conduct

die Leiter (-n) ladder

lenfen *tr.* direct

der Lenz (-e) spring; prime

leſen (ie — a — e) *tr.* gather; read

die Lethe (*gen.* -s) *prop. n.* Lethe; oblivion

letzt *adj.* last, final, ultimate; humblest, lowliest, least

das Letzte (*decl. as adj.*) utmost

letztenmal *adv.* zum letztenmal for the last time

leuchten *intr.* shine, gleam, glare

leugnen *tr.* deny, disclaim

der Leumund report, repute, renown

die Leute *pl.* people, men

das Licht (-er) light

die Lichtgeſtalt (-en) radiant figure; transfigured form

lichthell *adj.* beaming, radiant

lichtweiß *adj.* spotless, pure white

lieb *adj.* dear, beloved

die Liebe love, affection; = Geliebte mistress, beloved

lieben *tr. and intr.* love

lieber *adv.* rather, sooner

der Liebeshof (ᵘe) court of love

liebevoll *adj.* loving, kind

lieblich *adj.* lovely, delightful, sweet

lieblos *adj.* loveless, unkind, heartless

das Lied (-er) song

liefern *tr.* give, deliver

liegen (a — e) *intr.* (ſ. *and* h.) lie, be, be situated

die Lilïe (-n) lily

linf *adj.* left

die **Linke** (*decl. as adj.*) left hand; left side

links *adv.* to the left, on the left

die **Lippe** (-n) lip

das **Lob** praise, encomium

der **Lock** (-e) *archaic form of* Locke

die **Locke** (-n) lock, curl

locken *tr.* entice, tempt, allure

lohnen *tr.* reward, requite; es lohnt sich it is worth while

die **Loire** (*pr.* loah're) [river] Loire

der **Lombar'de** (*gen.* -n, *pl.* -n) Lombard, money-lender

der **Lorbeer** (-en) laurel

der **Lord** (-s) lord, nobleman

los *adj.* loose, rid of, free from

los- *sep. pref.* loose, off

das **Los** (—) lot, fate, chance

löschen *tr.* put out, extinguish

das **Lösegeld** (-er) ransom

losen *intr.* draw lots, cast lots

lösen *tr.* untie; free, relax; solve, unravel; keep, fulfill; *refl.* part, separate; be freed

los'lassen (läßt, ließ, gelassen) *tr.* let loose, release

los'sagen *refl.* renounce

lothringisch *adj.* of Lorraine

Louison (*pr.* luison') *prop. n.* Louison, Louise

der **Löwe** (*gen.* -n, *pl.* -n) lion

löwenherzig *adj.* lion-hearted

die **Löwenmutter** (") lioness

die **Luft** ("e) air, breeze

die **Lüge** (-n) falsehood, lie; Lügen strafen give the lie, call liar

lügen (o — o) *intr.* lie, tell a lie

der **Lügner** (—) liar

die **Lügnerin** (-nen) liar

die **Lust** ("e) pleasure, joy, delight; liking; lust

lüsten *intr. imp.* (= gelüsten) desire, long

der **Lütticher** (—) man of Liège

der **Luxemburger** (—) man of Luxemburg

M

machen *tr.* make; form, create; undergo, pass through; act; do; *w.* zu turn into; das macht, weil that is because

die **Macht** ("e) might, power, force

mächtig *adj.* mighty, powerful; huge; thick, luxuriant

das **Machtwort** (-e) command

die **Mada'me** (-n *or in direct address* Mesdames) madam

das **Mädchen** (—) maiden, girl

die **Magd** ("e) maid, maidservant

die **Magistrats'person** (-en) magistrate, councilor, administrative officer

mahnen *tr.* warn, urge

die **Majestät'** (-en) majesty, highness

das **Mal** (-e) time

man *indef. pron.* one, some one, they; you, we

der **Mangel** (") need, lack, want

mangeln *intr.* lack, fail, be wanting

der **Mann** ("er) man; husband; (-en) vassal; Mann für Mann hand to hand

die **Männerliebe** love for man

die **Männerschlacht** (–en) battle of men

mannhaft adj. manly, valiant

männlich adj. male; manly; masculine

die **Mannschaft** (–en) body of men, troop

der **Mantel** (`"`) cloak

die **Mär(e)** (–en) tale, story

Margot (pr. margoh') prop. n. Margot

die **Mari'a** Holy Virgin

der **Markt** (`"`) marketplace; market, fair

die **Marne** [river] Marne

der **Marsch** (`"`e) march

der **Marschall** (`"`e) marshal

die **Marter** (–n) torment

das **Maß** (–e) measure

die **Mauer** (–n) wall

der **Mauernzertrümmerer** (—) demolisher of walls

das **Meer** (–e) sea, ocean

das **Meereswasser** (—) water of the sea

das **Meerschiff** (–e) vessel

die **Megä're** Megæra, fury

mehr (comp. of viel) adv. more; nicht mehr no longer

mehrere pl. adj. several, diverse

meiden (ie — ie) tr. shun, avoid

meilenlang adv. for miles

mein poss. pron. and adj. my, mine

meinen tr. and intr. mean, think

meinige (der, die, das) poss. pron. mine

die **Meinung** (–en) opinion

der **Meister** (—) master

meistern tr. master; criticise, dictate to; browbeat

melden tr. mention, announce

die **Meldung** (–en) mention; information

die **Melodie'** (pl. Melodi'en) melody

Melun (pr. melöng') [town of] Melun

die **Memme** (–n) coward, craven

die **Menge** (–n) crowd, throng

der **Mensch** (gen. –en, pl. –en) man, human being; pl. people; humanity

menschenreich adj. thickly inhabited; populous

die **Menschenstimme** (–n) human voice

die **Menschheit** mankind, humanity

menschlich adj. human, humane; adv. in the eyes of man

die **Menschlichkeit** humanity

messen (mißt, maß, gemessen) tr. and intr. measure; refl. cope, fight a duel

mild adj. mild, gentle; indulgent, generous

die **Milde** mildness, mercy, meekness, generosity

die **Minne** love

mischen tr. mix, mingle

mißgeboren part. adj. misshapen; degenerate, misbegotten

mit prep. (dat.), adv., and sep. pref. with, with the aid of, at, by, together with; along (with); with the rest, with us

der **Mitbewerber** (—) rival, competitor

miteinan'der adv. together

mit'feiern tr. join in celebrating

das **Mitleid** sympathy

das **Mitleiden** pity, sympathy

mitleidig adj. compassionate

mit'rufen (ie — u) intr. join in shouting

die **Mitte** middle, midst, center

das **Mittel** (—) means

mitten adv. in the midst; mitten durch straight through

die **Mitternacht** (¨e) midnight

mittler adj. middle, central

mögen (mag, mochte, gemocht) tr. and mod. aux. may, be able; be allowed; like, wish, desire

möglich adj. possible

der **Monarch'** (gen. -en, pl. -en) monarch

die **Monarchie'** (pl. Monarchi'en) monarchy

der **Mönch** (-e) monk

der **Mond** (-e) moon

die **Mondesscheibe** moon's disk

Montereau (pr. mongteroh') [town of] Montereau

Montgo'mery prop. n. Montgomery

der **Mord** (-e) murder

mordbegierig adj. bloodthirsty, murderous

morden tr. murder, kill, slay

der **Mörder** (—) murderer

mörderisch adj. murderous

mordgewöhnt part. adj. accustomed to murder

die **Mordschlacht** (-en) deadly battle, massacre

der **Mordstahl** (¨e) fatal sword, deadly dagger

morgen adv. to-morrow

der **Morgen** (—) morning

die **Morgenröte** dawn

Moses prop. n. Moses

müde adj. weary, tired

der **Mund** (-e) mouth; lips

munter adj. alive; awake; cheerful, gay

münzen tr. coin, mint

murmeln intr. murmur, whisper

murren intr. mutter, complain

murrend part. adv. sullenly

mürrisch adj. surly, peevish, sullen

die **Musik'** music

müssen (muß, mußte, gemußt) intr. and mod. aux. must, be obliged to, have to

müßig adj. leisurely, idle

der **Mut** courage; heart; spirit; mood

mutig adj. courageous, bold

die **Mutter** (¨) mother

das **Muttergottesbild** (-er) image of the Holy Virgin

das **Mutterherz** (gen. -ens, pl. -en) mother's heart

der **Mutterschoß** (¨e) mother's womb

die **Myla'dy** (pr. a as in Eng.) (-s and -dies) my lady

der **Mylord'** (-s) my lord, your worship

die **Myrte** (-n) myrtle

N

nach prep. (dat.), adv., and sep. pref. after, behind; to, at, in, for, about, by; according to

nach'ahmen tr. imitate

der **Nachbar** (gen. -s or -n, pl. -n) neighbor

nachbarlich *adj.* neighborly; *adv.* in a neighborly way

nachdem' *conj.* after

nach'denken (dachte, gedacht) *intr.* consider, reflect

nach'eilen *intr.* (ſ.) hasten after

nacheinan'der *adv.* successively

nach'folgen *intr.* (ſ.) follow

nachgeahmt *part. adj.* imitated, copied

die **Nachricht** (–en) news, report, information

nach'ſehen (ie — a — e) *intr. w. dat.* look after

nächſt (*superl.* of nahe) *adj.* next, nearest

das **Nächſte** (*decl. as adj.*) what immediately concerns (one), (one's) nearest interest, (one's) nearest duty

nach'ſtreben *intr. w. dat.* strive for

nächſtſtehend *part. adj.* standing nearest

die **Nacht** (ᵘe) night; darkness

nächtlich *adj.* of the night, nocturnal, nightly

der **Nacken** (—) nape of the neck; neck

nah (*comp.* ᵘer, *superl.* nächſt) *adj.* near, close, nigh

die **Nähe** vicinity, proximity, presence; in der Nähe close by

nahen *intr.* (ſ.) draw near, approach

nähern *tr.* bring near; *refl.* approach

nähren *tr.* nourish, suckle; feed, support; cherish, harbor

die **Nahrung** food

der **Name** (*gen.* –ns, *pl.* –n) name

Namur [province of] Namur

der **Narr** (*gen.* –en, *pl.* –en) fool

der **Narrenkönig** (–e) chiefest of fools; king of folly

die **Narrheit** (–en) folly

die **Närrin** (–nen) fool

die **Nation'** (t = tſ) (–en) nation

die **Natur'** (–en) nature; temperament

natür'lich *adj.* natural; *adv.* of course

das **Natür'liche** (*decl. as adj.*) natural side, earthly state, physical aspect

Nea'pel [kingdom of] Naples

neben *prep.* (*dat. and acc.*) by, near, by the side of

nehmen (nimmt, nahm, genommen) *tr.* take, receive; take away

der **Neid** envy

neigen *tr. and refl.* bend, bow, incline; decline, fall, sink

die **Neigung** (–en) inclination, affection

nein *adv.* no

nennen (nannte, genannt) *tr.* name, call; *refl.* be called

neu *adj.* new, recent; aufs neue again, anew

neunt *num. adj.* ninth

neuverjüngt *part. adj.* rejuvenated

nicht *adv.* not

nichts *indecl. pron.* nothing

das **Nichts** nothingness, void

nichtswürdig *adj.* worthless, degraded

nie *adv.* never

nieder *adj.* low, mean, humble ; *adv. and sep. pref.* down, downwards, low

nie'der=blitzen *tr.* hurl down, blast

nie'der=brennen (brannte, ge= brannt) *tr.* burn down

nie'der=fallen (fällt, fiel, gefallen) *intr.* (f.) fall down

nie'der=gehen (ging, gegangen) *intr.* (f.) go down ; decline, set

nie'der=knien *intr.* kneel

die Niederlage (–n) defeat

nie'der=lassen (läßt, ließ, gelassen) *tr.* let down, lower ; *refl.* de= scend

nie'der=legen *tr.* lay down

nie'der=liegen (a — e) *intr.* lie low, be down, be prostrate

nie'der=mähen *tr.* mow down

nie'der=schlagen (ä — u — a) *tr.* strike down, smite

nie'der=sehen (ie — a — e) *intr.* look down

nie'der=setzen *tr.* set down, put down

nie'der=sinken (a — u) *intr.* (f.) sink down

nie'der=stoßen (ö — ie — o) *tr.* thrust down

niederträchtig *adj.* base

nie'der=werfen (i — a — o) *tr.* throw down

niedrig *adj.* low, base, humble, lowly

die Niedrigkeit humble station, lowly birth

niemals *adv.* never

niemand *indef. pron.* no one, none, nobody

nimmer *adv.* never

nimmerfehlend *part. adj.* unerr= ing

nimmermehr *adv.* nowise, by no means, never

noch *adv.* yet, still, even ; more ; once more ; *conj.* nor ; noch ein another ; noch heute this very day ; bevor noch before ever

die Nonne (–n) nun

Normandie' [province of] Nor= mandy

die Not (ⁿe) need, distress ; not tun *imp. w. dat.* require, have need

die Notdurft necessity, want

notdürftig *adv.* scantily, barely, scarcely

Notre Dame (*pr.* nottrdamm'; *lit.* 'Our Lady') Notre Dame [a fortified tower]

die Notwendigkeit necessity

nüchtern *adj.* sober, abstinent, cool, temperate, sane

nun *adv.* now ; *interj.* well

nur *adv.* only, just ; at least ; auch nur even

nutzen *tr.* use

nützen *intr.* be of use, serve

O

O *interj.* O ! oh !

ob *obsolete prep.* (*gen. and dat.*) at, on account of, over

ob *conj.* whether, if, (I wonder) if ; although

das Obdach shelter, refuge, asy= lum

oben *adv.* above, on high, aloft

öde *adj.* waste, desolate

die Öde (-n) desert, waste; solitude

ober *conj.* or

offen *adj.* open; frank, sincere

offenba'ren *tr.* reveal, manifest, exhibit, disclose

die Offenba'rung (-en) revelation

öffentlich *adj.* public

der Offizier' (-e) officer

öffnen *tr.* open

die Öffnung (-en) opening

oft *adv.* often

der Oheim (-e) uncle

der Ohm *see* Oheim

ohne *prep.* (*acc.*) without

ohnmächtig *adj.* impotent; swooning

das Ohr (*gen.* -es, *pl.* -en) ear; ein Ohr leihen give ear

das Öl (-e) oil

die Ölung (-en) anointing

der Ölzweig (-e) olive branch

das Omen (*pl.* Omina) omen, portent

das Opfer (—) offering, sacrifice; victim

die Opfergabe (-n) sacrificial offering

opfern *tr.* offer, sacrifice

das Ora'kel (—) oracle

das Orche'ster (—) orchestra

der Ordensschmuck dress of an order, regalia

ordnen *tr.* put in order, arrange, dispose, regulate

die Ordnung (-en) order; in Ordnung bringen settle, dispose of

die Orgel (-n) organ

die Oriflamme banner, oriflamme

Orleans (*pr.* orleang') [city of] Orleans

der Ornat' (-e) vesture, robe(s)

der Ort (-e *or* "er) place, spot; town

P

das Paar (-e) pair, couple

paaren *tr.* pair; combine, unite

der Page (*pr.* g = zh; *gen.* -n, *pl.* -n) page

der Pair (*pr.* pär) (-s) peer, noble

das Palla'dium Palladium; safeguard

Pallas Pallas Athene [virgin warrior-goddess of wisdom]

der Panzer (—) coat of mail

das Paradies' (-e) Paradise

Paris' [city of] Paris

der Pari'ser (—) Parisian

das Parlament' (-e) parliament

die Partei' (-en) (political) party; Partei nehmen, Partei werden, take sides, take part, side

die Pauke (-n) drum, kettle-drum

die Pause (-n) pause, lull, rest

die Perle (-n) pearl; jewel

die Person' (-en) person; *pl.* dramatis personæ

persön'lich *adj.* personal; hand to hand

pesterfüllt *part. adj.* plague-filled, pestilential

der Pfad (-e) path

das Pfand ("er) pledge

der Pfeil (-e) arrow, shaft, bolt, dart

das Pferd (-e) horse

pflanzen *tr.* plant, set, establish

pflegen (o — o) *tr.* take, enjoy, indulge in; Zweisprach pflegen hold converse; (pflegte, gepflegt) care for, nurse; *intr.* be wont, be accustomed

die **Pflicht** (–en) duty, service, obligation

der **Pflug** ("e) plow

pflügen *tr. and intr.* plow

die **Pforte** (–n) portal, gate, door; arch

der **Pfosten** (—) post, pillar, column

der **Pfuhl** (–e) pool, pit

der (das) **Pfühl** (–e) pillow, cushion

das **Phantom'** (–e) phantom

Pharao [king] Pharaoh

Philipp *prop. n.* Philip

der **Phönix** (–e) phenix

die **Pilgerfahrt** (–en) pilgrimage

die **Plage** (–n) plague, torment

der **Plan** ("e) plan, proposal

der **Planet'** (*gen.* –en, *pl.* –en) planet

die **Plattform(e)** (–en) terrace

der **Platz** ("e) place, seat; square

plötzlich *adj.* sudden

der **Pöbel** populace, rabble, mob

pochen *tr. and intr.* beat, throb

die **Poesie'** (*pl.* Poesi'en) poetry

Poitiers (*pr.* poahtïe') [city of] Poitiers

Ponthieu (*pr.* pongtjöh') [province of] Ponthieu

der **Posten** (—) post, place

die **Pracht** pomp, splendor, magnificence

prächtig *adj.* splendid, magnificent

prächtigströmend *part. adj.* flowing in splendor, majestic

prangen *intr.* shine, be splendid, be beautiful

prangend *part. adj.* splendid, gaudy, flaunting

der **Preis** (–e) price; prize, reward

preisen (ie — ie) *tr.* praise, commend; esteem; call, account

preis'geben (i — a — e) *tr.* surrender; expose

pressen *tr.* press, oppress

die **Priesterin** (–nen) priestess

priesterlich *adj.* priestly

der **Prinz** (*gen.* –en, *pl.* –en) prince

der **Prolog'** (–e) prologue

der **Prophe'tengeist** prophetic spirit

die **Prophe'tin** (–nen) prophetess

prophe'tisch *adj.* prophetic

der **Prospekt'** (–e) prospect, outlook, view

Provence' (*pr.* prowangß') [province of] Provence

provenza'lisch (*pr. v = w*) *adj.* Provençal

prüfen *tr.* prove, test

prüfend *part. adv.* with good judgment, coolly

die **Prüfung** (–en) trial, test; correction

der **Pulvergang** ("e) mine

der **Punkt** (–e) point; mark; item

der **Purpur** purple

Q

quälen *tr.* torment, torture, pain, tease

die **Quelle** (–n) spring; fountain; source

quer *adj.* diagonal

R

der **Rabe** (*gen.* –n, *pl.* –n) raven

die **Rabenmutter** (˝) unnatural mother

die **Rache** vengeance, revenge

der **Rachen** (—) jaw

rächen (rächte *or* roch, gerächt *or* gerochen) *tr.* avenge, revenge

das **Rachgelübde** (—) oath of vengeance

das **Rachschwert** (-er) avenging sword

das **Rad** (˝er) wheel

ragen *intr.* jut forth, project

ragend *part. adj.* towering, impressive, majestic

Rai'mond Raymond [a peasant of Domremy]

der **Rand** (˝er) edge, brink

Raoul (*pr.* ra=ul') *prop. n.* Raoul

rasch *adj.* quick, swift, hasty

raschlodernd *part. adj.* quick to flame up, impetuous

rasen *intr.* rage, rave

rasend *part. adj.* raging, frantic

der **Rasende** (*decl. as adj.*) madman, maniac

die **Rasende** (*decl. as adj.*) mad woman, mad one

rastlos *adj.* restless; incessant

der **Rat** (*pl.* Ratschläge) advice, counsel; plan, expedient; = Überlegung deliberation; ich weiß nicht Rat I do not know what to advise, I am at my wit's end

raten (ä — ie — a) *tr.* counsel, advise

das **Rätsel** (—) riddle, puzzle

der **Ratsherr** (*gen.* –n, *pl.* –en) member of the city-council

der **Raub** robbery; rape; prey, booty

rauben *tr.* rob, plunder; take away, deprive of

der **Räuber** (—) robber

die **Räuberhand** (˝e) thieving hand

der **Rauch** smoke

das **Rauchfaß** (˝sser) censer

rauh *adj.* rough; harsh, stern; rude, coarse

der **Raum** (˝e) room, space; place, quarter

räumen *tr.* clear; leave, depart from

rauschen *intr.* rustle, murmur

die **Rechenschaft** reckoning, account

rechnen *intr.* reckon, count

recht *adj.* right, proper, fitting; recht haben be right; *adv.* aright

das **Recht** (-e) right, justice; privilege

die **Rechte** (*decl. as adj.*) right (side) ; right hand

rechtschaffen *adj.* honest, upright, sincere

die **Rede** (-n) speech; account; report; discourse; Rede stehen answer, give an account

reden *intr.* speak; talk

redlich *adj.* honest; blameless; just; *adv.* properly, well, with honor

der **Regenbogen** (—) rainbow

regie'ren *tr.* rule; direct, control

das **Reh** (-e) roe, deer

reich *adj.* rich, wealthy; copious, abundant

ſauſen *intr.* whiz, whir; whistle

die Saverne (*pr.* ßawer′ne) [river] Severn

ſchaden *intr. w. dat.* hurt, harm

das Schaf (–e) sheep

der Schäfer (—) shepherd, swain

die Schäferin (–nen) shepherdess

die Schäfertrift (–en) sheep-range, pasture

ſchaffen (ſchuf, geſchaffen) *tr.* create, make

ſchaffen *tr.* do, accomplish, make; get, procure

die Schale (–n) bowl, dish; vessel; *biblical* vial

ſchallen *intr.* (h. and ſ.) ring, resound, echo

ſchallend *part adj.* ringing; ſchallendes Gelächter peals of laughter

ſchalten *intr.* rule; ſchalten mit dispose of, deal with

die Scham shame; modesty, shyness

ſchämen *refl.* be ashamed

die Schande shame, dishonor

ſchänden *tr.* shame, disgrace; revile; violate

ſchändlich *adj.* shameful, disgraceful; base

die Schanze (–n) earthwork, intrenchment

die Schar (–en) troop, host; band, multitude; flock; kleine Schar handful

ſcharf (*comp.* ″er, *superl.* ″ſt) *adj.* sharp, keen

der Schatten (—) shadow, shade

der Schatz (″e) treasure, treasury

die Schau view, show

ſchaudern *intr.* shudder

ſchaudernd *part. adv.* shudderingly, with horror

ſchauen *tr. and intr.* look, gaze, behold, see, view; mit dem Rücken ſchauen turn the back upon, leave behind

ſchauerhaft *adj.* horrible, awful

der Schauplatz (″e) scene (of action); stage, theater

die Scheide (–n) border, separating line; sheath, scabbard

ſcheiden (ie — ie) *tr.* separate, part; *intr.* (ſ.) depart, leave; die

der Schein (–e) shining; light, brightness; appearance, pretense; glare, glow

ſcheinen (ie — ie) *intr.* shine; appear, seem

die Scheitel (–n) crown (of the head), head

ſcheitern *intr.* (ſ.) founder, fail, miscarry

ſchelten (i — a — o) *tr. and intr.* scold, blame, abuse; rebuke; call, dub

ſchenken *tr.* pour; give, present; bestow, grant

der Scherz (–e) jest; sport, play

ſcherzen *intr.* joke, jest

ſcheu *adj.* timid, shy; wary; ſcheu werden plunge, rear, shy

ſcheuchen *tr.* scare, frighten; drive away, put to flight

die Scheu(e) shyness, timidity, modesty

die Scheune (–n) barn, garner, shed

ſchicken *tr.* send

das **Schicksal** (-e) fate, destiny;
lot; event

der **Schicksalswechsel** (—) shift of
fortune

die **Schickung** (-en) dispensation,
divine ordinance, decree

schießen (schoß, geschossen) *tr. and
intr.* shoot, fire

das **Schießen** firing, shooting

das **Schiff** (-e) ship; zu Schiffe
bringen put on board

schiffen *intr.* (f.) sail, ship; cross

der **Schild** (-e) shield; protection

der **Schildknappe** (*gen.* -n, *pl.* -n)
esquire

die **Schildwache** (-n) sentinel,
sentry, guard

der **Schimmer** shimmer, sheen,
luster; splendor, glory; semblance

schimmern *intr.* glisten, glitter

der **Schimpf** (-e) insult; indigni-
ty; ignominy, shame

schimpflich *adj.* insulting; shameful

der **Schirm** (-e) shield, shelter,
protection

die **Schlacht** (-en) battle

schlachten *tr.* slaughter, butcher

das **Schlachten** butchery, massacre

das **Schlachtfeld** (-er) battle-field

das **Schlachtroß** (-sse) war-horse,
steed, charger

der **Schlachtruf** (-e) battle-cry

der **Schlaf** sleep, slumber, drowsi-
ness

schlafen (ä — ie — a) *intr.* sleep

der **Schlag** (ᵘe) stroke, blow,
(thunder-)clap

schlagen (ä — u — a) *tr. and intr.*
strike, smite; defeat; beat,
throb; inflict; slay; *refl.* fight
a duel; aus der Art schlagen
degenerate; ein Lager schlagen
encamp; sich ins Mittel schlagen interpose, strike in

schlängelnd *part. adj.* winding,
tortuous

schlecht *adj.* bad, low, base, common, disreputable; ordinary,
humble

schleichen (i — i) *intr.* (f.) creep,
crawl, glide

schleudern *tr.* hurl

schleunig *adj.* quick, rapid, swift,
prompt

der **Schlich** (-e) byway; artifice

schlichten *tr.* arrange, adjust,
smooth

schließen (schloß, geschlossen) *tr.*
shut, lock, close; conclude;
clasp; *refl.* associate, join; den
Zug schließen bring up the rear

schlimm *adj.* bad, untoward, evil

die **Schlinge** (-n) noose, snare,
toil(s)

schlingen (a — u) *tr.* wind, entwine; lock

das **Schloß** (ᵘsser) castle

der **Schlummer** slumber, doze

der **Schluß** (ᵘsse) end, conclusion;
resolution, resolve; decree; act

der **Schlüssel** (—) key

die **Schmach** disgrace, dishonor,
outrage

die **Schmachbedingung** (-en) insulting proviso, shameful stipu-
lation

schmachvoll *adj.* disgraceful

schmähen *tr.* revile, scorn, abuse, despise

schmeichlerisch *adj.* flattering

schmelzen (i — o — o; *also weak*) *tr. and intr.* melt

schmelzend *part. adj.* melting, languishing

der Schmerz (*gen.* -es, *pl.* -en) ache, pain; affliction, sorrow; pity

schmerzlos *adj.* painless

schmieden *tr.* forge; fashion; invent

der Schmuck ornament, adornment; jewels, jewelry

schmücken *tr.* adorn, grace; attire, dress

das Schmuckkästchen (—) jewel-casket

die Schneide (-n) edge; blade

schnell *adj.* quick, swift, agile; hastening

die Schnitterin (-nen) reaper

schnüren *tr.* lace, fasten, bind

schon *adv.* already, by this time; before; so; even, indeed, surely

schön *adj.* pretty, beautiful, handsome, fair, great

schonen *tr. and intr.* (*with gen.*) spare

die Schönheit (-en) beauty

die Schonung (-en) indulgence, forbearance, grace; pity, mercy

schöpfen *tr.* draw, dip, take

der Schöpfer (—) creator

der Schoß ("e) lap; bosom; womb

schottisch *adj.* Scotch

die Schranke (-n) bar, barrier; *pl.* lists (of a tournament)

schrecken *tr.* frighten, terrify

der Schrecken fright, horror, panic

die Schreckensgöttin (-nen) goddess of terror

der Schreckensmond (-e) moon of terror

die Schreckensnähe dread presence

die Schreckensstunde (-n) dread hour

schrecklich *adj.* frightful, dreadful

schreiben (ie — ie) *tr. and intr.* write, prescribe

schreien (ie — i) *intr.* cry, scream, shout

schreiten (schritt, geschritten) *intr.* (s.) step, go, walk, stride

der Schritt (-e) step, pace

schüchtern *adj.* shy, timid

die Schuld (-en) guilt, fault; crime; schuld geben impute to, accuse of

schuldbefleckt *part. adj.* guilt-stained

schuldig *adj.* guilty; due

der, die Schuldige (*decl. as adj.*) criminal

schuldlos *adj.* innocent, guiltless

der Schutt rubbish, ruins; refuse

schütteln *tr.* shake

der Schutz protection

der Schütze (*gen.* -n, *pl.* -n) marksman

schützen *tr.* protect, defend

der Schützer (—) defender

schwach (*comp.* "er, *superl.* "st) *adj.* weak, feeble

die Schwäche (-n) weakness, frailty

die Schwachheit (-en) weakness

der Schwächling (-e) weakling

schwanken *intr.* totter, waver, rock; fluctuate, vacillate

ſchwarz (*comp.* ″er, *superl.* ″eſt) *adj.* black

ſchwärzen *tr.* blacken, darken

ſchweben *intr.* hover, float

der Schweif (–e) tail

ſchweifen *intr.* (ſ.) stray, wander, roam

ſchweigen (ie — ie) *intr.* be silent, keep silence; end, cease

das Schweigen silence

ſchweigend *part. adv.* in silence

der Schweiß sweat

ſchwer *adj.* heavy, difficult, hard, severe, troublous; sluggishly

das Schwere (*decl. as adj.*) fault, wrong

ſchwerlich *adv.* scarcely, hardly

ſchwermütig *adj.* melancholy, pensive

das Schwert (–er) sword

der Schwertſtreich (–e) sword-stroke

die Schweſter (–n) sister

die Schweſterbruſt (″e) sister's breast

ſchweſterlich *adj.* sisterly; *adv.* as a sister

ſchwindeln *intr.* be dizzy

ſchwindelnd *part. adv.* dizzily, giddily; extravagantly

ſchwinden (a — u) *intr.* (ſ.) disappear

ſchwingen (a — u) *tr. and intr.* swing, wave, oscillate; *refl.* soar, sweep

ſchwören (o *and* u — o) *tr. and intr.* swear, vow; take oath to

der Schwur (″e) oath

ſechſt *num. adj.* sixth

ſechzehn *num.* sixteenth

Seeland [province of] Zealand

die Seele (–n) soul, mind, heart

der Segen (—) blessing; prosperity

ſegenreich *adj.* blessed, blissful

die Segenskraft (″e) blessed power

der Segenstrank (″e) beneficent drink, cordial

ſegenvoll *adj.* beneficent

ſegnen *tr.* bless

ſehen (ie — a — e) *tr. and intr.* see; perceive; look; ſieh! lo! behold!

ſehend *part. adj.* open-eyed

das Seherauge (*gen.* –s, *pl.* –n) prophetic eye

die Seherin (–nen) seer, prophetess

ſehnen *refl.* long, long for

das Sehnen yearning

die Sehnſucht longing

ſehr *adv.* very, much, greatly

die Seide (–n) silk

ſein (iſt, war, geweſen) *intr.* (ſ.) be, exist; *w. dat.* ail, be wrong with; mir war's I felt; it seemed to me; *aux. of tense* have

ſein *poss. pron. and adj.* his, its

ſeinige (der, die, das) *poss. adj.* his, its

ſeit *prep.* (*dat.*) since, for; *conj.* since

ſeitdem' *adv.* since, since then; *conj.* since

die Seite (–n) side; direction; auf die Seite to one side, aside

ſelber *indecl. intensive pron.* myself *etc.*

ſelbſt *indecl. intensive pron. following modified word* myself *etc.*; *adv. preceding modified word* even

felig *adj.* blessed; **felig preifen** call blessed, count happy

die Selige (*decl. as adj.*) Blessed (Virgin)

felten *adj.* rare, scarce; *adv.* seldom, rarely

feltfam *adj.* strange, odd, peculiar

die Seltfamfeit oddity, strangeness

fenden (**fendete** *or* **fandte, gefendet** *or* **gefandt**) *tr.* send

fenfen *tr.* sink, lower, bow

fetzen *tr.* set, put, place, stake; *refl.* sit down

fich *indecl. refl. and recip. pron. dat. and acc. sg. and pl.* himself, herself, itself, themselves, yourself, yourselves; each other, one another

die Sichel (-n) sickle

ficher *adj.* secure, safe, sure, certain

die Sicherheit security, safety; assurance

fichern *tr.* assure, guarantee; secure

fichtbar *adj.* visible

fichtbarerweife *adv.* visibly, evidently

fie (**ihrer**) *pers. pron.* she, her, it, they, them

Sie (**Ihrer**) *pers. pron. w. pl. verb* you

fieben *num.* seven

fiebenfach *adj.* sevenfold

fiebent *num. adj.* seventh

der Sieg (-e) victory

das Siegel (—) seal

fiegen *intr.* conquer, overcome

fiegend *part. adj.* victorious, triumphant

der Sieger (—) victor, conqueror

der Siegerblick (-e) triumphant glance

die Siegesbeute spoils of victory

die Siegesfreude (-n) joy of victory

der Siegesgott (‟er) god of victory

der Siegesruhm fame of victory

das Siegeszeichen (—) token of victory, victorious standard

fiegefrönt *part. adj.* crowned with victory

fieghaft *adj.* victorious

fiegreich *adj.* victorious

fiegverfündend *part. adj.* proclaiming victory

fieh *interj.* lo! behold!

das Silber silver

der Silberftrom (‟e) silver stream

finfen (a — u) *intr.* (f.) sink, fall; be lost

der Sinn (-e) sense, mind, spirit; character; insight; intention

das Sinnbild (-er) symbol

finnbildlich *adj.* symbolical

finnen (a — o) *tr. and intr.* think, plan, intend

das Sinnen meditation

finnend *part. adj.* lost in meditation

finnlos *adj.* senseless, mad

finnverwirrend *part. adj.* confusing

Sire (*pr. by p. xxxiv*) Sire (*title of address to majesty*)

die Sire'ne (-n) siren

die Sitte (-n) custom; manners, morals

der Sitz (-e) seat; place of abode

fitzen (**faß, gefeffen**) *intr.* sit; = **fich fetzen** sit down der Sklave (*gen.* –n, *pl.* –n) slave

so *adv. and conj.* so, thus, in that manner, therefore; indeed, really; such; as; yet; then

sobald' *conj.* as soon as

soe'ben *adv.* just, just now

sogleich' *adv.* immediately, at once

der Sohn (*"e*) son

die Sohnespflicht (–en) filial duty

solang'(e) *conj.* as long as, while

solch *dem. pron. and adj.* such

der Sold pay, wages

der Soldat' (*gen.* –en, *pl.* –en) soldier

sollen (soll, sollte, gesollt) *intr. and mod. aux.* be obliged, shall, should, ought, be to, have to, be said to

der Sommer (—) summer

sondern (*after neg.*) *conj.* but

die Sonne (–n) sun

sonnenhell *adj.* clear as day

der Sonnenschein sunshine

sonst *adv.* else, otherwise, elsewhere; moreover; formerly, once

Sorel' *prop. n.* Sorel

die Sorge (–n) care; solicitude; anxiety

sorgen *intr.* care; provide; fear

spähen *intr.* spy, watch

spalten *refl.* open, be rent

spannen *tr.* stretch, strain; stimulate; rivet [one's gaze]

sparen *tr.* spare

spät *adj.* late

der Speer (–e) spear

die Speise (–n) food

das Spiel (–e) game, play

spielen *tr. and intr.* play; take place

das Spinngewebe (—) cobweb, spider's web

die Spitze (–n) point, head, van

spitzfindig *adj.* quibbling, subtle, captious, nice

der Sporn (*gen.* –(e)s, *pl.* Sporen) spur

spornen *tr.* spur, urge forward

der Spott mockery, derision

spotten *tr. and intr.* mock

die Sprache (–n) speech, language, tongue

sprachlos *adj.* speechless, silent, dumb

sprechen (i — a — o) *tr. and intr.* speak, speak with, talk, say; zufrieden sprechen soothe, pacify; den Segen sprechen pronounce the blessing

sprengen *intr.* (f.) dash, come at full gallop

springen (a — u) *intr.* (f. and h.) spring, jump, run

der Sprößling (–e) scion, descendant

sprühen *tr.* scatter, dart, shoot forth

spülen *tr.* wash (as of waves); rinse, cleanse

spüren *tr.* trace, track; discover, detect

der Stab (*"e*) staff

der Stachel (*gen.* –s, *pl.* –n) sting; thorn

das Stachelwort (–e) taunt, gibe

die Stadt (*"e*) city, town

der Stahl (*"e*) steel; sword

stahlbedeckt *part. adj.* steel-clad

stählern *adj.* steel

der Stall (¨e) stable

der Stamm (¨e) trunk, stem, stalk; stock, family, race

stammen *intr.* (f.) be descended from

der Stammherr (*gen.* -n, *pl.* -en) forbear, progenitor

stampfen *tr. and intr.* stamp; summon forth [by merely stamping the foot]

der Stand (¨e) stand; state, condition; rank, class, station

stand'halten (ä — ie — a) *intr.* stand firm

der Stapel (—) staple; emporium, market; den Stapel halten müssen come under the right of staple; den Stapel halten be exposed to view

stark (*comp.* ¨er, *superl.* ¨ft) *adj.* strong, robust; thick, luxuriant

die Stärke strength

starr *adj.* stiff; motionless; stupid; astounded

statt *prep.* (*gen.*) instead of

die Statt place, stead

die Stätte (-n) place, spot

der Staub dust; ashes; ruins

staunen *intr.* be astonished, wonder at

das Staunen amazement

stecken *tr.* stick; put, place

stehen (stand, gestanden) *intr.* (f. and h.) stand; be, fare; rest; stop, halt; stehen bleiben stand, stop

stehenden Fußes *adv.* instantly

stehlen (ie — a — o) *tr.* steal; *refl.* steal off

steigen (ie — ie) *intr.* (f.) mount, ascend, climb, rise; = niedersteigen descend, step down; land, disembark; = sich bäumen rear, prance

der Stein (-e) stone; = Edelstein precious stone, jewel

steinern *adj.* stone

stellen *tr.* place, put; draw up, present; *refl.* present one's self, enter; take one's place; expose one's self

sterben (i — a — o) *intr.* (f.) die

sterblich *adj.* mortal

der Stern (-e) star

stets *adv.* continually, always, ever

der Steuermann (-leute) helmsman, pilot

stiften *tr.* institute, establish; effect, make

der Stifter (—) founder

still *adj.* still, quiet, silent, peaceful; secret; im Stillen secretly, privately

stille *interj.* be quiet!

die Stille silence, hush

stillgehorchend *part.adv.* passively, in quiet submission

das Stillschweigen stillness, silence

stillschweigend *part. adj.* silent

still'stehen (stand, gestanden) *intr.* stand still, pause, rest

die Stimme (-n) voice, vote, verdict, assent

die Stimmung (-en) mood, humor

die Stirn(e) (-en) front, forehead, brow; countenance; freche Stirne brazen front

ſtolʒ *adj.* proud, haughty

der Stolʒ pride

ſtolʒie'ren *intr.* (ſ. and h.) strut, flaunt

ſtören *tr.* trouble, disturb, hinder

ſtoßen (ö — ie — o) *tr.* thrust, push; *intr.* (ſ.) join (forces with)

ſtrafbar *adj.* guilty

die Strafe (–n) punishment, penalty

ſtrafen *tr.* punish; Lügen ſtrafen give the lie, call liar

das Strafen punishment; vengeance

der Strahl (*gen.* -es, *pl.* -en) beam, ray, flash; lightning; thunderbolt

ſtrahlen *tr. and intr.* beam, radiate, glisten

die Straße (–n) street, road; route

ſtraucheln *intr.* (ſ. and h.) stumble, trip

ſtreben *intr.* strive, endeavor

das Streben endeavor, struggle, effort; ambition

ſtrecken *tr.* stretch, extend; ʒu Boden ſtrecken lay low; die Waffen ſtrecken throw down one's arms, surrender

der Streich (–e) stroke; blow

ſtreifen *intr.* (ſ. and h.) wander; graze; touch in passing

der Streit (–e) combat, conflict; quarrel, dispute; battle

ſtreiten (ſtritt, geſtritten) *intr.* fight; quarrel; *refl.* contend, dispute

der Streiter (—) warrior; champion

ſtreng *adj.* stern, severe, exact

die Strenge austerity, rigor

ſtreuen *tr.* strew, scatter

das Stroh straw

der Strom (″e) stream, river; current

ſtrömen *intr.* (ſ. and h.) stream, flow

das Stück (–e) piece

die Stufe (–n) step

der Stuhl (″e) chair; throne

ſtumm *adj.* silent, dumb; ſtumme Perſonen mute characters, walking figures

die Stunde (–n) hour, time

ſtündlich *adj.* hourly

der Sturm (″e) storm, assault; Sturm laufen make an assault

ſturmbewegt *part. adj.* storm-tossed, tempestuous

ſtürmen *intr.* storm, plunge, rush

ſturmfeſt *adj.* storm-proof, secure against all storms, sheltered, fast, firm

der Sturmwind (–e) tempest, whirlwind

ſtürʒen *tr.* hurl, overthrow; *intr.* (ſ.) fall, tumble, rush

ſtützen *tr.* prop, support, lean

ſtygiſch *adj.* Stygian

ſuchen *tr. and intr.* seek, search, look for

die Sünde (–n) sin

der Sünder (—) sinner

ſündig *adj.* sinful

der Sündige (*decl. as adj.*) criminal, sinner

ſüß *adj.* sweet

die Szene (–n) scene; scenery; stage; bei offener Szene when the stage is set

T

der **Tadel** fault, blame, censure, reproof

die **Tafelrunde** Round Table

der **Tag** (-e) day; life; zu Tage treten appear

tagen intr. dawn; es tagt light breaks in, there comes a revelation

die **Tagereise** (-n) day's journey

der **Tagesanbruch** break of day, dawn

das **Tal** (¨er) valley, dale

Talbot Talbot [an English general]

der **Tanz** (¨e) dance

tapfer adj. brave, hardy, daring, stout

der **Tapfere** (decl. as adj.) hero

die **Tapferkeit** bravery

die **Tat** (-en) deed, act

tatenlos adj. inactive

der **Tau** dew

das **Tau** (-e) rope, cable

die **Taube** (-n) dove

tauchen tr. dip, thrust, plunge

taugen intr. be fit for

der **Taumel** giddiness, intoxication, frenzy, passion

der **Taumelwahn** mad delusion, frenzy

täuschen tr. deceive, disappoint

täuschend part. adj. illusory, delusive

tausend num. thousand

der, (das) **Teil** (-e) part, share, division; side, party

teilen tr. divide, share; sich in etwas teilen go shares in something, apportion among them

die **Teilnahme** sympathy

der **Tempel** (—) temple

der **Tempelschänder** (—) temple-desecrator

teuer adj. dear, costly, precious; teure Zeit time of scarcity, hard times

der **Teufel** (—) devil

die **Teufelsdirne** (-n) imp of the devil, devil's lass

Thibaut (pr. tibbo´) Thibaut [father of Johanna]

der **Thron** (-e) throne

thronen intr. be enthroned, rule, reign

die **Throneshöhe** exalted station; hoch bis zur Throneshöhe high even as a throne

der **Thronhimmel** (—) canopy

tief adj. deep, profound

die **Tiefe** (-n) depth

tiefgepflanzt part. adj. deeply implanted

das **Tier** (-e) animal, beast

der **Tiger** (—) tiger

das **Tigerfell** (-e) tiger-skin

der **Tigerwolf** (¨e) rapacious wolf

tilgen tr. destroy, blot out, efface

toben intr. rage

die **Tochter** (¨) daughter

der **Tod** (pl. Todesfälle) death; wir sind des Todes we are dead men; auf den Tod to death, mortally

der **Todesgott** (¨er) god of death

das **Todesopfer** (—) victim, sacrifice

der **Todesstreich** (-e) mortal blow

töblich adj. deadly, fatal; adv. mortally

toll *adj.* mad

der Ton (*"e*) tone, sound, note

tönen *intr.* sound, peal

tot *adj.* dead

töten *tr.* kill, slay

der Tor (*gen.* -en, *pl.* -en) fool

das Tor (*-e*) gate, portal

Toul (*pr.* tuhl) [town of] Toul

das Trachten aspiration, aim, pursuit

tragen (ä — u — a) *tr.* bear, carry, wear; hold, have; endure

die Trägerin (-nen) bearer

die Tragö'die (-n) tragedy

die Träne (-n) tear

tränentauend *part. adj.* dissolving in tears

tränenvoll *adj.* lachrymose; dolorous

der Trank (*"e*) drink, potion

trauen *intr. w. dat.* trust

die Trauer grief, mourning

trauern *intr.* grieve, mourn

traulich *adj.* cozy, intimate, familiar, fond

der Traum (*"e*) dream, vision; reverie

träumen *tr. and intr.* dream, muse; **mir hat geträumt** I have dreamed

traurig *adj.* sad, melancholy

treffen (trifft, traf, getroffen) *tr. and intr.* hit, strike; meet, find; hurt; affect; make

das Treffen (—) attack; battle

trefflich *adj.* excellent, good

treiben (ie — ie) *tr.* drive, urge, impel, pursue; carry

das Treiben conduct

trennen *tr.* separate, part; dissolve

treten (tritt, trat, getreten) *intr.* (f. *and* h.) tread, walk, go, come; *tr.* tread, trample

treu *adj.* true, faithful

die Treue faith, constancy, fidelity

treulos *adj.* faithless

treuverschwiegen *part. adj.* faithful in hiding; loyal

die Trift (-en) pasture

trinken (a — u) *tr. and intr.* drink

der Tritt (*-e*) tread; step

der Triumph' triumph

das Triumph'gepränge (—) triumphal display

die Trommel (-n) drum

die Trompe'te (-n) trumpet, bugle

der Tropfe(n) (*gen.*-ns, *pl.*-n) drop

trösten *tr.* comfort, console

trostlos *adj.* inconsolable, disconsolate

der Trotz defiance

trotzig *adj.* defiant

der Troubadour (*pr.* trubaduhr') (-s) minstrel, troubadour

trügen (o — o) *tr.* deceive, betray

trüglich *adj.* deceptive, beguiling

die Trümmer *pl.* fragments, ruins

trunken *adj.* drunken; frenzied

die Truppe (-n) troop, band

die Tücke (-n) guile, knavery

die Tugend (-en) virtue

tugendlich *adj.* virtuous

tummeln *tr.* keep in motion; manage; turn, wheel

tun (tat, getan) *tr.* do, make, take, put

die Tür(e) (-en) door

der Turm (*"e*) tower

die Turmwand (*"e*) tower-wall

die Tyrannei' (-en) tyranny

u

das **Übel** evil

üben *tr.* exercise; practice, employ, train; do

über *prep.* (*dat. and acc.*), *adv.*, *sep. and insep. pref.* over, above, by; across, beyond; on account of; concerning, on

überdrüssig *adj.* tired, weary, disgusted

überei'lend *part. adj.* precipitate, over-hasty

die **Überei'lung** over-haste, rashness

überein'=stimmen *intr.* agree

der **Überfall** ("e) sudden attack, surprise

überfal'len (überfällt, überfiel, überfallen) *tr.* attack suddenly, surprise

überflüssig *adj.* superfluous

die **Übergabe** surrender

überge'ben (i — a — e) *tr.* give over, surrender

über=gehen (ging, gegangen) *intr.* (f.) surrender; pass over; change

überlas'sen (überläßt, überließ, überlassen) *tr. w. dat.* leave, abandon, deliver, give up to

überle'gen *tr.* ponder, consider

überlie'fern *tr.* deliver over, surrender

der **Übermut** haughtiness, insolence

überra'gen *tr.* overtower, overlook

überra'schen *tr.* surprise

überrei'chen *tr.* hand over, give

überschla'gen (ä — u — a) *refl.* fall back, rear

überschrei'ten (überschritt, überschritten) *tr.* overstep, cross; exceed

überschweng'lich *adj.* exuberant, excessive

überströ'men *tr.* overflow

überwallend *part. adj.* gushing over, overflowing

überwin'den (a — u) *tr.* overcome

der **Überwin'der** (—) conqueror

übrig *adj.* left, remaining, over; spared, alive; other

übrig=bleiben (ie — ie) *intr.* (f.) be left, remain behind

um *prep.* (*acc.*), *adv.*, *sep. and insep. pref.* about, around; near; concerning; at; by; in order to; for; after; um . . . willen for the sake of; um . . . her around, round about

umar'men *tr.* embrace

umfan'gen (ä — i — a) *tr.* embrace; surround

umfas'sen (umfaßte, umfaßt) *tr.* clasp, embrace

umge'ben (i — a — e) *tr.* surround, inclose

umglän'zen *tr.* envelop in glory, illumine

umgrü'nen *tr.* entwine with green

umgür'ten *tr.* gird about

umher' *adv. and sep. pref.* about, around

umher'=schauen *intr.* look about

umher'=sehen (ie — a — e) *intr.* look about

umhül'len *tr.* wrap around, veil, shroud

um'kehren *tr.* turn around, over-
turn, overthrow ; *intr.* (ſ.) turn
back

um'kommen (kam, gekommen) *intr.*
(ſ.) die, perish

umleuch'ten *tr.* illumine

umrin'gen *tr.* surround

umrun'gen *part. adj.* surrounded

um'ſchauen *refl.* look about

umſchlie'ßen (umſchloß, umſchloſ-
ſen) *tr.* embrace

umſchlin'gen (a — u) *tr.* wrap in
close embrace

umſchwär'men *tr.* buzz around

umſonſt' *adv.* in vain ; without
cause, without purpose

umſpan'nen *tr.* encompass

umſtehend *part. adj.* standing
about

der Umſtehende (*decl. as adj.*) by-
stander

umſtrah'len *tr.* surround with
radiance, illumine

umſtri'cken *tr.* insnare

umtö'nen *tr.* echo round

um'wälzen *tr.* whirl around, reverse

um'wandeln *tr.* change about,
transform, convert, reverse

um'wenden (wendete or wandte,
gewendet or gewandt) *tr. and
refl.* turn (about)

um'winden (a — u) *tr.* wind about

umzin'geln *tr.* encircle, surround,
hem in

Words compounded with un- regularly have chief stress upon this
member ; but in adjectives and ad-
verbs there is a considerable tendency to shift the stress to the second
member. In time German will probably yield entirely to this tendency,
just as English did long ago. —
Hempl. Schiller in the *Jungfrau*,
so far as can be determined from the
meter, always gives the chief accent
to un= when compounded with an
adjective without suffix, and always
with the suffix =bar except in unnennbar, but never with the suffixes
=ig, =iſch, =lich. But the meter is not
generally decisive as to the accent
of the four-syllable compounds. Nowhere in the play is the meter decisive as to the accent of un= compounded with a participle.

unabſeh'bar *adj.* immeasurable,
farther than eye can reach

unausbleib'lich *adj.* infallible, inevitable

unbegleitet *part. adj.* unaccom-
panied

unbegreif'lich *adj.* incomprehen-
sible

unbeſchifft *part. adj.* unsailed

unbeweg'lich *adj.* immovable

unbeweint *part. adj.* unmourned

unbezwing'lich *adj.* unconquerable

unbezwun'gen *part. adj.* unvan-
quished ; invincible, impregnable

und *conj.* and

undankbar *adj.* ungrateful

unehrerbietig *adj.* disrespectful,
irreverent

unend'lich *adj.* endless

die Unend'lichkeit infinity

unentflieh'bar *adj.* unavoidable

die Unerbitt'lichkeit relentlessness

unermeß'lich *adj.* immeasurable,
unnumbered

unerreich'bar *adj.* unattainable

unfreiwillig *adj.* involuntary ; re-
luctant

unfruchtbar *adj.* fruitless ; barren

ungeehrt' *part. adj.* unhonored

ungeheu'er *adj.* monstrous; mysterious

ungehofft' *part. adj.* unhoped-for

ungekränkt' *part. adj.* unharmed; in peace

ungerecht *adj.* unjust

der (das) Ungestüm violence, vehemence

ungewiß *adj.* uncertain

das Ungewitter (—) thunderstorm

das Unglück (*pl.* Unglücksfälle) misfortune; adversity

unglücklich *adj.* unfortunate, unlucky, wretched

unglückselig *adj.* unhappy, miserable, calamitous

unkriegerisch *adj.* unwarlike, unfit for war

unkundig *adj.* ignorant

unlösch'bar *adj.* unquenchable

unlustig *adj.* disinclined; sad; angry; disgruntled

unmög'lich *adj.* impossible

der Unmut dejection; vexation

unnatürlich *adj.* unnatural

unnenn'bar *adj.* inexpressible

unnötig *adj.* unnecessary

unnütz *adj.* useless, vain

unrecht *adj.* unjust, wrong

das Unrecht injustice; crime

unrühmlich *adj.* inglorious

die Unschuld innocence

unschuldig *adj.* innocent

unselig *adj.* baleful, fatal, sinister, ominous

unser *poss. adj. and pron.* our, ours

die Unsern (*decl. as adj.*) our party, our adherents

unsichtbar *adj.* invisible

der Unsinn folly, madness, unreason

unsinnig *adj.* foolish, mad

unsrige (der, die, das) *poss. adj.* our, ours

die Unsrigen *decl. as adj.* our troops

unsterb'lich *adj.* deathless, undying

unten *adv.* below, beneath

unter *comp. adj.* lower, inferior; *superl.* unterst lowest, last

unter *prep.* (*dat. and acc.*), *adv.*, *sep. and insep. pref.* under; among, between; of; in; by; during; to

unterbre'chen (i — a — o) *tr.* interrupt

unterdes' *adv.* meanwhile, in the meantime

unterdes'sen *see* unterdes

unterdrü'cken *tr.* oppress

der Untergang (ꭢe) ruin, destruction

un'ter=gehen (ging, gegangen) *intr.* (s.) perish, die out

die Unterhand'lung (-en) negotiation

unterlie'gen (a — e) *intr.* (s.) succumb, be defeated

die Unterneh'mung (-en) undertaking

unterschei'den (ie — ie) *tr.* distinguish

untersinkend *part. adj.* setting, waning, declining

unterwer'fen (i — a — o) *tr.* subdue; *refl.* submit

unterwin'den (a — u) *refl. w. gen.* undertake, take upon one

untrüg'lich *adj.* infallible
unüberwind'lich *adj.* invincible
unverletz'lich *adj.* inviolable
unverständlich *adj.* unintelligible
unvertei'digt *part. adj.* defenseless
unverträglich *adj.* quarrelsome;
  adv. churlishly, in a contentious
  spirit
unwiderfteh'lich *adj.* irresistible
unwürdig *adj.* unworthy
unzertrenn'lich *adj.* indivisible
üppig *adj.* luxurious
uralt *adj.* ancient
das Urteil (-e) judgment, opinion
Utrecht [province of; city of]
  Utrecht

V

Valois (*pr.* walloah') *prop. n.*
  Valois
der Vasall' (*pr.* wa–) (*gen.* -en, *pl.*
  -en) vassal
der Vater (") father; *pl.* forefathers, ancestors
das Vaterhaus ("er) father's house
das Vaterland fatherland, native
  country
väterlich *adj.* paternal, ancestral
vaterlos *adj.* fatherless, orphaned
Vaucouleurs (*pr.* vohkoolurr')
  [town of] Vaucouleurs
ver= *insep. pref.* out, away, to an
  end; amiss
verab'scheuen *tr.* detest, loathe
verach'ten *tr.* abhor, detest
verächt'lich *adj.* contemptible
die Verach'tung disdain
der Verband' ("e) bandage
verban'nen *tr.* banish, outlaw

die Verban'nung banishment, exile
verber'gen (i — a — o) *tr.* hide,
  conceal; contain; cover
verbie'ten (o — o) *tr.* forbid
die Verbin'dung (-en) alliance,
  connection
verblen'den *tr.* blind, delude
verbrämt' *part. adj.* bordered,
  trimmed
das Verbre'chen (—) crime
verbrei'ten *tr.* disseminate, spread
verbün'den *tr.* associate, unite;
  refl. ally one's self
verbür'gen *tr.* pledge; *refl.* vouch
  for
der Verdacht' suspicion
verdam'men *tr.* condemn, de-
  nounce
die Verdamm'nis damnation
verdammt' *part. adj.* accursed,
  damned
verdan'ken *tr.* be indebted, owe
verder'ben (i — a — o) *tr.* destroy;
  intr. (f.) perish
das Verder'ben ruin, destruction
verderb'lich *adj.* destructive,
  deadly
verdie'nen *tr.* deserve
das Verdienst' (-e) desert, merit
verdop'peln *tr.* double; quicken
verdrieß'lich *adj.* vexatious, sullen, morose, crabbed
vere'deln *tr.* ennoble, improve
vereh'ren *tr.* revere, honor; present, bestow
verehr'lich *adj.* venerable
verei'nen *tr.* unite
verei'nigen *tr.* join, unite
verflu'chen *tr.* curse
verflucht' *part. adj.* accursed

verfol'gen *tr.* pursue

die Verfol'gung (–en) pursuit

verfüh'ren *tr.* seduce, tempt

vergan'gen *part. adj.* gone

das Vergan'gene (*decl. as adj.*) past

verge'ben (i — a — e) *tr.* forgive

verge'bens *adv.* in vain

verges'sen (vergißt, vergaß, vergessen) *tr. and intr.* forget

vergie'ßen (vergoß, vergossen) *tr.* shed

vergif'ten *tr.* poison

der Vergleich' (–e) comparison, parallel; arrangement, terms

verglei'chen (i — i) *tr.* compare

das Vergnü'gen (—) pleasure

vergön'nen *tr.* permit

vergos'sen *part. adj.* outpoured, spilled

vergü'ten *tr.* requite, make amends for

verhän'gen *tr.* proclaim, decree

das Verhäng'nis (–sse) decree; fate; fatality

verhäng'nisvoll *adj.* fateful, momentous

verhär'ten *tr.* harden

verhaßt' *part. adj.* hated, odious

die Verhee'rung (–en) ravage, havoc

verheh'len *tr.* hide, conceal

verhei'ßen (ie — ei) *tr.* promise, vouchsafe

verherr'lichen *tr.* glorify

verhin'dern *tr.* hinder, prevent

verhöh'nen *tr.* deride

verhül'len *tr.* veil, cover, wrap

verja'gen *tr.* turn away, drive off

verjährt' *part. adj.* old, antiquated

verjün'gen *tr.* rejuvenate, renew

verkau'fen *tr.* sell

verken'nen (verkannte, verkannt) *tr.* mistake, misjudge

verklä'ren *tr.* glorify, transfigure

verkör'pern *tr.* embody

verkün'den *tr.* announce, proclaim

verkün'digen *tr.* make known, manifest

verlan'gen *tr.* desire, ask for, demand

das Verlan'gen longing, desire

verlas'sen (verläßt, verließ, verlassen) *tr.* leave, abandon, forsake; *refl.* rely, depend

verlei'hen (ie — ie) *tr.* lend, give, grant

verlet'zen *tr.* hurt, wound; offend

die Verlet'zung (–en) offense, outrage; injury, wound

verleug'nen *tr.* deny, disown

die Verleum'dung (–en) calumny

verlie'ren (o — o) *tr.* lose

verlo'ben *tr.* affiance, betroth, plight

verlo'ren *part. adj.* lost; verloren gehen be lost

der Verlo'rene (*decl. as adj.*) lost soul, abandoned person

das Verlo'rene (*decl. as adj.*) lost ground, lost advantage

der Verlust' (–e) loss

verlu'stig *adj.* deprived; erklärte dich verlustig decreed that you have forfeited

vermäh'len *tr.* marry, give in marriage

Vermanton (*pr.* wermangtong') [town of] Vermanton

vermeh'ren *tr.* increase

vermen'gen *tr.* confound, confuse, mix

vermi'ſchen *tr.* mingle, blend

die **Vermi'ſchung** (-en) alloy; intermixture; alliance

vermiſ'ſen (vermißte, vermißt) *tr.* miss

vermö'gen (vermag, vermochte, vermocht) *tr.* be able to do; offer, afford

verneh'men (vernimmt, vernahm, vernommen) *tr.* perceive, hear; ſich vernehmen laſſen intimate, speak

vernich'ten *tr.* annihilate

die **Vernunft'** reason

verpfän'den *tr.* pawn, pledge; stake

verpflich'ten *tr.* bind, oblige; *refl.* pledge

der **Verrat'** (-e) treason, treachery

verra'ten (ä — ie — a) *tr.* betray; show, manifest

der **Verrä'ter** (—) traitor

die **Verrä'terin** (-nen) traitress

verſa'gen *tr.* deny, refuse

verſam'meln *tr.* assemble; gather

verſchämt' *part. adj.* ashamed, bashful

verſchen'ken *tr.* give away

verſchlie'ßen (verſchloß, verſchloſ= ſen) *tr.* shut, close; contain; cut off; lock

verſchlin'gen (a — u) *tr.* devour, absorb, obliterate

verſchloſ'ſen *part. adj.* reserved, closed

verſchmä'hen *tr.* disdain, scorn

verſcho'nen *tr.* spare

verſchul'den *tr.* commit, be guilty of

verſchwe'ben *intr.* (ſ.) float off; die away

verſchwei'gen (ie — ie) *tr.* conceal, hide

verſchwen'den *tr.* waste, dissipate

verſchwie'gen *part. adj.* silent, discreet

verſchwin'den (a — u) *intr.* (ſ.) disappear, vanish

verſen'ken *tr.* sink

verſet'zen *tr.* answer, reply

verſie'geln *tr.* seal, ratify

verſin'ken (a — u) *intr.* (ſ.) sink, vanish; fall, lapse

verſöh'nen *tr.* reconcile, appease; *refl.* be reconciled

die **Verſöh'nung** (-en) reconciliation

verſor'gen *tr.* provide for; settle

verſper'ren *tr.* bar, obstruct

verſpre'chen (i — a — o) *tr.* promise

verſtän'dig *adj.* intelligent, prudent, sensible

verſtär'ken *tr.* strengthen

verſte'hen (verſtand, verſtanden) *tr.* understand

verſtellt' *part. adj.* feigned, simulated

verſtört' *part. adj.* disturbed

verſto'ßen (ö— ie — o) *tr.* push away; expel, reject

verſto'ßen *part. adj.* outcast

verſtri'cken *tr.* insnare, beguile

verſtum'men *intr.* (ſ.) become mute, grow dumb

der **Verſuch'** (-e) attempt, trial

verſu'chen *tr.* attempt, try; tempt

vertau'ſchen *tr.* exchange

vertei'digen *tr.* defend

der Vertei′diger (—) defender

vertil′gen *tr.* efface, blot out

der Vertrag′ (″e) compact, agreement, treaty

vertra′gen (ä — u — a) *tr.* suffer, abide; *intr. and refl.* agree, be reconciled

vertrau′en *intr. and tr.* trust, confide in, intrust to

das Vertrau′en confidence, reliance

vertrau′end *part. adj.* trustful, confident

vertrau′lich *adj.* intimate

vertraut′ *part. adj.* familiar; trusted

vertrö′sten *tr.* put off (with promises)

verwah′ren *tr.* guard, keep

verwahrt′ *part. adj.* proof (against)

verwan′deln *tr.* change, transform; *refl.* be changed, shift

verwe′hen *tr.* blow away

verwei′gern *tr.* refuse

verwei′len *intr.* tarry, sojourn, dwell

verwer′fen (i — a — o) *tr.* reject, refuse

verwe′sen *tr.* administer

verwi′chen *part. adj.* past, bygone

verwir′ren *tr.* confuse, bewilder

die Verwir′rung (-en) perplexity, confusion, disorder

verwor′fen *part. adj.* depraved

die Verwor′fene (*decl. as adj.*) reprobate, wretch

verwor′ren *part. adj.* disconcerted, confused

verwun′den *tr.* wound

verwun′dern *tr.* astonish, surprise, amaze

verwü′sten *tr.* ravage, lay waste, devastate

verza′gen *intr.* lose courage, despair

verzei′hen (ie — ie) *tr.* pardon, forgive

verzwei′feln *intr.* despair

die Verzweif′lung desperation

verzweif′lungsvoll *adj.* despairing; *adv.* in despair

der Vetter (*gen.* -s, *pl.* -n) cousin, relative

viel (*comp.* mehr, *superl.* meist) *adj.* much, many, a great deal

vielgetreu *adj.* very loyal

vielleicht′ *adv.* perhaps

vier *num.* four

vierzehnt *num. adj.* fourteenth

das Visier′ (*pr.* v = w) (-e) visor

der Vogel (″) bird, fowl

das Volk (″er) people, common people; nation; troops

das Völkerfest (-e) popular festival, national celebration

voll *adj., adv., sep. and insep. pref.* full, whole, complete

vollbrin′gen (vollbrachte, vollbracht) *tr.* perform, accomplish

voll′drängen *tr.* pack full, throng, crowd

vollen′den *tr.* conclude, end, finish, perfect, mature, accomplish

vollkom′men *adj.* perfect

vollzie′hen (vollzog, vollzogen) *tr.* fulfill, perfect

von *prep.* (*dat.*) of, from; by, with; because of; concerning

vor *prep.* (*dat. and acc.*), *adv., and sep. pref.* before; from; because of, of; for; with; ago; beyond

voran' *adv. and sep. pref.* before, at the head

voran'=gehen (ging, gegangen) *intr.* (f.) precede

voraus' *adv.* before, in advance, ahead

der Vorbehalt (-e) proviso, reservation

vorbei' *adv.* by, over, past

vorder *adj.* fore, front

vor'dringen (a — u) *intr.* (f.) push ahead, advance

vorhan'den *adj.* at hand, ready, present

der Vorhang ("e) curtain

vorhin' *adv.* before, a little while ago, previously

vorig *adj.* former, preceding

vorlieb' *see* fürlieb

vorn *adv.* before, in the fore part, in front; **von vorne** from the beginning

vor'schreiben (ie — ie) *tr.* dictate, prescribe

vor'sehen (ie — a — e) *refl.* be on one's guard, take care

die Vorsicht foresight, prudence

vor'sprengen *intr.* (f.) gallop on ahead

der Vorteil (-e) advantage

vor'tragen (ä — u — a) *tr.* carry before

vor'treten (tritt, trat, getreten) *intr.* (f.) step before, stand forth

vorü'ber *adv. and sep. pref.* by, past, over

vorü'ber=führen *tr.* lead past

vorü'ber=gehen (ging, gegangen) *intr.* (f.) pass away, vanish; pass by

vorü'ber=gleiten (glitt, geglitten) *intr.* (f.) glide past, slip by

vorü'ber=kommen (kam, gekommen) *intr.* (f.) pass before, come across

vorwärts *adv.* forward

W

die Wache (-n) guard, watch, sentry

das Wachs (-e) wax

wachsen (ä — u — a) *intr.* (f.) grow; increase

das Wachstum growth

wacker *adj.* stout, brave, gallant; honest, worthy

die Waffe (-n) weapon; *pl.* arms

der Waffenbruder (") brother in arms, comrade

der Waffenfreund (-e) companion in arms

das Waffengetöse (Waffengetös) clash of arms

die Waffenrüstung (-en) armor

die Waffenstille truce

waffnen *tr.* arm

wagen *tr.* venture, risk; dare

der Wagen (—) carriage, wagon

wägen (o — o; *also weak*) weigh, ponder

die Wahl (-en) choice, selection

wählen *tr.* choose

der Wahn illusion, delusion

der Wahnsinn madness, insanity

wahnsinnig *adj.* deranged, demented, distracted

VOCABULARY 327

wahr *adj.* true, genuine, real;
nicht wahr is it not so? don't
you think so? wasn't I, etc.

während *prep.* (*gen.*) during, for;
conj. while, whereas; während
daß while

die **Wahrheit** (–en) truth

wahr'nehmen (nimmt, nahm, ge=
nommen) *tr.* notice, perceive

der **Wald** (ᵘer) forest, wood

der **Wall** (ᵘe) wall, rampart

wallen *intr.* (f.) wander, go on a
pilgrimage, make pilgrimage;
(h.) undulate, surge, press onward

wallend *part. adv.* in waves, in
swarms

Wallis *prop. n.* Wales

der **Walli'ser** (—) Welshman

walten *intr.* manage, rule, reign

waltend *part. adj.* prevalent, all-
prevailing

wälzen *tr. and refl.* roll, coil,
wheel

wandeln *intr.* (f. and h.) walk,
wander

der **Wanderer** (—) wanderer,
traveler, wayfarer

die **Wange** (–n) cheek

wanken *intr.* (f. and h.) waver,
totter

wann *interrog. adv.* when

wannen *adv.* whence; von wan=
nen from whence, wherefrom

das **Wappen** (—) coat of arms,
escutcheon

der **Wappenrock** (ᵘe) herald's coat,
tabard

warm (*comp.* ᵘer, *superl.* ᵘst) *adj.*
warm, ardent

warnen *tr.* warn

die **Warnung** (–en) warning

der **Warnungstraum** (ᵘe) warning dream

die **Warte** (–n) watch-tower,
lookout

warten *intr.* wait; attend to,
tend; await, expect

wartend *part. adj.* expectant,
ready

der **Wartturm** (ᵘe) watch-tower,
turret

warum' *interrog. adv.* why,
wherefore

was *interrog. pron.* what; = wie
how; = warum why; *indef.
rel. pron.* which, that which,
what, those who; = etwas
some, something

das **Wasser** (—) water

wässern *tr.* water

der **Wechsel** (—) change

wechseln *tr. and intr.* change, exchange

wecken *tr.* wake

weder *conj.* neither; weder . . .
noch neither . . . nor; weder
. . . weder neither . . . nor

weg *adv. and sep. pref.* away,
off; *interj.* away (with) !

der **Weg** (–e) way, road; path

weg'bleiben (ie — ie) *intr.* (f.) stay
away

wegen *prep.* (*gen.*) *sometimes postpositive* on account of, as regards; von wegen for

weg'geben (i — a — e) *tr.* give away

weg'locken *tr.* entice away, lure

weg'reißen (riß, gerissen) *tr.* tear
away, snatch from

weg'tilgen *tr.* efface, erase, blot out

weg'tragen (ä — u — a) *tr.* bear away, carry off

weg'werfen (i — a — o) *tr.* throw away

weg'ziehen (zog, gezogen) *intr.* (f.) march away, depart

das Weh (–e) woe, ache, pang, grief, agony

weh(e) *interj.* woe is me! alas!

wehen *intr.* blow, wave

die Wehmut sadness, melancholy

die Wehmutsträne (–n) tear of sorrow

die Wehr (–en) defense; weapon; sich zur Wehr setzen stand on one's guard; resist

wehren *intr. w. dat.* restrain, prevent, oppose, arrest; *refl. w. gen.* defend

wehrlos *adj.* unarmed, defenseless

das Weib (–er) wife; woman

die Weiberliebe love of women; woman's love

weiblich *adj.* feminine, womanly; womanish, effeminate; female; *adv.* as a woman, like women

das Weibliche (*decl. as adj.*) woman's matter, woman's business

weich *adj.* soft, tender, pliant, yielding

weichen (i — i) *intr.* (f.) yield, give way, retreat

der Weichling (–e) weakling

weiden *tr.* pasture, feed, tend

weigern *tr. and refl.* refuse, decline, deny

weihen *tr.* consecrate, dedicate, devote

weil *conj.* since, because

die Weile (space of) time, while

weinen *intr.* cry, weep, shed tears

weise *adj.* wise, knowing, prudent, sage

die Weise (–n) manner, way, method, mode, wise

weisen (ie — ie) *intr.* point

weiß *adj.* white; *adv.* in white

die Weissagung (–en) prophecy, prediction

weit *adj.* far, remote; wide, broad; great

die Weite (–n) distance, extent, expanse

weiter *adj.* farther, further

weitgefaltet *part. adj.* with broad folds, ample

welch *interrog. and rel. pron. and adj.* who, which, what, what a, that; = etwas some, any; welch ... auch however

die Welle (–n) wave; undulation; surge

die Welt (–en) world; alle Welt everybody

das Weltgebäude (—) world-structure; world, cosmos, universe

das Weltgeschick (–e) universal destiny, world-stirring event

weltlich *adj.* worldly, mundane; temporal, secular

der Weltruhm world-wide renown, temporal fame

wenden (wendete *or* wandte, gewendet *or* gewandt) *tr. and intr.* turn, turn around; turn away, avert; devote, apply (to); change

wenig *adj.* little, few

wenn *adv.* when; *conj.* if, when, whenever; **wenn auch** even if, though; **wenn nicht** unless

wer *interrog. pron.* who; *indef. rel. pron.* whoever, he who

werben (i — a — o) *tr.* seek, engage; *intr. w.* um woo, sue

werden (wird, warb *or* wurde, geworden) *intr.* (f.) become, grow; be; happen; get; turn out to be; **mir wird** I feel; **wie wird mir** what ails me?

werfen (i — a — o) *tr.* throw, cast

das Werk (-e) work, fortification

das Werkzeug (-e) implement, tool, instrument

wert *adj.* worth; deserving, worthy; esteemed, dear

der Wert (-e) worth, value

das Wesen (—) being, existence; creature; nature; affairs, régime; behavior, manner

weshalb' *adv.* why

Westfries'land [province of] West Friesland, Friesland

wider *prep.* (acc.), *adv.*, *and insep. pref.* against, contrary to

widerle'gen *tr.* refute, disprove

widerspenstig *adj.* refractory, obstinate, perverse

der Widerspruch ("e) opposition; contradiction

der Widerstand resistance, opposition; **Widerstand tun** make resistance

widerste'hen (widerstand, widerstanden) *intr. w. dat.* withstand, oppose

das Widerstre'ben opposition, reluctance

wie *adv.* how; *conj.* as, like, when; **wie auch** however, whatever, however much

wieder *adv.*, *sep. and insep. pref.* again, anew

wie'der=finden (a — u) *tr.* find again; *refl.* find one another again, be restored; come to one's self

wie'der=geben (i — a — e) *tr.* give back, return

wiederho'len *tr.* repeat

wiederholt' *part. adj.* repeated; *adv.* over and over

die Wiederkehr return

wie'der=kehren *intr.* (f.) return (home)

die Wiederkunft return

wie'der=sehen (ie — a — e) *tr.* see again

das Wiedersehen meeting (after a separation); **auf Wiedersehen** au revoir, good-by till we meet again

die Wiege (-n) cradle; birthplace

wiegen (o — o) *tr. and intr.* weigh; be worth

die Wiese (-n) meadow

wieviel' *adv. or indecl. adj.* how much, how many

wild *adj.* wild, untamed, fierce, savage

wildempört *part. adj.* mutinous, madly aroused

die Wildnis (-ffe) wilderness, wild, desert

der Wille(n) (*gen.* -ns, *pl.* -n) will, wish, intention; **willens sein** propose, intend; **um ... willen** for the sake of, on account of

willkom'men *adj.* welcome

die **Wimper** (–n) eyelash

der **Wind** (–e) wind

winden (a — u) *tr.* wind; writhe; *refl.* be twined

der **Wink** (–e) nod, hint, intimation, sign

der **Winkel** (—) corner, nook

winken *intr.* beckon, sign

der **Winter** (—) winter

wir *pers. pron.* we

wirken *tr. and intr.* work, bring about; have influence

wirklich *adj.* actual, real; *adv.* really, truly

die **Wirklichkeit** actuality, reality

wirren *tr.* twist, enmesh; confuse; *refl.* become entangled

wissen (weiß, wußte, gewußt) *tr.* know, be aware of; be able, know how

die **Wissenschaft** (–en) science; = **Kenntnis** knowledge

die **Witwe** (–n) widow

der **Witz** (–e) wit; jest

wo *adv. and conj.* where, when

wodurch' *adv.* by means of which, by what means

wogend *part. adj.* heaving, surging

woher' *adv.* whence, where

wohin' *adv.* whither, where

wohl *adv.* well; perhaps, indeed, I suppose, presumably, do you suppose

wohlbekannt *part. adj.* well-known

die **Wohlfahrt** welfare, prosperity

wohlfeil *adj.* cheap

wohlgesinnt *part. adj.* well-disposed, well-intentioned

wohl'tun (tat, getan) *intr.* do good, benefit

wohlverdient *part. adj.* well-deserved

wohnen *intr.* live, dwell, reside

der **Wohnsitz** (–e) habitation, abode

der **Wolf** (ᵘe) wolf

die **Wölfin** (–nen) she-wolf

die **Wolke** (–n) cloud

wollen (will, wollte, gewollt) *tr. and mod. aux.* will, wish; have a mind, intend; be about to; desire, want; **das wolle Gott nicht!** God forbid!

das **Wollen** willing, will; inclination, purpose

womit' *adv.* with which, with what, wherewith

die **Wonne** delight; rapture, bliss

woran' *adv.* on what, of what, by what, whereby, how

worauf' *adv.* on which, for which, on what, to what, whereupon

woraus' *adv.* of what, out of what, from which

worden *variant of* geworden

das **Wort** (ᵘer *or* –e) word; **das Wort führen** speak for, represent

das **Wörtlein** (—) small word, little word

worü'ber *adv.* whereof, about what, at which

wovon' *adv.* whereof, of which, wherewith, upon which, from which

die **Wunde** (–n) wound

das **Wunder** (—) wonder, miracle

wunderbar *adj.* wonderful, marvelous, strange

die Wundergabe (-n) gift of working miracles; miraculous talent

das Wundermädchen (—) marvelous girl, prodigy

wundersam *adj.* wonderful, wondrous, strange

wundervoll *adj.* marvelous

der Wunsch ("e) wish, desire

wünschen *tr.* wish, desire

wünschenswert *adj.* desirable

würdig *adj.* worthy, deserving, estimable; imposing, venerable

würgen *tr.* throttle, strangle; kill, destroy

die Wurzel (-n) root

wüst *adj.* waste, desolate; disordered; desert, wild

die Wüste (-n) waste, desert

die Wut rage, fury

wüten *intr.* rage, be furious

die Wütende (*decl. as adj.*) madwoman, fury

wutentbrannt *part. adj.* inflamed with rage, furious

wütig *adj.* raving, raging

wutschnaubend *part. adj.* raging, frenzied, rage-breathing

Y

Yonne [river] Yonne

Z

zagen *intr.* lack courage, be dismayed; quail

zaghaft *adj.* hesitant, timid

die Zahl (-en) number

zählen *tr.* count, reckon; mark

zahlreich *adj.* numerous

zahm *adj.* tame, tractable, docile

der Zahn ("e) tooth

der Zank quarrel, discord

zart *adj.* tender, frail

das Zartgefühl delicacy

zärtlich *adj.* tender, gentle

der Zauber (—) charm, spell, magic

der Zauberbaum ("e) magic tree, enchanted tree

die Zauberin (-nen) sorceress, witch

das Zauberknäuel (—) magic knot, magic web

die Zauberwaffe (-n) weapon of sorcery

zaudern *intr.* delay, hesitate

zehn *num.* ten

zehnmal *adv.* ten times

zehnt *num. adj.* tenth

das Zeichen (—) token, mark, sign; standard

zeichnen *tr. and intr.* draw, mark, delineate, brand

zeigen *tr. and intr.* show, point (at); *refl.* appear

die Zeit (-en) time

eine Zeitlang *adv.* a short while, for a time

das Zelt (-e) tent

der Zentner (—) hundredweight

zentnerschwer *adj.* ponderous

das Zepter (—) scepter

zeptertragend *part. adj.* scepter-bearing

zer= *insep. pref.* asunder, in pieces

zerbre'chen (i — a — o) *tr. and intr.* (f.) break in pieces, shatter

zerflie'ßen (zerfloß, zerfloffen) *intr.*
(f.) dissolve, melt

zerrei'ßen (zerriß, zerriffen) *tr. and
intr.* (f.) tear, rend

zerftamp'fen *tr.* stamp in pieces,
crush

zerftö'ren *tr.* destroy

die Zerftö'rung (-en) destruction,
ruin, desolation

zerftreu'en *tr.* scatter, disperse

zerftreut' *part. adj.* distracted, dis-
persed

zertei'len *tr.* divide

zertren'nen *tr.* divide, sever

zertrüm'mern *tr.* ruin, demolish

zeugen (= erzeugen) *tr.* beget,
bear

zeugen (= Zeugniß ablegen) *intr.*
testify, bear witness

ziehen (zog, gezogen) *tr.* draw,
drag, attract; refer, apply;
intr. (f.) go, depart, move, pass,
march; *refl.* withdraw

das Ziel (-e) goal, end

ziemen *intr.* fit, suit, become

die Zierde (-n) ornament, decoration, honor

zieren *tr.* adorn, decorate

zierlich *adj.* graceful, neat

die Zinne (-n) pinnacle; rampart

zittern *intr.* tremble

zitternd *part. adj.* timid

der Zoll (¨e) custom, duty; toll,
tribute

der Zorn anger, passion

zornglühend *part. adj.* flaming
with anger

zu *prep.* (*dat.*), *adv.*, *and sep. pref.*
to, at, in, by, towards, besides,
with, for, too, in order to, on

züchtig *adj.* chaste, modest

zucken *tr.* shrug, jerk, draw; *intr.*
quiver, twitch

zücken *tr.* draw (a sword)

zuckend *part. adj.* convulsive

zu'decken *tr.* cover up, conceal

zu'dringen (a — u) *intr.* (f.) press
forward

zu'eilen *intr.* (f.) hasten up, hurry
towards

zu'erkennen (erkannte, erkannt) *tr.*
adjudge, award, ascribe

zuerft' *adv.* first, at first, for the
first time

der Zufall (¨e) accident, chance

zufrie'den *adv.* content, satisfied;
zufrieden geben acquiesce, comply; be content; zufrieden
sprechen mollify, pacify

der Zug (¨e) procession, train;
march, column; trait; feature;
draught; movement, advance

zu'gehen (ging, gegangen) *intr.*
(f.) go towards, approach

zu'gehören *intr.* belong to

zugleich' *adv.* at the same time,
at once

zu'kommen (kam, gekommen) *intr.*
(f.) come to

die Zukunft future

zuletzt' *adv.* at last, lastly, last;
finally, in the end, after all

die Zunge (-n) tongue

zu'rechnen *tr.* ascribe to, impute to

zürnen *intr.* be angry

zurück' *adv. and sep. pref.* back,
backwards, behind

zurück'=beben *intr.* (f.) start back

zurück'=begeben (i — a — e) *refl.* go
back, return

zurück′=bleiben (ie — ie) *intr.* (ſ.)
  stay behind, hold aloof

zurück′=bringen (brachte, gebracht)
  tr. bring back

zurü′cke *archaic for* zurück

zurück′=erwarten *tr.* wait for, expect back

zurück′=fahren (ä — u — a) *intr.*
  (ſ.) shrink back, recoil ; return

zurück′=finden (a — u) *refl.* find
  one's way back

zurück′=fliehen (o — o) *intr.* (ſ.) flee
  back, flee

zurück′=fließen (floß, gefloſſen) *intr.*
  (ſ.) flow back

zurück′=führen *tr.* lead back

zurück′=geben (i — a — e) *tr.* give
  back

zurück′=gehen (ging, gegangen) *intr.*
  (ſ.) go back, return ; retrograde,
  be in a bad way

zurück′=halten (ä — ie — a) *tr.* hold
  back, check, restrain

zurück′=kehren *intr.* (ſ.) return

zurück′=kommen (kam, gekommen)
  intr. (ſ.) come back

zurück′=meſſen (mißt, maß, gemeſ=
  ſen) *tr.* retrace

zurück′=rufen (ie — u) *tr.* call back,
  revoke, recall

zurück′=ſchicken *tr.* send back

zurück′=ſchwingen (a — u) *intr.* (ſ.)
  fly back

zurück′=ſenden (ſendete *or* ſandte,
  geſendet *or* geſandt) *tr.* send
  back

zurück′=ſtoßen (ö — ie — o) *tr.* re-
  pel, repulse

zurück′=taumeln *intr.* (ſ.) reel back,
  retreat in confusion

zurück′=tragen (ä — u — a) *tr.* carry
  back

zurück′=treten (tritt, trat, getreten)
  intr. (ſ.) step back, withdraw

zurück′=wenden (wendete *or* wandte,
  gewendet *or* gewandt) *refl.* turn
  back

zurück′=ziehen (zog, gezogen) *tr.*
  withdraw

zuſam′men *adv. and sep. pref.* together

zuſam′men=drängen *tr.* crowd together

zuſam′men=führen *tr.* unite

zuſam′men=grenzen *intr.* adjoin

zuſam′men=halten (ä — ie — a)
  intr. hold together

zuſam′men=laufen (äu — ie — au)
  intr. (ſ.) run together

der Zuſchauer (—) spectator

zu′ſchließen (ſchloß, geſchloſſen) *tr.*
  lock, close, shut ; *refl.* be closed

zu′ſehen (ie — a — e) *intr.* look at,
  watch

der Zuſtand (ᵘe) condition

zu′treten (tritt, trat, getreten) *intr.*
  (ſ.) approach

zu′wenden (wendete *or* wandte,
  gewendet *or* gewandt) *tr.* turn to

zuwi′der *adv.* against, contrary
  to, repugnant to

zu′ziehen (zog, gezogen) *tr.* shut ;
  intr. (ſ.) march to, be on one's
  way to join

zwanzig *num.* twenty ; a score of

zwar *adv.* indeed, certainly, to
  be sure, it is true

zwei *num.* two

zweifach *adj.* twofold

der Zweifel (—) doubt

zweifeln *intr.* doubt

der **Zweig** (-e) twig, branch

zweihun'dert *num.* two hundred

zweimal *adv.* twice

die **Zweisprach(e)** (-n) dialogue, converse

zweit *num. adj.* second

zweitau'send *num.* two thousand

die **Zwietracht** dissension, discord

zwingen (a — u) compel, force, conquer

zwischen *prep.* (*dat. and acc.*) between, among

der **Zwischenraum** (ᵘe) interval, space between

der **Zwist** (-e) dispute, quarrel

zwölf *num.* twelve

zwölft *num. adj.* twelfth